ДИНА
РУБИНА

ПОЧЕРК
ЛЕОНАРДО

ДИНА **РУБИНА**

ПОЧЕРК ЛЕОНАРДО

Роман

Москва

2008

УДК 82-3
ББК 84(2Рос-Рус)6-4
Р 82

Рубина Д.

Р 82 Почерк Леонардо: Роман / Дина Рубина. — М.: Эксмо, 2008. — 464 с.

ISBN 978-5-699-27962-3
ISBN 978-5-699-27369-0

«...Он уверял, что она — ангел. Смешно, конечно? Не в том смысле, что типа как с неба ангел, а, мол, природа ее родственна неким существам, которые в народном сознании фигурируют как ангелы-архангелы всякие... ну и прочая небесная братия. Что люди в них верят, потому что время от времени такие существа действительно появляются на земле среди людей...»

Она пишет зеркальным почерком, от которого у непосвященных кружится голова. У нее блестящие способности к математике и физике, она гениальная циркачка, невероятный каскадер, она знает о зеркалах все, что можно о них знать. Она умеет видеть прошлое и прозревать будущее. Киев, Москва, Франкфурт, Индианаполис, Монреаль — она летит по жизни, неприкаянная и несвободная, видит больше, чем обычный человек способен вообразить, — и ненавидит за это себя и того, кто наделил ее такой способностью.

Новый мистический роман Дины Рубиной «Почерк Леонардо» — история человека, который не хотел быть демиургом. История женщины, которая с великолепной брезгливостью отвергает дар небес.

УДК 82-3
ББК 84(2Рос-Рус)6-4

ISBN 978-5-699-27962-3 (СР)
ISBN 978-5-699-27369-0 (Бол Лит)

Лине Никольской —
воздушному канатоходцу

И остался Иаков один. И боролся Некто с ним до восхода зари.

Бытие 32:25–26

Итак, пусть никто не ожидает, что мы будем что-либо говорить об ангелах[1].

Бенедикт Спиноза.
О человеческой душе

1 Пер. *В. Соколова.*

Часть первая

Леворукость имеет атавистический и дегенеративный характер... Нередко встречается у сумасшедших, преступников и, наконец, у гениев[1].

Чезаре Ломброзо

1 Пер. *К. Щербино.*

1

Звонок был настырным, долгим, как паровозный гудок: межгород.

Телефон стоял в прихожей под большим овальным зеркалом, и когда звонила мужнина родня, Маше казалось, что зеркало сотрясается, как от проходящего поезда, и вот-вот упадет.

Казенный плоский голос: ждите, Мариуполь на проводе. По голосам их, что ли, на работу принимают?

Звонила Тамара, двоюродная сестра мужа.

Обычно она поздравляла с Новым годом или сообщала о смерти очередной тетки — у Анатолия в Мариуполе был целый хоровод престарелой родни.

Маша хотела сразу же передать ему трубку, но Тамара сказала:

— Постой-ка, Маш, я ведь именно что к тебе...

И смущенной скороговоркой сообщила, что после неудачной операции аппендицита в Ейске померла племянница тети Лиды. Вот.

— Это какой же тети Лиды?

— Да видала ты ее, и племянницу видала на моей свадьбе. Тетя Лида-покойница, она не нам приходится родней, а со стороны...

Ну, пошло-поехало... Короче, с той, другой стороны, не мариупольской, а ейской.

Маша давно уже оставила многолетние попытки запомнить все родственные связи изобильной мужниной родни.

— ...и, слышь, племянница-то померла, но от нее осталась девчоночка трех лет.

— Ну и что?

А то, явно волнуясь, торопливо рассказывала Тамара, что эту девочку никто из ихней родни брать не хочет, хотя родня очень даж зажиточная: двоюродная сестра покойницы сама зубной техник, дом — полная чаша...

Живые с покойниками в той родне дружно шагали рука об руку из рода в род, весело перекликаясь и переругиваясь, доспоривая, допевая песню и допивая шкалик.

Странно, что никто из той родни так-таки и не хочет взять этого ребенка.

Маша стиснула зубы. Не горячись, сказала она себе, никто не собирался тебя обидеть, никому дела нет до твоей боли.

— Томка... — наконец сказала она спокойно. — Ты мне все это зачем говоришь?

Та замялась. В трубке шумел равнодушный прибой чьих-то гулких голосов, и Маша вдруг поняла, что ради этого разговора Тамара явилась на телеграф, выстояла очередь к кабине...

— Ну, может, вы подумаете, Маш... — словно бы извиняясь, проговорила та. — Все же у вас детей нет, может, это шанс? Как ни крути, а тебе уже... тридцать шесть?

— Тридцать четыре, — оборвала Маша. — И я надежды не теряю. Я лечусь.

— Ну, как знаешь... — Тамара сразу сникла, потеряла интерес к разговору. — Так ты и телефона не запишешь, бабы этой, дантистки? На всякий случай?

И Маша зачем-то записала, чтобы не обижать Томку, — ведь хорошего хочет, дурында этакая.

Все у них просто, у этих мариупольских коров с полными выменами...

Она опустила трубку и подняла голову. Из овального, в резной черной раме зеркала на нее внимательно смотрела еще молодая женщина с подвижным, усыпанным обаятельной веснушчатой крупкой лицом. За спиной у нее, в проеме открытой в спальню двери виден был отдыхающий после дежурства муж. Его босая ступня покачивалась маятником в такт то ли мыслям, то ли мотивчику, напеваемому беззвучно. Лицо заслонено ставнем раскрытой книжки, название и автор опрокинуты в зеркалье — прочесть невозможно.

Далее перспектива зеркала являла окно, где тревожно металась на ветру усыпанная белыми «свечками» крона киевского каштана. А выше и глубже поднималась голубизна небесной пустоты, то есть отражение сливалось со своим производным, истаивало в небытии...

Вдруг ее испугало это.

Что? — спросила она себя, прислушиваясь к невнятному, но очень острому страху. Что со мной? Этот страх перед услужливо распахнутой бездной — почему он связан с привычным отражением в домашнем зеркале?

Всю ночь Маша не спала, дважды поднималась накапать себе валерьянки. Толя молчал, хотя она слышала, что и он ворочался до рассвета.

Ровно год назад у них после многолетних медицинских мытарств родился крупный, красивый мертвый мальчик.

Наутро после разговора с Мариуполем Маша дождалась, когда за мужем захлопнется входная дверь, и набрала номер телефона этой странной женщины, которая не могла или не хотела пригреть племянницу-сиротку.

И все сложилось: и дозвонилась быстро, и женщина оказалась на месте, и слышно было фантастически ясно. И разговор произошел мгновенный, отрывистый и исчерпывающий, словно судьба торопилась пролистнуть страницу с незначительным текстом.

Выслушав первую же Машину фразу, та сказала:

— Вы эту девочку не возьмете. Она невообразимо худа.

— Что это значит? — спросила Маша. — Она больна?

— Говорю вам, вы эту девочку не возьмете. Вы просто испугаетесь.

— А... где она сейчас? Кто за ней смотрит?

— Там соседка душевная, с покойной Ритой дружила. Она хлопочет насчет... определить девочку... в учреждение.

— Адрес! — тяжело дыша, сказала Маша.

Та продиктовала.

Маша молча опустила трубку.

Днем Толя позвонил из госпиталя, сказал, что есть два билета на Райкина, — пойдем?

— Что-то не хочется...

И весь вечер была сама не своя. Зачем-то села перебирать документы. Тихо сидела, задумчиво, как пасьянс, раскладывая аттестаты зрелости, дипломы, свидетельство о браке. Письма, которые писал ей Толя еще студентом Военной медицинской академии.

Перед сном он вышел из ванной, посмотрел на жену, зябко ссутуленную над цветными картонками документов, подобравшую под стул ноги в мягких тапочках. Маша подняла голову, улыбнулась виновато.

Он вздохнул и сказал:

— Ну, поезжай, разберись... Тебе ее воспитывать.

* * *

До Ейска Маша добралась на поезде удобно, с одной всего пересадкой, но когда разыскала нужный адрес по Шоссейной улице, оказалось, что девочка уехала с детским домом на летнюю дачу.

Пристроила ее та самая душевная соседка Шура, она из года в год работала хлеборезчицей на летних детдомовских дачах. Да ты сама посуди: неуж не выгодно: и харчи казенные, и воздух морской, и получка цельная остается. Все это Маша выяснила за десять минут у двух старух, словоохотливых обитательниц вечной околоподъездной лавочки.

— Шура-то прям извелася вся, испереживалася: не есть ребенок, хоть ты тресни, будто ее на ключ замкнули. Може, там, с детьми отойдеть? А то как бы не истаяла вовсе...

— А что отец, — спросила Маша. — Он вообще имеет место?

— О-он? Он место име-е-еть... — подхватила старуха. — На нарах он место имееть, добре место. Плацкарту бесплатну.

И вторая раскудахталась над этой шуткой и долго, взахлеб, смеялась, отирая ладонью рот и повторяя:

— Эт точно, на нарах он место имееть, эт точно!

Маша добралась до автовокзала и купила билет, как соседки научили: до станицы Должанской.

...Летняя дача детского дома размещалась в четырехэтажном корпусе бывшего санатория то ли металлургической, то ли текстильной промышленности. Года четыре уже как здание передали Минздраву, и после ремонта перевели туда детский санаторий. Так что сюда привозят детей с церебральным параличом. И, знаете, неплохо подлечивают. А один из корпусов сдают детским домам под дачу.

Попутно с этими сведениями Маше пришлось выслушать некоторые факты биографии представительного дяденьки в полосатой пижаме. *Мои жизнь и борьба в сборочном цеху тракторного завода*.

Он причалил невзначай, пока она гуляла, пережидая тихий час, — вернее, металась вдоль каменного парапета набережной, — и все толокся и толокся рядом, не чуя тяжелого ее волнения.

Началось с того, что она никак не могла разыскать Шуру, *душевную соседку*, — ту самую, что пристроила ребенка на дачу. Машу посылали с одного этажа на другой, и повсюду Шуру «вот только что видели», потом — «за продуктами, видать, уехала...», пока одна из раздатчиц в пустой столовой, с подробным интересом изучив Машу с головы до босоножек, не сказала:

— А Шура, это... ваще...

— Что — вообще?

— Так это... отгулы она взяла. Зубы драть.

Кроме того, директриса, с которой только и можно было говорить о девочке, отлучилась утром в Ейск и вернуться должна была к четырем.

Маша вышла к набережной, залитой июньским солнцем.

Длинные белые пляжи благодатной косы были пересыпаны курортниками в цветных купальных костюмах. Во влажном, еще не выкаленном солнцем воздухе всплескивали звонкие выкрики и шлепки волейболистов: ребята играли поверх дырявой провисшей сетки. Кто-то из игроков с тупым стуком послал в воду такой мощный крученый мяч, что загорелая девушка в синем купальнике восторженно завизжала и бросилась за ним... Несколько бесконечных секунд мяч стоял в небе, вращаясь посреди барашковой зыби голубоватых облаков, и бесконечно долго, увязая в песке, бежала к нему девушка... пока он не стал обреченно падать, падать, убился о мокрый песок в шаге от воды, мертво качнулся туда-сюда и замер.

Неподалеку от Маши группка мужчин и мальчишек сгрудилась над кем-то, кто сидел на дощатом ящике из-под пива, быстро передвигая что-то руками на доске, положенной на другой такой же ящик. Издали можно было принять их за филателистов, если б не странное излучение опасности и азарта, исходящее от всей компании.

На две-три секунды над головами их воцарялась враждебная тишина, которая взрывалась огорченным матом, смехом, угрозами. Тогда на мгновение компания распадалась, открывая рыжие вихры сидящего и юркие озорные руки, будто готовые броситься наутек. И опять грозно смыкалась над ним.

Какая-то игра, подумала Маша, наверняка азартная. И значит — мошенничество, проигрыш, отчаянье, месть...

В прозрачной ультрамариновой толще с двумя ярко-красными заплатами надувных матрацев ослепительными искрами вспыхивало солнце. Дымчатое небо опускалось на горизонт нежной опаловой линзой. Сфера небесная и сфера морская двумя гигантскими зеркалами отражались друг в друге до самозабвенной обоюдобездонной голубизны.

Почему, почему от этих мерно бегущих к берегу волн, от ленивых тел на цветастых подстилках, от акварельно-чистой линии горизонта ее охватывает такая обреченная тоска, словно уже и деться некуда? Словно вот-вот захлопнется ловушка? Ведь никто и ничто не может заставить ее...

— ...и я уж тогда прямиком в народный контроль, — возбуждаясь от собственного рассказа, бубнил дядька. — Та что ж это у вас, товарищи, в цехах творится!

— Извините! — глухо проговорила Маша. — Я... мне нужно идти.

Повернулась и пошла.

Резкий окрик, остервенелая ругань, стук перевернутой доски за спиной, — и вот уже рыжий обогнал Машу, улепетывая вдаль по набережной, трепеща на ветру синими сатиновыми бриджами.

Двое пацанов бежали за ним, высвистывая и выкрикивая что-то вслед...

* * *

— Взглянуть вы, конечно, можете... — сказала рослая и плечистая директриса (просто гренадер какой-то! — сколько же материи ушло на ее белый халат?). — Взглянуть — это пожалуйста.

Разговор происходил в длинной проходной комнате, похожей на просторный коридор, с двух сторон запертый стеклянными дверьми. Это была и весовая и приемная — даже массажный стол тут стоял.

— Только не считайте нас мучителями. Она ведь, собственно, не наша. Она пока непонятно чья. Сядьте вот здесь. Возьмите книжку, вроде как читаете. И не реагируйте особо. Я имею в виду — ничем не выдайте своего... Словом, не охайте! Держите себя в руках.

Минут двадцать Маша сидела в кресле, тщетно пытаясь унять дрожащее сердце, уставясь в открытую книгу — ей сунули какое-то медицинское пособие по лечебной гимнастике при церебральном параличе.

Рядом орудовала шваброй бойкая бабка — словно клюшкой загоняла шайбы под столы и кушетки. Она и сама была как огромная шайба — круглая, перекатистая: успевала и тряпку отжать и переброситься оживленным замечанием с медсестрой.

Та говорила с характерным прибалтийским акцентом:

— ...Ну не помню я их лиц, не помню! Я фсех деттей по руккам-ноккам знаю. Они ше каждый готт у меня электрофорез проходят. Я как увиттала эту ношшку со шрамом на колени, так сразу узнала — это ше Игорекк! Здравствуй, Игорекк, как ты фырос! Ты мне его фнешность не описывай, скажи — каккого цвета у него трусы...

Открывались и вновь закрывались стеклянные двери. Маша каждый раз внутренне съеживалась. Дважды прошмыгивали какие-то девицы в белых мини-халатах, по последней моде. Снова открылась дверь.

Маша подняла голову и чуть не застонала: плеснуло в сердце и отхлынуло, оставив ледяной ожог.

Скелетик в трусиках. Таких скелетиков за колючей проволокой Бухенвальда она видела однажды в документальном фильме, перед сеансом в кино. Закрыла, помнится, глаза и головой привалилась к Толиному плечу.

Непонятно, как этот ребенок, чей пупырчатый стебелек позвоночника просвечивал сквозь покров кожи, стоял, передвигался... вообще держался на ногах! А уж рядом с огромной директрисой девочка выглядела комариком, которого можно дыханием сдуть.

Маша внутри вся обмякла и уткнулась в книгу. Перед взором не страница плыла, а огромные зеленые глаза скелетика и копна рыжевато-каштановых кудрей.

— Ну-у-у, — протянула басом директриса, — пойдем-пойдем, Аня-Анюта, ножками-ножками... — и, проводя девочку мимо: — Поздоровайся с тетей.

Не подняв головы, не в силах улыбнуться, двинуться, Маша услышала сухой шепоток:

— ...Дрась...

Когда за ними закрылась дверь, Маша поднялась — книга упала с колен — и с силой проговорила:

— Что происходит?! Как можно было довести ребенка до такого состояния?! Сколько она весит? Ведь это дистрофия, вы понимаете?!

— Этто фы кому? — в замешательстве спросила прибалтийка. — Нам? У нас этта деффочка тней пять... Вы к ней какное имеетте оттношение?

Маша бросилась вон из приемной.

* * *

Наутро она стояла за стеклянной дверью санаторной столовой, пытаясь высмотреть копну каштановых кудрей, которых здесь было много. Не видела ничего, в глазах мутилось. (По курортной поре не удалось вчера снять комнату, и ночь Маша провела в зале ожидания железнодорожной станции.) Воображала всякие ужасы: что, например, девочка умерла от истощения нынче ночью.

Потом спустилась на первый этаж к закрытому кабинету директрисы. Дождалась, когда в конце коридора появится гренадерская фигура в белом халате, преградила ей дорогу и проговорила с безысходной решимостью:

— Я возьму этого ребенка. Научите, как пройти формальности.

Затем часа полтора они сидели в кабинете, и Маша под диктовку по пунктам записывала все девять кругов ада, которые намеревалась в рекордный срок обежать со всеми документами.

Она всё не могла опомниться, застенчиво пыталась оставить на столе деньги, сунуть их в карман необъятного директорского халата, заложить между страниц какой-то учетной тетради в картонной обложке, то и дело хватая увесистую рабочую руку этой женщины и умоляюще бормоча:

— Только бы кто посидел с ней, покормил, пожалуйста, хоть несколько ложек, но чаще, пожалуйста! — пока директриса резко не отчитала ее и обе они не расплакались, за что-то друг друга благодаря.

Душевная соседка Шура, которую Маша безуспешно разыскивала, все это время стояла за приоткрытой дверью директорского кабинета и, обмирая, слушала.

Когда стало ясно, что дело сладилось и эта не такая уж и молодая женщина захлопнула за собой все ходы и выходы, Шура крепко зажмурилась, с силой открыла глаза, уставясь на голубой квадрат окна в дальнем конце коридора, и вдруг с жаром неловко перекрестилась. Вдруг Шура поняла, что ошиблась *в направлении*, и похолодела: да не так, а так! Трижды сплюнула через левое плечо и столь же истовым замахом положила на широкую грудь крест правильный.

Она боялась скрипнуть паркетиной, кашлянуть. Боялась, что дело сорвется и девочку не увезут.

Но пуще всего — пуще смерти своей — она боялась самой девочки.

2

«...А хочешь, свет мой, зеркальце, расскажу тебе грустную историю поруганной любви?

Не смейся, это настоящая любовь между миссис Кларксон, моей здешней хозяйкой, и диким гусем, что однажды упал к ней на лужайку.

Я готов исписать сейчас много страниц, потому что взволнован: последний акт драмы разыгрался вчера на моих глазах. Вернее, я сидел в своем сарае, который они величают *флигелем*, и дерут с меня приличные деньги, и делал вид, что репетирую это супервиртуозное место в финале Четвертой симфонии Бетховена, где фагот должен прострекотать и закончить за кларнетом. А еще во второй части — сложнейший и пикантный флирт на пуантах тридцатидвухпунктирного ритма, что полностью опровергает слова незабвенного моего учителя Николай Кузьмича: “Фагот, пацан, — инструмент меланхолический...”

Но Шехерезада продолжает дозволенные речи.

Значит, года три назад роскошный белоснежный гусь упал на лужайку заднего двора, где у них гараж для трактора, сенокосилки, садовых инструментов и прочего барахла.

Время от времени семейство Кларксон использует эту постройку для очередного “гараж-сэйла” — рассказывал ли я тебе, что в прошлом году купил у них за доллар чашку севрского фарфора позапрошлого века? Ручка была отбита и безобразно прилеплена чуть не пластилином. Я отпарил, разъял, связал нежнейшим спецклеем, надышал, облизал... и она стоит у меня на полке, сверкая почти нетронутым золотым ободком по голубому полю... При нашей с тобой бездомности моя страсть к антиквариату выглядит идиотизмом.

Сейчас мне вдруг пришло в голову, что неутоленной любовью к изяществу настоящего фарфора я обязан деду. У него за стеклом буфета лежала с видом после-охотничьего изнеможения фарфоровая собака шоколадного цвета. Довоенная. Знаешь, почему? Штамп — знаменитый штамп ЛФЗ споднизу на брюхе — у нее был зеленым. После войны ставили уже фиолетовые. А еще было такое блюдо белое, с пионерами по ободку. Мальчик и девочка: мальчик в горн трубит, девочка в галстуке с рукой-дощечкой, перечеркнувшей лоб. Дед уверял — двадцатые годы. Я спрашивал: разве в двадцатых пионеры были? Он говорил: ну, тридцатые...

Ох, прости болтуна! Сам я был пионером, был. Точно помню.

Совершаем немыслимую дугу: из Жмеринки пятьдесят второго в штат Канзас девяносто восьмого года. Век, правда, все тот же — вполне омерзительный, угасающий во мраке и позоре.

Итак, гусь: отстал от своих, притомился... потом выяснилось, что у него повреждено крыло.

Миссис Кларксон отбила его у соседских псов, выходила, вынянчила, и все лето он бегал за нею по пятам, как собака. Всем друзьям она рассылала фотографии, даже в местной газетенке появилась заметка с фото: “Миссис Кларксон со своим питомцем”.

Осенью он благополучно отбыл по птичьей своей прописке.

Следующей весной прилетел с парой.

Гуси разгуливали по двору, словно домой вернулись, и видно было, как он с гордостью демонстрирует подруге свои владения. Точно как я впервые водил тебя по Рюдесхайму.

Помнишь нашу комнату в рюдесхаймском замке? А “ледяное вино” в каменном подвале? А пьяных болельщиков местной футбольной команды, горланивших народные песни? А железную ладью канатной дороги в тумане, откуда навстречу нам выплыл смешной лупоглазый альбинос в рыжей тирольке — тот, что (странно!) так тебя напугал?

Но гуси: следующим летом их прилетела целая колония. Они заняли весь двор, никому не давали пройти, шипели и гонялись за нарушителями границ, — считали своей территорией. Все вокруг загадили пометом. Студентка дочь прилетела с бойфрендом на каникулы и, укушенная гусыней, улетела на следующий день. Сын вообще раздумал приезжать. Измученная миссис Кларксон еле дотянула до осени и, надо полагать, заказала благодарственный молебен в своей церкви, славя милосердного Господа в честь сезонного освобождения. (Она вообще очень набожна; в гостиной висит портрет ее прадеда с трогательной надписью по низу полотна: “Межи мои благочинны, и стезя моя послушна мне”.)

Нынешней весной она уповала уже не на высшие силы, а на себя, и к романтической поре птичьих перелетов готовилась загодя. Наняла в питомнике соседней фермы двух волкодавов, которые, завидев огромный белый шатер опускавшейся на двор гусиной стаи, сорвались, как торпеды, и, яростно дрожа, гоняли бедных птиц до самого вечера, не давая приземлиться.

Гуси метались над лужайкой, как порывы белой метели, снежная буря висела на головой и шипела, и клокотала... Надо было видеть это сражение! Воздух дрожал от гула: обескураженные, разгневанные крики гусей, визг и захлеб охотничьего лая и рыка!

А из окна кухни на битву глядела, глотая слезы, госпожа Кларксон.

Что-то было не так в ее ухоженном упорядоченном мире. Что-то надломилось.

Даже мне стало не по себе, и не только потому, что невозможно в фагот дудеть, когда воздух вокруг вибрирует в страшной какофонии. Просто грустная эта история почему-то напомнила мне — угадай, что и кого?

Странная штука наше воображение, и еще более странная — память наша.

Отчего люди в американской глубинке часто напоминают мне гурьевских соседей? Отчего это? Ведь тут — благодать и комфорт в каждой кнопке, а там, в городе моего детства, — песчаные бури, тяжелая мутная река Урал, степь да степь кругом, жирная грязь, карагачи, джида, бедные палисады под окнами. Были еще огороды у реки, где народ сажал картошку (так и говорили: «едем на огород!”) — и где буйно рос паслен, по-нашему — “вороняшка”.

Да знаешь ли ты, что такое “вороняшка”? Это сорняк такой, мелкие кустики с черными, приторно-сладкими ягодами. Растение помойное, приличным людям, говорила мама, есть его нельзя. Но я, после гибели отца мгновенно ставший беспризорником, убегал к соседям Солодовым есть любимые пирожки с «вороняшкой”. (Их жарили на хлопковом масле, подсолнечное берегли.) Солодовы меня жалели: так и не раскрытое убийство моего отца, главного инженера гурьевского нефтеперерабатывающего завода, многие годы будоражило всех соседей и бросало жалостливый отсвет на сироту.

Солодовы потчевали меня пирожками с “вороняшкой” от пуза.

Семейство было забавным: заполошным, сложносоставным, горластым, драчливым — каждый со своим особым характером, даже самые мелкие дети. Я дружил со средним, Генкой — вруном, разбойником и прохвостом. Сейчас он монах в Валаамском монастыре, что всегда славился своим строжайшим уставом, и я не вижу тут никакого противоречия.

Папка их, дядя Вася, родом из какой-то мордовской деревни, был большим партийным начальником. Мужик башковитый и честный, он крепко выпивал. И тогда гонял все семейство. Жене кричал: “Лёлька, дура ты набитая, в высшей степени!” В детей метал костылем, как пират Сильвер, и всегда попадал. Одноногий, одержимый во всем, он решил насадить вокруг дома настоящий фруктовый сад, и каждый день с редкостным упорством претворял мечту в жизнь: вытаскивал в сад лопату, стул, садился на него, и единственной ногой копал яму под очередное фруктовое дерево. Посадил сорок семь плодовых деревьев! Тебе, дитю благодатной украинской почвы, этого подвига не понять.

Дядя Вася его совершил.

Женат он был на тете Лёле, дочери врага народа. Этого поступка осознать и оценить ты уже, слава богу, не можешь, да и не надо.

В молодости, со своей золотой косой, с нестерпимо синими глазами, тетя Лёля была такой красавицей, что партийный выдвиженец дядя Вася забыл про ум, честь и совесть нашей эпохи и взял ее со всем выводком младших братьев и сестер. А также со старой матерью, о которой надо бы рассказать отдельно и опасливо. Капитолиной Тимофеевной ее звали, — сухонькая твердая старушка чуть не дворянских кровей. Это с одной стороны. С другой стороны, между детьми и внуками считалось, что она неграмотная. Это противоречие в нашем детстве странным не казалось, мы о нем просто не думали. А сейчас я уверен, что внезапная неграмотность настигла Капитолину Тимофеевну тогда, когда трое старших ее, взрослых детей — после расстрела отца, — отказались от матери *через газету*, и она с тремя младшими осталась на улице. Сыграло ли в этом роль особое отвращение к советскому печатному слову, или то был обычный страх... сейчас уже кто ответит?

Была она строга, и если что не по ней — молча вцеплялась в волосья и таскала жертву по всему дому. Обшивала — неистовая труженица — всю семью. Все умела — брюки, пальто, какие-то полотна-гобелены с портретом Пушкина (довольно похожим, но слишком изысканным по цветовой гамме: темно-зеленые водоросли бакенбард — все шелковое мулине, — вдоль изможденных щек цвета какао).

Так вот, дядя Вася, вообрази, не побоялся взвалить на себя весь этот опасный выводок. Причем, с суровой тещей сражался всю жизнь, а когда она умерла, оплакивал ее настоящими слезами, запил даже, головой о стенку бился: другой такой, говорил, больше не найду.

Иногда, заигравшись до слипания век, я оставался ночевать у них на кушетке в большой комнате — хотя вполне мог перебежать дорогу до своего дома. Но мама после гибели отца так и не очнулась, ее оглушила странная тягучая задумчивость о своей доле. Возвратясь с работы в холодный неприбранный дом, она валилась на диван и лежала часами, вяло грызя яблоки из тех, что каждый год привозил из Жмеринки дед. Вяло глядела в окно и почти со мной не разговаривала. В наши дни это назвали бы тяжелой депрессией и месяца за три вылечили бы, а тогда все соседки осуждали ее за нерадивость и считали плохой матерью.

Так что время от времени я оставался у Солодовых на ночь.

Вспоминаю свои пробуждения под гимн Советского Союза из радиоточки...

Сквозь сон едва приоткрыв глаза, я видел простоволосую тетю Лёлю. Как бессловесная жертва, что мягким горлом ожидает лезвия ножа, она — дородная, по-утреннему истомная, в байковом лиловом халате — сидела на стуле, откинув голову: агнец в ожидании стрижки золотого руна. Позади нее стояла маленькая бабушка Капитолина Тимофеевна и широкими замахами разгребала эти неимоверные Самсоновы власы. Сначала месила их руками, борозды взрыхляла, проводила глубокие рвы. Затем гребнем натуральным, десятипалым, отделяла, разбрасывала, перекладывала на стороны. И, наконец, плела, крутила жгуты, косу вылепляла, скульптурную косу. По завершении тяжких этих работ широким замахом водружала дочери на плечо лоснистого золотого удава.

Я с замиранием сердца следил сквозь полусмеженные веки за этой церемонией. Почему-то мне, мальцу, она казалась таинством интимного свойства.

Годы спустя, пробуждаясь рядом с какой-нибудь женщиной, я убеждался: все, что связано с волосами, у женщины полно непостижимой тайны.

Однако и разболтался же я.

Плохо представляю, когда к тебе попадет это письмо, и уж конечно не надеюсь, что ответишь. Во всяком случае, твое молчание предпочитаю твоим инопланетным зеркальным письменам, что всегда накрывают меня каким-то гулким метельным ужасом.

Когда же мы свидимся?

До октября у меня контракт с оркестром в Де-Мойне. Отсюда ездить далековато, но я прижился в этом заштатном сонном городке, что существует только на областной карте. Липы здесь невероятной благости, да и лень переезжать. На репетиции езжу на машине или, если охота поспать в пути, на автобусе — два часа, остановка в Канзас-Сити.

А тут, дитя мое, на Среднем Западе, публика самая захолустная. Особенно автобусная, неимущая. Вот тебе вчерашняя картинка. Черный бродяга: дикий конский глаз, великолепный густой баритон, влажный, хрипатый, безадресный смех в обрамлении крупных белых зубов. Прикид безобразный — драные джинсы, линялая клетчатая рубаха поверх засаленной водолазки эпохи семидесятых, бурые кроссовки.

И все два часа он, не умолкая, говорит на этом их, знаешь, черном диалекте, который и понять-то невозможно. Говорит пылко, дружелюбно, в пространство, словно обращается к невидимому собеседнику. Остальные пассажиры сидят, уставившись в окна, заткнув уши наушниками плейеров.

А на короткой остановке, разминаясь после долгого сидения, он упоенно танцевал на тротуаре под никому не слышную музыку: с бумажным стаканчиком кофе в одной руке и зажженной сигаретой в другой. Голова как на шарнирах, плечи, руки, бедра и колени одновременно кругообразно вращались, будто снова и снова он тщетно стремился обнять, обхватить кого-то невидимого...

А когда я обниму тебя, скажи на милость?

Местный оркестр с его мелкими сварами мне надоел, и после октября я контракт возобновлять не стану, подамся куда-нибудь поближе к тебе. Профессор Мятлицкий уговаривает переехать к нему в Бостон. Представь, в его полных девяносто он строит планы гастролей и мастер-классов лет этак на десять вперед. «Саймон, не будьте идиотом, — говорит он. (Мое имя Профессор произносит на здешний лад, и мне это даже нравится, есть нечто аристократическое в этом “Саймон”. Не то что плебейское “Сеня”, которое всю жизнь сопровождает меня дурашливой припрыжкой.) — Что вам в тощей Европе, Саймон, — медом намазано?”

Намазано, отвечаю я, и каким медом! Так что скоро примусь тебя разыскивать — выгляни, пожалуйста, дай знак.

Где ты сейчас, моя зеркальная девочка? Во Франкфурте? В Монреале? В Берлине? Что за фокусы-флиртовки с миром за гранью бытия сочиняешь? “Огненное кольцо”? Ящики с исчезновением влюбленных? Зеркальные шары с летающими головами?

Кто смотрится в тебя, моя радость, кто в тебе отражается?

Эти вопросы считай риторическими. Надеюсь, ты не хранишь мне верность? К черту верность тела!

Только возвращайся ко мне время от времени.

Только возвращайся, бога ради...»

3

— Старый лабух Сеня, вот кто ее до чертиков любил. Да и она вроде его любила. Ну... если и не любила, все же была привязана. Он ей письма писал куда-то «до востребования» — была в нем такая старомодная церемонность. Никогда не знал, дошло письмо или нет, — она ведь не отвечала или писала записку в несколько слов этой своей абракадаброй, так что откроешь письмо, стоишь как идиот, вертишь листок и так и сяк, вверх ногами переворачиваешь, а все никак не поймешь — что это. Как шифр какой-нибудь шпионский! И такая досада, такая злость возьмет! — так и смахнул бы с листа эти узоры, как вот паутину с зеркала! У вас в Интерполе наверняка есть спецы по расшифровке такого почерка.

Но Сеню это не трогало. Его ничего в ней не смущало, ничего не раздражало.

К примеру, она всегда гнала машину — не говоря уже о мотоцикле — с душераздирающей скоростью. По любой неизвестной дороге! Никто этого вынести не мог, кроме Сени. Он всегда уступал ей руль и всегда сидел рядом с расслабленной улыбочкой, кретин-кретином: будто катит в ландо по Булонскому лесу и приподнятым цилиндром приветствует знакомых баронесс.

И он совсем ее не ревновал. Ее случайные романы его не касались. Их обоих вообще ничего не касалось. Нет, правда! Они были... ну... как бы это... закапсулированы в своей любви. Он смотрелся в нее, как в зеркало, не отрываясь. Хотя почти всегда жил от нее очень далеко и был гораздо, гораздо старше. Такая странная связь...

Между прочим, я ведь сразу узнал ваш голос — через столько лет. Удивительно! Как только услышал в трубке: «Владимир?» — во мне как отщелкало: Интерпол, следователь Керлер.

Можно вопрос, господин Керлер? А почему это дело опять ворошат? Я так понимаю, что его закрыли. Столько лет прошло. И Сени уже нет с его задумчивым фаготом...

...Ничего, что я закурю? Слава богу, есть еще в Монреале заведения, где хоть на террасе можно курнуть. С ума они все посходили тут, на Западе... Вообще я вам благодарен, что вы согласились допросить меня на воле... Шучу, шучу! Просто под пивко и сигаретку разговор как-то шустрее идет. Хотя о ней... ну, вы понимаете... о ней мне всегда трудно говорить. К тому же, я давно все рассказал, еще на тех, первых допросах.

...Да нет, красивой она не была. Обычная внешность: нос как нос, лоб как лоб... Глаза были яркими, да. И тревожными, страинническими: будто она всегда начеку, налегке, на взлете... Но в нашей профессии до глаз дело не доходит. Нас снимают так, чтобы виден был трюк, а не лицо. Лицо каскадера в кадре — это загубленный трюк.

 Ты должен дублировать актера, чтоб зритель не заметил подмены. И вот в этом она была гениальна! Тело у нее было безумно талантливое. И сумасшедшая реакция: при обеих занятых руках успевала поймать падающий стакан и поставить на место. Мне один знакомый, он физиолог, объяснял, что это люди такие, переученные левши: у них другое распределение функций в полушариях мозга. Название есть научное: ам-би-декст-ры. И, мол, недавно австралийские исследователи выявили, что такие люди быстрее оценивают ситуацию и быстрее принимают решения, и в спорте, и просто в жизни. Что вы улыбаетесь? Я чепуху порю, да? Так я ж в этом ни черта не понимаю. Говорю, что слышал. Да и сам бывал свидетелем.

Просто объясняю вам — ее природа создала по какому-то спецзаказу. Идеальное существо для прыжков, сальто, растяжек и прочих трюков. Что б она ни делала, на нее все время хотелось смотреть. Уводила взгляд за собой и дальше вышивала им любые узоры. И сложена была... не как эти глянцевые порнозвезды со вздутыми грудями. Наоборот: она была невысокая, такая... пацанистая... и очень соразмерная, знаете, каждая часть тела пригнана к другой самым безукоризненным образом. Двигалась — будто откликалась на неслышный зов. Словно всегда начеку. Даже когда что-нибудь увлеченно рассказывает. Это как бывает: милый тебе гость уже собрал чемодан, надел туфли, куртку, ожидает такси. И разговор еще оживленный, и хохмы, и смех... а он, между тем, прислушивается — не машина ли там, у подъезда, сигналит? И у тебя как сожмет сердце! Потому что... увидимся ли еще?

...Черт, последняя сигарета... Спасибо, я курю только «Дю Мурье»... у них тут должны быть.

Месье, силь ву пле, ан паке дё Дю Мурье э дё Фан дю Монд!..[1]

А знаете, здесь приятно. Мне казалось, тут геи тусуются. Нет? Да мне все равно, геи, не геи. Они тоже люди... Взять Женевьеву: я ее уважаю. Вы ведь допрашивали ее, о'кей? Вы ее видели. Да, она довольно крепко закладывает, но я о другом: вот человек, который перевернул судьбу. Ту, что ей на роду была написана. Ну, посудите — девочка из захолустной деревушки на побережье Бретани. Ветра, дожди... Отец-рыбак, заработки плевые, по нескольку дней в море. Мать в каком-то баре спиртное рыбакам продает. Пятеро братьев и сестер, и такая католическая закваска, что ею можно стены конопатить — ни черта человеческого не пропустит. И что? Когда Женевьева поняла, что ее влечет... ну, другое... что она — другая... порвала с семьей, уехала в Канаду, скиталась, бедствовала... и в конце концов победила. И без нее «Цирк Дю Солей» трудно представить. Она — форматор от бога, и фотограф от бога, и живет как хочет — вот что я хотел сказать. И для этого тоже силы нужны, знаете, немалые...

...Ну, я отвлекся, извините.

Насчет нашего ремесла. Конечно, мы часто работали на картинах в одной команде... Русских каскадеров на Западе любят, часто даже предпочитают своим: люди мы безотказные, чокнутые — что просят делать, то и делаем. Надо тебе, чтоб я головой в бетон воткнулся, — я воткнусь. Знаменитая русская удаль, а точнее, русское безумство. Так что, конечно, приглашали нас и в зарубежные картины, в разные клипы...

1 Месье, прошу вас, пачку «Дю Мурье» и «Фан дю Монд» *(искаж. фр.)*.

Что значит — «хорошим каскадером»? Она была лучшим! Лучшим, понимаете? Она — единственная женщина в Европе! — могла ставить мотоцикл на переднее колесо!.. А вот что это значит: мотоцикл разгоняется по прямой, затем резкое торможение передним колесом. Главное, чтобы дорога была сухая и мот юзом не пошел. Когда тормозишь, от резкого рывка гонщика вперед поднимается зад машины, и надо держать равновесие и определенный наклон, чтобы не полететь кувырком через руль и шею не сломать к чертям собачьим. Женщинам это физически очень тяжело. Нет такой массы, такой силы рук. Понимаете? А эта девочка умудрялась!

Господи, далась вам ее дисквалификация... Мы с вами уже обсуждали... Понимаете, вот психолог один американский, Марвин Цукерман, считает, что есть люди, чей организм постоянно требует стресса, выброса адреналина. Таким жизнь не в жизнь, если каждый день их хоть разок основательно не тряхнет. Наркотическая зависимость. Привычка к электрическим разрядам страха. И я вам скажу: в каскадеры идут именно такие. Ну, посудите — станет нормальный человек рисковать собой, чтоб какой-нибудь хлыщ-актеришка красовался вместо тебя в кадре крупным планом до и после твоего трюка, типа — именно он такой крутой?

Не-ет, это люди... знаете... Тут нужна очень крепкая нервная система. Прыжки, автомобильные, мотоциклетные, конные трюки, фехтование — еще туда-сюда, тут на свою реакцию, на выучку, на тело свое надеешься. А вот огонь... вода... это все нешуточные стихии...

Да, она тогда отказалась гореть, это правда. И сорвала съемки. А вы знаете, как ставятся трюки с огнем? Каскадер надевает спецодежду. Раньше она была из асбеста, потом его признали вредным, стали делать из тулена — это материал такой синтетический, огнезащитный якобы... ну и фигуру не уродует. А под асбестовый или туленовый костюм поддевали подкладку из тонкого войлока, он защищал. Так вот, костюм надевают поверх спецодежды, обмазывают напалмом... Напалм? Да нет, это костная мука, растворенная в бензине. Типа студня. Мажут в основном спину. Человек бежит, пламя оттягивается назад... Эффектный кадр. Ну вот... А есть полное горение. Тогда каскадер надевает маску из огнезащитного материала, с дырочками для глаз и для дыхания. Видите ли, когда человек горит...

Экскюзэ-муа, месье, пурье-ву бесэ сет мюзик дё мерд?..[1]

...Так вот, когда человек горит, у него может начаться паника. Например, ветер не в ту сторону, то, се... Ожог. Ну и вот, бежишь, значит, бежишь-горишь себе спокойненько... Снято! — падаешь плашмя на живот, на тебя набрасывают брезент или одеяло, но не водой гасят, а то может быть паровой ожог. Сбивают пламя огнетушителем. На площадке для этого ошивается парочка страхующих. В тот раз, когда ставили сцену с Жанной Д'Арк, был один страхующий. Один! И он неправильно ей маску надел. Полную маску, понимаете? Господи, да вы хоть вдумайтесь, что это такое!

...Так, на чем я остановился?.. Вот именно! Пламя поднялось, она стала задыхаться, сорвала маску... После этого у нее остался такой тонкий розовый шрам вдоль левой скулы. Она его запудривала... безуспешно...

1 Простите, месье, нельзя ли сделать потише эту дерьмовую музыку? *(искаж. фр.)*

Да, но дисквалификацию она получила не тогда, а позже, года через три.

Я был там, на этих съемках.

Мы работали в команде, пару трюков должны были выполнять вдвоем. Не помню, как называлась в русском прокате эта картина. Итальянский режиссер... имя забыл... боевик, погоня... полное говно. Я никогда не читаю эти идиотские сценарии. Тебя приглашают на две драки и переворот машины, ты приехал, подрался, перевернулся, отработал, получил гонорар — и чао-чао! Короче, она должна была прыгнуть со скалы в этот их долбаный Неаполитанский залив в опасном месте, и надо было не промахнуться и войти в узкую расщелину между двумя скалами.

Ну, мотор, съемка, все на местах, каждая минута стоит хренову тучу зелени... Она подбежала к краю и — замерла. Застыла. Стоит как вкопанная. Вдруг повернулась и пошла себе прочь.

...Не знаю!.. Не уверен, что испугалась... Понимаете, обычно, когда каскадеры выполняют трюки, они близки к истерике. Говорю вам, не знаю, что ее остановило. Будто рычажок какой у нее внутри повернулся, и она в одну секунду решила покончить с этим делом раз и навсегда. У меня ее лицо перед глазами: такое... освобожденное, понимаете? Наверное, такие лица у оправданных в суде... Идет она, глаза зеленые — аж синие, как вода в этом самом заливе. Режиссер орет, продюсер в обмороке, актеры злые как собаки, съемка сорвана... А она свободна, как ветер... нет, как море!

С тех пор она зарабатывала на жизнь постановкой зеркальных шоу. Ставила освещение, придумывала конструкции разных зеркальных механизмов... Например, для самого известного казино в Берлине, «Европа-

Центр» на Брайдшайдплатц, придумала такой шар, назвала его «Шар-невидимка». Сверху — фасеточное строение, пластмасса с напылением... А внутри... вы не поверите. Висит в полсцены гигантский шар. Дистанционным пультом открывается — отъезжает в сторону — прямоугольный сегмент в боку, а внутри абсолютная, кромешная такая бархатная тьма. И если сунешь внутрь руку — рука исчезает. Эффект космической «черной дыры». Она объясняла, я мало что понял. Ну, не силен, никогда не был силен в науках. Понял только, что идея в замкнутой самой на себя системе зеркал.

И знаете, она была чертовски востребована. Много работала во Франкфурте, на известный «Тигерпалас», и, помимо прочего, была у них основным консультантом по освещению. Она во всем этом оборудовании, в прожекторах, световых сканерах, дихроичных светофильтрах и прочей абракадабре как бог разбиралась.

Зарабатывала хорошо. Непонятно только, на что деньги улетали. Не удивлюсь, если *улетали* в буквальном смысле, она их распихивала по карманам джинсов, куртки... Хотя, помню, кое-кому каждый месяц посылала приличные суммы. Например, Нинке, бывшей партнерше по номеру. Я имею в виду — по нашему цирковому номеру. Она считала, что виновата перед Нинкой, — мол, та из-за нее потеряла работу и осталась за бортом. Я ей говорил — ты что, сдурела? Нашла пенсионерку тоже!.. Нинка — здоровая баба, давно уже в другом номере процветает. Нет! Посылала и посылала — всю жизнь. Или этому... старому придурку, который башку-то ей своими зеркалами еще в детстве заморочил. Ему тоже посылала в Индианаполис... хотя он там отлично жил-поживал на крепком американском бульоне... Короче, она всегда плевала на то, что называется материальным благополучием. Работала много, это правда.

У нее жизнь была расписана года на три вперед. Я никогда не знал — где она в данный момент обитает, куда мчится на своем мотоцикле. Вообще она своеобразно жила — то там, то сям, то здесь, то вообще нигде. В любой стране снимала в рент мотоцикл, либо мощный спорт-байкер, если надо было по трассам передвигаться, либо круизёр, маневренный, если в городе. И никакого багажа: рюкзачок, в нем пара белья, вечный блокнот для ее расчетов... Вопрос гардероба решала просто: заезжала в ближайший магазин, покупала очередной зеленый или синий свитерок, майку — смотря по погоде... А потом оставляла это где придется — в номере отеля, в «гнезде» у Женевьевы, или бросала на скамейке — для нищих... Я не знал человека, более равнодушного к себе, чем она. Заботилась только о байкерском прикиде, но и то — по необходимости. Мотоцикл, понимаете, суровое дело — мы скорость развиваем далеко за двести, а это значит, что любой майский жук, если в физиономию врежется, может выбить тебя на землю. Так что косуха, надежные ботинки, перчатки, шлем или каска — это все без дураков должно быть...

В последний раз мы сидели тут неподалеку, в «Фигаро», месяца за два до... ну, до этого. И она была в отличном настроении, рассказывала, что на будущий год ее пригласили поставить несколько зеркальных номеров в здешнем казино «Де Монреаль», на время салютного фестиваля... Говорила, что специально для них придумала грандиозный трюк, завязанный на эффекте салюта. «Володька, представь, — говорила, — два гигантских естественных зеркала: черное зеркало неба и черное зеркало залива...»

Да-да... Она пыталась мне объяснить механизм фокуса, что-то с насаженными на окна и крышу вогнутыми зеркалами, которые отражают салют и то, что происходит в зале, и все это каким-то образом отсылается в небо, где всплывают гигантские миражи: люди невероятных космических размеров во всей этой салютной свистопляске.

Признаться, меня никогда не увлекали ее зеркальные заморочки. Не помню ничего конкретного из объяснений... Я просто смотрел, как она черпает ложечкой мороженое и кладет на оранжевый язык, и смешно так посасывает кончик ложки. Как ребенок...

Господи, Керлер... как ваше имя, черт возьми? Роберт? Я ведь отлично помню ее пятилетнюю, Роберт! Вы знаете, мы ведь с ней киевляне, с седьмого класса учились в одной школе... А еще раньше моя мать раза три убиралась у них в доме. Однажды взяла меня с собой. Отец тогда опять запил, а садик был закрыт на очередной карантин.

Говорила мне: «Ты, Володечка, рота замкны у людей, так культурненько мовчы, як нимый».

Мы-то жили в такой бедноте... ужас вспомнить! Папаня не слишком церемонился с семейным бюджетом. Однажды зимой пропил мою цигейковую шапку. А у нее-то отец — военврач, полковник, работал в госпитале на Печерске, да не просто, а заведовал инфекционным отделением. Сильный такой огромный мужик, очень представительный. Мать тоже, Марькирилловна... операми-симфониями в музшколе командовала...

Они жили на бывшей Жилянской, в дореволюционном доме с такими витыми чугунными оградками на балконах. И квартира большая, с телефоном, с таинственным зеркалом в прихожей... Для меня это было, как... как потусторонний мир! Помню, входим мы. Напротив, чуть сбоку — зеркало на стене, коридор отражает. Кто по коридору идет, сначала в зеркале появляется, потом уже лично к вам выходит. И вот выбегает из огромного этого зеркала навстречу нам егоза: рот зубастый, глаза горят, хохочет-заливается. Бегает туда-сюда по коридору и топочет, топочет! Будто ей плевать на благочинность.

А я был смирным мальчиком. У нас с папаней разговор короткий: сиди тихо, говно, и лучше за шкафом. Я поэтому очень удивился такому грохотанию. И что ее не колотят за это. Моя мать ей говорит: «Золотко, дытынко, куды ж ты бижыш? Взмокреешь, як ота гуска!»

А та заливается: «Это не я, это моя радость хочет бегать!»

...Я, знаете, может, и всю свою жизнь перепахал, потому что она была перед глазами. Свободная, дикая... другая! Может, я так стремился избыть свое пугливое детство, выкорчевать его из себя, раздавить, как червяка...

Да... Смешно, а я ведь так разволновался, когда вы позвонили и предложили встретиться... Подумал: вдруг что-то нашли, вдруг... какие-то новости. Хотя что уж там — четыре года прошло, чему там найтись... Но я, убейте, не понимаю, не по-ни-маю!!! Положим, тело исчезло... Но мотоцикл, мотоцикл ведь не рыбка, чтоб в океан уплыть! А?! Он же, блядь, желе-е-езный! Его что — рыбы съели?! Дельфины его одолжили — покататься?!

...Извините... Все в порядке. Месье... не волноваться! Все о'кей... все о'кей... Бывает... Потерял управление...

Так надеялся услышать от вас что-нибудь новое... А пиво — коварная штука, господин Керлер... господин Роберт Керлер, это просто удача, что вы по-русски говорите. Прямо не знаю, что бы я иначе делал... Волком бы выл... Да, а пиво... его пьешь, как воду, а потом оно тебе душу выворачивает... Лучше уж сразу чего покрепче хлобыстнуть.

Я вот точно знаю, что сегодня с этого пива хрен усну. Буду лежать, как бревно, в темноту пялиться, а закрою глаза — она, пятилетняя, по коридору топочет, прямо из зеркала мне навстречу выбегает: лоб вспотевший, рот зубастый, и от хохота аж звенит вся:

— Это не я, не я! Это моя радость хочет бегать!

4

Вот крупным планом две игрушки.

Первая: Дюймовочка. Таинственная пленница железного цветка. Для того, чтобы вызволить ее кисейный образ из темницы, надо нажимать и нажимать до онемения большого пальца пятачок металлического шприца. Пружина приводит в действие круг, лепестки на нем раскрываются, начинают с натужным жужжанием вращаться быстрее, быстрее, сливаясь в мерцающую пелену. А сквозь нее видна сидящая внутри малютка из невыносимо грустной, несмотря на счастливый конец, сказки Андерсена...

Она ждет, подогнув невидимые озябшие ножки под красной юбкой. Ведь только прекратишь давить на пружину, как цветок вновь скрывает узницу. Скорее, скорее освободить ее! Отогнуть железные, тупо захлопнутые лепестки!

Но сломанный цветок являет бездарно раскрашенную болванку пластмассовой куколки. И сколько ни ломай очередную купленную папой игрушку в надежде обнаружить внутри цветка настоящую Дюймовочку, там оказывается все то же: пшик, дешевка.

Вторая игрушка — акробат на турнике. Приводится в движение — как швейная машинка Полины — поворотом бокового рычажка. Синий костюм, целлулоидная физиономия с идиотской, но отважной улыбкой. Этот молодчик открыт всем и каждому и готов крутиться с утра до вечера, пока у тебя рука не устанет. Рычажок неутомимо повизгивает. Акробат поднимается на вытянутых руках, кувырк — и он уже под перекладиной, и вновь готов к рекордам.

— Нюта-а-а, ты б трошки видчепылася вид тои железяки визгучей!

Это новая нянька Христина, племянница дворничихи Марковны. Она приехала из Пирново и села Марковне на шею. Нюта представляет, как, выйдя из вагона, Христина мгновенно вскакивает верхом на шею Марковне и погоняет, погоняет, свесив толстые ноги ей на грудь.

Христину папа придумал позвать, чтоб она подменила «нашу дорогую Полину», пока той режут в больнице живот и достают оттуда какие-то камни.

Христина огромная снизу, с маленькой глупой головой. Как будто ее тело поторопилось отрастить себе разлапистые ноги, ухватистые руки, запастись увесистой задницей... А приглядывать за всем этим богатым хозяйством посадили на плечи плоскую кочерыжку с туго завязанным куколем на затылке и никогда не закрывающимся ртом. И вот этот рот извергает певучую глупость на том языке, который Маша называет «суржиком».

— Марькирилна, та чого ж вона усэ ливою мастачить? У нэи права рука, бачу, ни до чого нэ годна.

Интересно, — вот Полина вроде умная и книжки так быстро умеет читать, чего совсем пока не умеет Нюта. Спрашивается: к чему ж она, дура старая, камней наглоталась?

— Нюта — левша, ничего не поделаешь, Христина. Такой ребенок. Я попрошу вас не акцентировать на этом внимание.

Ма уводит Христину в кухню — якобы дать хозяйственный наказ. На самом деле будет сейчас шепотом учить, как ей, Христине, вести себя с «ребенком». Ребенок сложный, неуправляемый, не способный сосредоточиться. Вернее, способный сосредоточиться сразу на пяти занятиях. Сейчас Нюта продолжает крутить визгливую ручку игрушечного турника, одновременно попинывая левой ногой тряпичного Арлекина с дивной красоты фарфоровой веселой головой.

Он куплен недавно в Центральном универмаге, на углу Крещатика и Ленина, в отделе «Играшкы». Костюм его, папа сказал, — «венецианский», — из двух половин: одна — темно-синий атлас, другая — желтый бархат.

И это привело девочку в страшное возбуждение.

— Неправильно! — сказала она Маше. — Купи наоборот! Синий — на другую сторону!

— У вас есть наоборот сшитый? — спросила Маша сдобную и румяную, как кукла, продавщицу. — Моя дочка почему-то хочет, чтобы синей была левая половина.

— А какая разница? — раздраженно спросила румяная кукла. — Берите этого, смотрите, какой гарный хлопэць!

Но Нюта вырвала руку из Машиной, затопала ногами, исступленно, горько повторяя:

— Неправильно, неправильно!!!

— Балуют детей, потом сами всю жизнь плачуть, — сказала продавщица с осуждением.

Арлекина все же купили. Зачем?! Вывернутый наизнанку лгун, притворяга, оборотень! Еще допытаться надо — кто и для чего его сюда *прислал*. Бить его, пока не признается!

— Нюточка, я на работу пошла! — кричит из коридора Маша. Она уже в плаще и шляпке.

— Иди... — не оборачиваясь, девочка продолжает зафутболивать Арлекина под диван.

Она никогда не звала Машу мамой, хотя Анатолию в первый же день радостно и легко сказала: «папа!». Иногда бывали периоды, когда она говорила Маше «Ма», — как тысячи детей зовут своих матерей. Но та не обольщалась — это был всего лишь первый слог ее имени.

Дверь хлопает, Христина основательно и последовательно запирает ее, дважды проворачивая ключ, вешает цепочку и внимательно осматривает внушительную дубовую поверхность — не пропустила ли еще какой замок, запор, задвижку? Через минуту возникает на пороге детской.

— Та-а-ак, — отмечает она. — Чи тут банда Петлюры гуляла, чи дивчина живэ?

Не получив ответа, с минуту наблюдает за действиями ребенка.

— Значить, не трамвируваты вас, Анна Анатольевна... — И вдруг говорит другим голосом: — Йды-но сюды, уёбище!

О, вот это уже интересно! Христина вдруг заговорила тем чудны́м, обворожительным языком, каким общались «шоферюги с молокозавода». Назывался он: «отойди-немедленно-от-окна-не-слушай-эту-гадость!».

Когда ранним утром охранник разводил тяжелые створы грязно-серых железных ворот молокозавода и десятки желтых цистерн с рисованным красным тавром на боку выползали со двора на улицу и толпились в заторе, протяжно и восторженно, как коровы, мыча, — тогда окрестности улицы имени борца революции Жадановского — бывшей Жилянской — оглашались цветистыми, как салют, взрывами особого шоферского разговора, непонятного, но очень решительного.

— Йды-но сюды! — повторила Христина. — Ликуваты тэбэ будэмо... Штопать-перелицьовувать... От кажи: ты, Нюта, умна чи дура?

— Умная, — убежденно отозвалась девочка.

Христина свернула ладонь трубочкой, поднесла к своему круглому куриному глазу и вгляделась, как в бинокль.

— Нэ видать. Уси умны правой рукой вещи хапають, а ты — левою... Та ще нэ подступысь к тебе, то нэ кажи, це не робы... А ну давай грать! — крикнула вдруг. — Така ж вэсэла гра! Стий, не рухайся! Зараз будэ в нас полчеловека!

Потряхивая чемоданным задом, сбегала на кухню, приволокла несколько вафельных кухонных полотенец, вытащила из подола необъятной юбки три лошадиного размера английские булавки.

— Стоять, Буренка!

Нет, с Христиной явно куда интересней, чем с Полиной. Та только водит Нюту гулять в Жилянский садик и чинно раскачивает тяжелую медленную ладью железной качели, не позволяя разогнать ее до небес. Еще они в Липках гуляют, в парке Ватутина — там и вправду липы растут, огромные, пахучие, весной на ветках появляются маленькие зеленые пропеллеры, липкие на концах. Можно их раскрыть и наклеить на нос.

Еще Полина всегда пристает со своим дурацким чтением вывесок. И сама протяжно, как качель, раскачивает их голосом: «Тка-ны-ны»... «Про-до-воль-чи товары»... «Рэ-мо-о-онт взут-тя»... — идиотское занятие, если учесть, что дома все равно говорят на другом языке — на русском. И сама Полина говорит на русском. Тогда зачем вообще смотреть на эти вывески?

Кроме того, она терзает Нюту смешной тарабарщиной, «немецкий язык» называется. Все потому, что Полина — *бывшая фребеличка.* Нюта сначала думала, что это вроде *истерички* — когда Нюта устраивает *та-ра-рам*, Полина в сердцах обзывается этим словом. Но, оказывается, когда-то, миллион лет назад жил немецкий профессор Фребель (тощий селедочный старичок с кустами редкого мха на вдавленных щеках), который учил *девиц* педагогике — ну, это чтоб дети не баловались и не ругались шоферскими словами. Так вот, *девицы-фребелички* (целый строй обтянутых рюшами полных грудей, шляпки с вишенками и райскими яблочками на полях) — набирали группы детей, человек по семь-восемь, водили их гулять в парки, воспитывали, учили языкам. Языкам! Чему там учить? Высунуть язык далеко-далеко... еще дальше... теперь достать нос... отлично! Но все равно это всего лишь один язык, один, хоть ты тресни!

Нюта с лету хватает все эти дурацкие «айн-цвай-драй-фи-ир, ин ди шуле геен ви-ир», что приводит Полину в неописуемый экстаз. «Машенька! Машенька! — кричит она с порога, вернувшись с прогулки. — Я одного не могу понять: как ребенок, который со слуха мгновенно запоминает стишок на чужом языке, не может прочесть ни слова на родном?»

А что тут понимать: в голове есть такое зеркальце, в котором, если сильно сосредоточиться, отражается все, что хочешь запомнить. Надо только поймать зеркальцем нужный предмет, или слово, или, что гораздо веселее, цифру. И когда зеркальце поймает то, за чем охотится, считай это *навеки пойманным.* И разве не у всех людей так устроено? И с буквами все было бы отлично, если писать их *правильно*, а не вздорно, шиворот-навыворот, как повсюду понавешано и понаписано...

Однако в Полине и хорошего много: после прогулки она всегда покупает Нюте что-нибудь вкусное. Пухлое желтое бревнышко эклера, политое шоколадом, а внутри — заварной или сливочный крем волшебного вкуса. Или корзинку с розовым сиропом, в котором завязла бордовая вишенка...

К тому же, на улице Полина безопасна. Там она не станет приставать со своей дурацкой «аскорбинкой», омерзительным кисло-горьким порошком, каким пичкает девочку дома — разворачивает плоский пакетик из кальки, делает его совком и, приговаривая: «Ро-о-от откры-ыли!» — ссыпает порошок на Нютин обреченно высунутый ковшиком язык. На улице, наоборот, Полина в полной власти Нюты, — побаивается, что девочка даст деру. Это уже бывало, а бегает Нюта быстро, почти как мотоцикл. Короче, если Христина не станет заниматься подобной ерундой, счет в этом матче в ее пользу.

И хорошо бы она осталась насовсем.

Хотя Ма сказала, что Христина только приглядит за Нютой те несколько дней, пока Полину разрежут и снова хорошенько зашьют в больнице. Папа однажды объяснял, как человека режут и зашивают, а потом вытягивают нитки.

Три куклы были зарезаны и выпотрошены Нютой после его увлекательного рассказа.

Да...

Вот только Полина не вернется из больницы. Совсем не вернется, никогда. Может, ей там настолько нравится, что она так и будет глотать себе камни, а потом подставлять толстый живот под нож?

Христина между тем быстро и туго обернула девочку полотенцами, прикрутив к телу левую руку и оставив на свободе правую. Ловко сколола булавками, завертела, придерживая за плечо.

— Тю! От лялька!

— Я... мумия?

— Хто-о цэ?

— Мы с папой смотрели на картинке... это такой древний забинтованный мертвец.

— Тьфу! Та хиба ж ты мэртвяк? Ты жива дивчина. Ходь на калидор, глянь-но в дзэркало!

Нюта попробовала пойти и чуть не упала.

— Я... не могу... ногами! — испуганно сообщила она.

— Усэ можешь! — крикнула Христина. — Брэшэшь, можешь! Нижки-то в тэбэ он воны обе! Пишлы правэнькой ножэнькой упэрэд! А ну, топай!

Минут пять вместе ковыляли до прихожей. Там обитало чудесное, драгоценное и тайное... Никому про это нельзя было говорить.

Потому что днем, когда Полину вяжет сон, надо только терпеливо и хищно дождаться дребезжащего храпа из кожаного кресла в столовой, куда Полина усаживается «полистать газету». Когда взмывает первая волна тракторного рыка под легчайший трепет газетных листов, надо мчаться — практически по воздуху, наступив на пять надежных паркетин, — в детскую, где на тумбочке возле Полининой кушетки, украшенное финифтью и тронутое проказой, стоит на высокой ноге ее старое круглое зеркало. На эмалевом исподе обносившийся Иван-Царевич умыкает совершенно уже безголовую Марью-Искусницу на колченогой кобыле.

И если осторожно поставить это зеркало на обувную тумбу в прихожей, точнехонько против другого, «генеральского», в резной черной раме, и медленно вплыть в глубокое, колеблемое тугими струями пространство между ними, открываются два входа в бесконечные зеркальные коридоры...

Нюта научилась скрывать эту игру, потому что Ма очень плохо относится к зеркалам, неохотно в них смотрится и даже, кажется, немножко боится, что очень глупо. Однажды, застав Нюту за медленным опьяняющим танцем меж двух зеркальных протоков, откуда изливалась волшебная гулкая прохлада, Ма почему-то испугалась и отняла Полинино зеркало, беспомощно вскрикивая: «Что ты делаешь, не понимаю, чем ты занята, что за глупости?»

И вот сейчас наполовину забинтованная Нюта стояла перед высоким «генеральским», с бронзовыми подсвечниками, зеркалом.

— Кто... это? — хрипло спросила девочка, разглядывая однорукий пакет какого-то получеловека, привычно обегая изображение ощупывающим взглядом и переворачивая его справа налево. Отчего-то сейчас это было гораздо труднее сделать.

Миг узнавания себя в зеркале всю жизнь был как затяжной прыжок с парашютом. Никогда не умела мгновенно слиться со своим отражением. В первый миг были — встреча, оторопь, сердечный толчок: кто-то в твоей одежде. Надо было себя перевернуть. И всякий раз заново переучиваться смотреть.

Хотя всегда узнавала себя в искаженной поверхности: в воде, в ложке, в пузатом боку эмалированного чайника.

— О-о-т... — удовлетворенно проговорила Христина. — Оце так у нас в Пирново левшей выворачувают. Ты в нас скорэнько будэшь молодцом!

И часа два они с Христиной учились правой, слабой и неуклюжей рукой держать ложку, хватать мячик, бросать и поднимать с пола вещи, расчесываться. И даже управляться с куском газеты в уборной после «справы нужды».

— Христина, ну... хватит, — наконец попросила девочка. Лицо ее осунулось, глаза потемнели, пот бусинами высыпал над верхней губой. За все это время она ни разу не плюнула, не лягнула ногой невинную игрушку, не взвизгнула. — Развяжи меня! Надоело!

Христина вылепила отличную крупную дулю из красных пальцев и сунула Нюте под нос:

— От! — проговорила она. — Трымай! Назад нэ поидэмо. От папанька у пъять з оспиталя прыйдэ, так у полпъятого и видщепну. Боженька терплячих полюбляе! А леваков проклятых боженька на дух нэ выносыть! Хошь з бисом водытыся?

Нюта ввалившимися глазами смотрела на няньку-мучительницу. С каким-то неизвестным и, судя по Христининому тону, малосимпатичным бисом она водиться не хотела. Впрочем, любит ли ее боженька, ей тоже было безразлично. Лучше бы, конечно, любил.

Однако... если никчемушная правая рука станет такой же умницей и проворницей, как левая, вот будет здорово кидать сразу пять мячиков, как тот жонглер в шапито!

Девочка присела на табурет и задумчиво — впервые — почесала нос правой рукою.

Господи, вот бы нюхнуть, вот бы шумно втянуть еще разок того густого волшебного аромата: смеси навоза, конского пота, свежих опилок, горячих фонарей и нагретого брезента! Как сердце забилось, когда заиграл оркестр, — грянул праздник, ударили по глазам из прожекторов струи красного и голубого света, и принц в коротком блестящем плаще, балансируя длинным шестом, нес на плечах миниатюрную девушку почти без одежды, но вся она сверкала и переливалась блестками, как настоящая Дюймовочка! И вдруг под страшный барабанный бой взлетала и пружинно приземлялась прямо на канат обеими ногами!

Папа тоже хлопал как сумасшедший и купил у тетки второе «крем-брюле» в коричневой пачке с нарисованным мушкетером. Но Нюта есть не могла. Сидела с пересохшим ртом, не отрывая глаз от манежа. Навстречу ей по канату *во внутреннем зеркале* — в том, которое чуть выше глаз, — шла она, сама Нюта, с длинной палкой наперевес. Как вот эта Дюймовочка! Но не сейчас, не скоро.

— Папа! — возбужденно проговорила она, потянув отца за рукав макинтоша. — Я тоже так могу! Я так умею... Я потом-потом... через много дней... тоже так умею!

Отец отмахнулся:

— Что ты бормочешь, дочура, глупости какие! — и сам съел крем-брюле — как сказал ей потом, «на нервной почве, машинально, в три откуса».

И этот жонглер после представления...

Нюта с папой вышли последними, потому что она не желала уходить. Жонглер стоял, вернее, пружинно раскачивался из стороны в сторону в темном уголке возле огнетушителя. Он тренировался: подбрасывал и ловил пять желтых шариков. Время от времени шарик падал, жонглер ловил остальные — укладывал один за другим в длинную ладонь и наклонялся за упавшим. И вновь запускал над головой желтую пунктирную дугу.

— Ну постой, па... — умоляюще проговорила она. Остановилась рядом. Смотрела, не отрываясь. Почему-то знала, когда шарик упадет. Вернее, видела, что вот он завис чуть ниже остальных и, значит, немного отклонился в общей дуге... Пропустила один, другой... и, молниеносно и точно подавшись влево, схватила падающий мячик и протянула жонглеру.

— Ай, браво! — воскликнул он, забирая мячик разогретой ладонью. — Левой, левой?! Ай, бра-а-аво!

И по дороге домой Нюта бежала, скакала, летела, далеко отбегая от отца и возвращаясь к нему, как счастливая собачонка, принесшая хозяину поноску.

Тогда он улыбался и говорил:

— Ай, бра-а-во! Левой, левой? Ай, бра-а-во!

5

«...Я сразу понял, что знаком с ней давным-давно; что она и есть та маленькая хохотунья-подскока, что меня поразила и даже напугала много лет назад в киевской квартире совсем чужих людей.

Наш оркестр гастролировал тогда по городам Украины, и замдиректора филармонии попросила передать своей киевской родне (“Сенечка, милый, не откажите!”) какой-то сверток, мягкий и легкий, — я потому и согласился. Терпеть не могу таскаться с чужими передачками, когда в руке и так футляр с фаготом.

К тому же выяснилось, что живет эта самая родня как раз на улице Жадановского, которая бывшая Жилянская, Жилянская, Жилянская — и в народном киевском сознании другой так и не стала.

На которой когда-то я гостевал с дедом, летними короткими наездами.

Я любил Киев, неплохо его знал. В детстве каждое лето жил у деда в Жмеринке, и мы с ним обязательно приезжали в Киев на недельку. Останавливались у дедовой приятельницы, бывшей цирковой гимнастки, в перенаселенной коммуналке в старом двухэтажном доме на Жилянской.

Панна Ивановна ее звали. Фамилия какая-то армянская... Если память не изменяет, она немного спекулировала — так, для развлечения. Хвасталась, что первую в жизни торговую операцию произвела, сшив босоножки из солдатских ремней и продав их на рынке, — мол, деньги нужны были позарез: как раз в те годы она крутила бешеную любовь с красавчиком-униформистом.

И курильщицей была вдохновенной, смолила одну за другой, но окурков не терпела, называла их "мертвечиками". Если видела на кухне пепельницу с окурками, строго приказывала: "Уберите мертвечиков!"

Коммуналка эта была населена довольно колоритными типажами, словно подтверждая свое давнее назначение, — дед говорил, что в квартире прежде размещался один из респектабельных киевских борделей.

Удивительно, как эта разнокалиберная команда умудрялась довольно сносно, без скандалов, существовать. И какая только забавная шушера там не обитала! Например, некий странный художник, может, и небесталанный, но абсолютно асоциальный тип. Ходил в таком живописном тряпье, подозрительно дамском. То ли подбирал, то ли крал с веревок, то ли благодарные музы ему обноски дарили. Маэстро заставлял и меня, и деда ему позировать. Портреты, правда, не отдал, и сейчас я, бывает, с грустью думаю, что дедов портрет купил бы, не задумываясь, за приличные деньги... (С другой стороны, куда бы я его дел, на какой умозрительный гвоздь повесил в своих бесконечных переездах?)

Помню эту длинную промышленную улицу, где, впрочем, изредка попадались и бывшие доходные дома — с орнаментом, скульптурными украшениями, даже с кариатидами! В отличие от Крещатика, разбомбленного в войну, этот район — и Жилянская, и Саксаганского, Тарасовская, Старовокзальная, Чкалова — та, что бывшая Столыпинская, — весь сохранился, был забит до отказа клокочущим людом самого разного пошиба, тарахтел, дребезжал трамваями, вопил калеными глотками Центрального стадиона, кипел бурной жизнью цирка на знаменитом Евбазе.

Помню большой немощеный двор с развешанным бельем, голубятню, дровяные сараи, дощатый дворовый сортир и огромную лужу у водоразборной колонки.

По дедовскому списку — филармония обязательна и отмене не подлежит! — мы с ним выхаживали и вывизгивали на трамваях по летнему городу огромные расстояния. Попутно он закупал себе часовой фурнитуры.

Я тогда был влюблен в автомобили, меня мучительно волновал запах большого города: сложная смесь газолина, горячего масла и свежего бензина от проезжавших машин, запах жареных пирожков на уличных лотках и политых из шланга улиц. Я еще помню дворников со шлангами в руках. Помню множество огромных, шевелящихся под ветром клумб, пунцовых от роз, гвоздик и тюльпанов.

И мне ужасно нравились усатые киевские трамваи (одна из присказок деда: “Пока ходят трамваи, будем жить!”). В те годы они были раскрашены так: низ темно-синий либо ярко-красный, верх — светло-кремовый, как на пирожных. И разлапистая пятиконечная звезда на плоской, как бы тупо изумленной морде.

Филармонический зал, лучший по акустике в Киеве, дед называл Купеческим собранием и сад позади него, Пионерский, тоже называл Купеческим. После концерта вел меня пешком через трамвайные рельсы, всегда возбужденный, взволнованный — дед был уникальным меломаном, влюбленным в духовые инструменты, — и всегда напевал-пробормативал минувшую музыку.

— У кларнета, Сенчис, — говорил дед — все регистры хороши, почти все. Басы его, угрюмо-зловещие — в начале вот Пятой симфонии Чайковского — помнишь, в прошлый раз слушали? Затем полторы-две октавы ровненькие, блестящие, с нервом! Любое тутти оркестра прорежет, хоть три форте, хоть пять! Плачь, ликуй, в любви объясняйся — все кларнету подвластно, всюду он хорош... И атака мгновенная! И стаккато щегольское!.. Но кларнет, Сенчис, инструмент открытых чувств — даже когда звучит зловеще! В его голосе подтекста нет, нет второго плана. А вот фагот, Сенчис, это совсем иной коленкор... Мне приятель рассказывал — он играл в филармоническом оркестре как раз на фаготе, — что сам Рахлин, Натан Григорьевич Рахлин, великий дирижер, на репетиции "Патетической" сказал однажды: "Оркестр, слушайте фагот! Он *поворачивает!*" — Дед останавливался перед тем, как *повернуть* в очередной проходной двор, и я послушно, как лошадь, останавливался рядом. — А после соло фагота, когда тема проходит у деревянных, Рахлин своими толстыми, как сардельки, пальцами, показывал каждую шестнадцатую! "Фагот поворачивает! Фагот поворачивает!" Дай бог тебе, Сенчис, когда-то понять: это гениально сказано!

Проходными дворами Киева можно было полгорода пронизать — каменные ступени, подворотни, перепады высот, замшелые лесенки с одной улицы на другую. Запах прелого, слежавшегося тополиного пуха, а над ним — одуряющий запах лип и непередаваемо тонкий, как звук далекого английского рожка, вечерний аромат бархатистых лиловых цветков с оперным именем "метиола".

Однако главным был запах круглого хлеба — "арнаутской булки", и сейчас мне кажется, что при всей своей любви к деревянным духовым дед приезжал в Киев именно за ним — за неповторимым, духовитым и сытным запахом "арнаутки".

Как описать этот запах? Не знаю... Ничего похожего на кислый дух черного хлеба или сладковатую отдушку белой булки.

Дед просыпался рано, брился опасной бритвой над старой, с проплешинами ржавчины, раковиной в гостеприимной коммунальной кухне, натягивал сапоги убитого итальянского солдата и шел в соседнюю булочную к открытию, как на свидание с женщиной. Собственно, "арнаутка" и пахла как женщина — вечно неизведанным счастьем.

В коммуналке деда прозвали "Арнауткин". Спрашивали: "Панна Иванна, к вам когда в другой раз Арнауткин приедет?"

Недавно в Бостоне в русском магазине я увидел круглую буханку с ценником: "Арнаутская булка". И сразу купил.

Разумеется, ничего похожего на божественный аромат моих детских киевских гостеваний.

Так что в Киев я всегда приезжал с удовольствием и тайным волнением, хотя в конце шестидесятых город уже стал другим.

Однако в ресторане при гостинице "Театральная" на углу Владимирской и Ленина, как раз напротив оперного театра, по-прежнему подавали в трех кокотницах отличный куриный жюльен с грибами — и за очень умеренные деньги.

На второй день после концерта я наконец собрался выполнить просьбу.

Семья, в которую вез передачку, оказалась чудесной, приветливой, по супруге — даже музыкальной. Выяснилось, что хозяйка была на нашем концерте, и — ах, если б она только знала... словом, меня усадили пить чай, а к чаю присовокупили кое-что целительное — в то время я здорово зашибал, сердце еще было молодое, помалкивало себе.

И разговор покатился такой душевный и вышел — а это нетрудно в те годы было — на репрессированных родных и знакомых. Я вырос в Гурьеве, хозяйка Маша — в Семипалатинске... Мы как-то подались друг к другу, как забытые родственники. А муж ее, здоровенный, молчаливо-радушный хохол — кажется, он был военный доктор, к тому же в чинах, — подливал мне и подливал.

Вдруг из какого-то своего закутка выскакивает эта девчонка.

Но сначала зычный всенародный голос завопил:

— Нюта-Нюта-Ню-у-у-у!

Возникло как из-под земли чучело лет пяти, ростом с пенек — в шляпе с цветами, в длинной материной шелковой юбке и блузке с огромным вырезом, в котором двумя кнопками — детские глазастые соски.

— Хочете видеть краса-а-авицу?!

Хоп! — туфля полетела вверх, каблуком чуть не сбив отцовский бокал на столе.

Хоп! — другая туфля задела тяжелую пятирожковую люстру, и та угрожающе закачалась над нашими головами.

Вслед за девчонкой выскочила толстозадая девица с головой микроцефала и огромными лапищами. Она пыталась поймать это чудо-юдо, загнать в какой-то там ящик Пандоры, откуда та столь стремительно выскочила. Однако ни догнать, ни совладать с этим маленьким смерчем не могла. И девчонка дважды еще выбегала в разных нарядах со своим воплем:

— Хочете видеть краса-а-авицу?!

А я детей вообще-то не люблю и не понимаю. Я не знаю, как с ними разговаривать, скучаю, раздражаюсь, стараюсь куда-нибудь смыться.

Но эта прыгала так изумительно, да еще винтом успевала перекрутиться в прыжке. Кузнечик какой-то...

Выбежав во второй раз, заметила меня, застыла на мгновение... и вдруг хохотать стала, заливисто, потешно, хватаясь за живот. Рот от уха до уха, зубы — крупные "взрослые" вперемешку с молочными, остренькими. Две дырки на месте верхних клыков. Забавный такой человечек, радость из нее била фонтаном! И дикая энергия. А глаза невероятные, морские — зеленая просинь, — цепляли они тебя поверх смеха так по-взрослому, словно дознаться хотели: ты откуда? ты кто?

— Ты чего? — спрашиваю. — Чего смеешься?

— Ой, смично! — крикнула она. — Смич-но!

— Чего тебе смешно?

— Он как папа! — кричала она, и прыгала, и пальцем в меня показывала. — У него день рождення, как у папы!

И тут произошло нечто странное: лица хозяев дома погасли, глаза обреченно потупились.

— Нюта, тебе спать пора! — резко сказал отец.

— Как у папы! Тот же день! — и заливалась смехом.

— А когда у папы день рождения? — спросил я это щербатое чудище.

Она задрала ногу к уху, схватила за щиколотку, притянула к лицу. Отчеканила:

— Дявяцнацтое сен-тя-пря!

Я оторопел, хмыкнул... Попала! А она все крутилась и ногами вытворяла черт те что, и руки как мельница. Сейчас таких детей называют гиперактивными, а тогда и диагноза подобного никто не слышал. Говорили просто: невыносимый ребенок. “Ой, смично!”

Она была невыносима.

Но более всего поразили меня тогда лица ее родителей, их извиняющиеся улыбки, опущенные глаза, словно вдруг обнаружилась дурная семейная болезнь. Отец поднялся и — при госте неудобно было воспитывать, прикрикнуть — стал выпроваживать ее, растопырил руки и оттеснял всем своим большим телом в конец коридора, где, видимо, была ее комната. И еще дважды девчонка выскакивала оттуда, радостно вопя детские глупости и выделывая ногами-руками фортеля так, что у меня в глазах зарябило. И дважды отец смущенно ретировался ее успокаивать. Когда наконец вернулся за стол, я сказал:

— У вас дочка очень талантливая... к спорту. Вам надо ее на акробатику, что ли, отдать.

И оба они благодарно закивали:

— Да-да, нам уже говорили, вот с сентября определим в спортивный кружок...

Странно, что ни он, ни его жена даже не поинтересовались — мол, а что, между прочим, какого числа всамделе у вас день рождения? Выходит, знали, что прозрения ее снайперские. Выходит, она с самого раннего детства их озадачивала.

Жаль, я тогда уже был довольно выпивши, а пьяному все трын-трава, хоть день рождения тебе назови, хоть дату смерти...

Как пили все мы тогда, боже ты мой, как пили!

Мравинский, как известно, запирал знаменитого валторниста Удальцова у себя в кабинете на ключ. Так тот на шпагатике опускал из окна трешку, а внизу ждал его мальчик, который мчал со скоростью ветра в винно-водочный. Затем обвязывал бутылку тем же шпагатиком, и Удальцов тянул добычу наверх. После чего, в лоск пьяный, гениально играл!

Кларнетист Баранов и гобоист Тупиков повсюду ходили вместе, потому что врозь падали.

В Кировском театре фаготиста-алкоголика запирали в оркестровой комнате. К концу третьего акта он бывал уже готовеньким в дугу. Как умудрялся напиться? Эти русские самородки: у фагота внизу есть серебряный стаканчик, закрывающий соединительную трубу. Так этот кулибин на тот стаканчик напаял поверху еще один стакан, в который и наливал живительную влагу; а на репетициях потягивал ее по глотку через трубочку — дополнительный "эс". Так и поправлялся, бедолага. Именно ему, кстати, принадлежит крылатая в музыкантском мире фраза: "Один день в неделю — для встряски организма — надо НЕ пить!"

Так что тем вечером я наугощался у добрых людей и про девочку забыл. Вот наутро в гостиничном номере, как проснулся да на опухшую морду холодной водой пару раз плеснул... тогда вспомнил. И испугался! Ну, думаю, надо же! Что ж ты, дурак, не приголубил, не подлизался к этой чудовищной крошке... Может, она бы и другие твои даты назвала, пятилетняя сивилла... И потом, нет-нет, вспоминал это странное существо. Ну да со временем забылось...

И вот — осенью это было, в восемьдесят восьмом, в Москве. Попал я тогда в цирк на Цветном совершенно случайно и тоже не на трезвую голову. Накануне приехал из Питера к другу, был такой замечательный фаготист Миша Дятлов, ныне покойный; его сестра, администратор гостиницы "Минск", всегда устраивала мне приличный номер. Выпили с ним душевно, потрепались, а наутро он в лежку. То ли грипп, то ли сердце, то ли почки отказывают. Звонит мне в гостиницу и умоляет отыграть за него в цирке, там вечернее представление, а затем утренняя репетиция — пустяк, часа три.

И я, конечно, пошел выручать друга Мишу. Тем более, что с цирком в молодости достаточно поваландался, тамошний бравый репертуар мне не чужд. И уж Дунаевского как-нибудь с листа сыграю.

После репетиции стою, укладываю инструмент в футляр и краем уха вылавливаю привычные шумы, — по утрам в цирке своя музыка. Сонную тишину распарывает рык хищника, окрик дрессировщика, щелканье кнута — в манеже обычно по утрам репетируют с животными. После десяти начинают подгребать артисты-“жаворонки”: кто репетирует, кто просто потрепаться явился.

Вяло прислушиваюсь к разговору за спиной. Два женских голоса. Не помню деталей, но одна вроде говорила о весенних гастролях в Армении. А другая ей: «Не будет никаких гастролей. Расслабься”.

Та: “Да ты что, обалдела? Вон, на доске приказ директора”.

И этот, другой голос, низкий такой, мальчишеский, вдруг пропел: “Не бу-удет, не бу-удет, не бу-удет...”

Меня как толкнули!

Я обернулся. И из этих двух сразу увидел *ее*. Не в том смысле, что во взрослой девушке, неяркой такой, в джинсах и синем свитерке, признал хохотунью, невыносимую ту акробатку. Просто она смотрела на меня — требовательно. И я понял, что это меня она выпевает со спины: *хочете, мол, видеть красавицу?*

Невысокая, легкая, словно... стрельчатая. Глаза — переливистые, как в быстром ручье в солнечный день...

У меня руки налились такой тяжестью, я чуть футляр с фаготом не выронил. Все внутри заметалось, рванулось куда-то... Подумал только: а ведь и не будет, пожалуй, никаких весенних гастролей, в Армении-то. И надо бы спросить, не жила ли она в Киеве, в конце шестидеся... как вдруг она четко выговорила:

— Смич-но!

И я все стоял и смотрел, какой у нее подбородок узкий, но круглый, твердый, а губы, наоборот, детские и доверчивые. И мягкие, даже на вид...»

6

Маша молча разделась в темноте спальни, на ощупь сложила одежду в кресле, вытянула из-под подушки ночную рубаху.

— Я не сплю, — проговорил Анатолий. — Можешь включить лампу.

— Спи-спи... я уже управилась.

Забралась под одеяло, вытянулась и замерла.

День сегодня был мучительный, тоскливый. Похоронили Полину — старого друга Машиной семьи, почти родственницу — сначала неудавшуюся папину невесту, а с тридцать шестого, с того дня, как арестовали отца, — мамину подругу на всю жизнь.

Она и в Семипалатинск к ним приезжала, и все годы консерваторской учебы в Киеве Маша прожила в огромной коммуналке на Подоле, в комнате у Полины, расстилая на полу тощий матрасик на ночь.

В свои семьдесят пять Полина была еще такой деятельной и так усердно помогала с Нютой — да что там, она буквально выходила девочку, ведь Маша привезла ее почти бестелесную — из поезда вынесла на руках. Полина тогда просто переселилась к ним жить.

И что, казалось бы, особенного в рутинном удалении желчного пузыря? Она уже поднималась после операции. Была, как уверяет Толя, абсолютно готова к выписке. И вдруг — внезапная остановка сердца.

Маша повернула голову, увидела, как в глазах мужа ответно блеснул отраженный свет фонаря за окном.

— Толя, — шепнула она, — скажи... Ведь никак нельзя было предположить, что этот тромб...

— Нельзя, нельзя. Угомонись. Это штука неожиданная.

— Тогда как же...

Оба они молчали, и у обоих перед глазами стояла трехдневной давности сцена в кухне за ужином. Христина жаловалась на причуды своей тетки, дворничихи Марковны. Та взяла напрокат телевизор, который включает только на время, «для себя».

— Бэрэжэ, стара дурэпа. Думае, шо колы зберигаты, то воно нэ зрасходуеться!

Одновременно Христина безуспешно пыталась навернуть на вилку длинную макаронину, наконец взяла ее толстыми пальцами и шумно всосала.

Когда после ужина Христина ушла, напоследок звучно расцеловав в обе щеки и нос уже притомившуюся Нюту, Маша, с усмешкой вспоминая какие-то забавные словечки новой няньки, заметила, что девушка она хорошая, душевная, но когда Полина вернется из больницы, Христину, конечно...

В этот миг Нюта подняла голову от «Мурзилки», который не читала, а разглядывала картинки, как всегда, с конца, и сказала:

— Нет, пусть будет Христина. Она смешнючая. Она меня пере... ли... цувает!

— Нюточка, Христина будет в гости приходить, ты же не хочешь, чтобы наша любимая Полина...

— Не любимая! Не Полина! Не вернется!

— Что ты болтаешь! — прикрикнул отец. Они с дочерью были друзьями, и Толя позволял себе то, чего никогда не позволяла себе Маша. Мог и шлепнуть, когда заслуживала.

— Вот послезавтра Полину выпишут, ты ее сама встретишь из больницы с цветами.

Девочка молча, удивленно и слегка беспомощно переводила взгляд с отца на Машу. Она будто силилась и не могла им объяснить очевидное, что не нуждалось в доказательствах, в чем она уж никак не была виновата и чего они не могли или не хотели понять.

— Но, па-а-а, — протянула она обиженно, — ведь Полина все равно не вернется!

Толя выпростал руку из-под одеяла, зажег ночник.

— Машута, — сказал он. — Не бери в голову. Это бывает, бывает. У чувствительных детей иногда случаются такие... догадки. Ты посмотри на нее, она же как ртуть...

— Толя, может, все-таки показать ее психиатру?

— Чушь! Она совершенно нормальный ребенок. Только очень активный.

— И ты по-прежнему считаешь, что ее не надо переучивать с левой руки на правую? Ведь со временем в школе...

— Ерунда! Какая тебе разница, какой рукой она ест, какой будет писать? Что за средневековый подход, что за предрассуд... тихо!

— Нет, она спит.

— Пойми, — понизив голос, продолжал муж, — переученный левша может превратиться в заику, в неврастеника, в бог знает кого! Потом не расхлебаешь эту учебу.

«Ну да, — подумала Маша с укоризной, — а сам-то как переживал, сам-то, когда...»

Анатолий действительно поначалу не мог смириться, что девочка, мгновенно запоминавшая наизусть любой текст, никак не может научиться складывать буквы.

— Что за чепуха! — кипятился, — ты ж у меня умная, ты ж умнющая обезьяна! Ну-ка, давай, повторяй за мной: бэ... у-у-у... Получается «б-у-у»...

Настоящий скандал произошел на злосчастном слове «бублик». После бурного недоразумения, невнятицы, рыданий и огрызаний отец поставил Нюту в угол, минут через пять позволил выйти, но она упрямо стояла там, и даже ноги у нее от слез были мокрыми.

Толя, однако, со своим, как говорила Маша, «хохляцким упрямством», решил на сей раз довести дело до конца.

— Ну, ладно реветь, в лужу растаешь. Иди сюда, не может такого быть, чтобы мы этого не осилили!

И действительно, первый слог был покорен мгновенно: «буб»! «Буб»! На этом успехи и закончились. Второй слог «лик» никак не удавалось покорить.

— Здесь... про килограмм, — сказала наконец девочка.

— Какой килограмм?! Какой килограмм, бестолочь?! — Он рухнул на стул...

Помолчал, успокоился, снова взял листок с крупно и кругло написанными буквами.

— ЭЛ!И!КА! «Лик», понимаешь? Что тут такого, ведь ты уже прочитала «буб». Лик, лик! Эл-и-ка! ЛИК.

Он перевернул листок, опять подвинул к ней, опустил глаза... и вдруг вскочил как ошпаренный.

— Машута!

Маша испуганно примчалась.

— Вот смотри, — сказал он нервно. — Она читает справа налево. Вместо «лик» читает «кил».

— Нюта, вымой руки, будешь есть суп. И вытри слезы.

— Да нет, ты не понимаешь! «Буб» она прочитала только потому, что справа налево и слева направо то же самое. И говорит — килограмм, килограмм... Я думаю, что за килограмм, к черту? Да она прочла «кил» вместо «лик»!

— Оставь ее в покое, — грустно проговорила Маша.

Сейчас, после похорон Полины, Маша вспоминала ту ночь в поезде, когда она везла в Киев свою хрупкую добычу. Летучий свет луны забеливал и зыблил занавески в купе СВ, девочка уснула и бесплотным комочком лежала в темноте на соседней койке.

На крюке болтался ее рюкзачок — внутри две пары трусиков, носочки, клетчатое платье с оторванной оборкой на рукаве-фонарике. «Это... все ее вещи?» — удивилась Маша, принимая рюкзачок из руки воспитательницы. — «Все, — ответила та. — Всё, с чем она к нам пришла».

Поезд мчал на ночной предельной скорости, шарахался на поворотах, как испуганный конь, и навязчивая, странная мысль донимала Машу: что едут они не в Киев — домой, к Анатолию и нетерпеливо ожидающей малышку Полине, — а в какую-то бесконечную неприютную пустоту, где вечно теперь будет только эта скорость, тревога и скользящий свет луны...

Вся беготня последних дней, очереди к нотариусам, сражения с чиновниками, совсем ее измучили; она боялась, что девочка не дождется и истает, уйдет... Маша так и не доискалась соседки Шуры, которую можно было расспросить подробней о девочке, о покойной ее матери... Неуловимая соседка будто нарочно пряталась, избегала встречи.

Ну, бог с ней, какая разница, в конце концов? Сейчас надо срочно: анализы... комплекс витаминов. Ласку, любовь, игрушки... вкусную еду. Хорошо, что рядом Полина с ее бесконечной преданностью и неустанной готовностью тереть яблоки и морковку...

И конечно, необходимо заняться развитием девочки — налицо явное отставание. Молчит и молчит. Но, слава богу, она не немая и слышит нормально — значит, когда-то же заговорит как следует!

Проснулась Маша от неуютного ощущения, что на нее внимательно смотрят. Открыла глаза и чуть не подскочила. Совсем рядом, близко-близко, на ее полке сидела девочка — бестелесный крошечный эльф в голубоватом свете купейного ночника.

Она молча неотрывно глядела на Машино лицо. Этот долгий, изучающий взрослый взгляд напугал Машу так сильно, как с детства она не пугалась (мгновенно промелькнули в памяти вечерние страшилки в пионерлагере: в черной-пречерной комнате... сидела черная-пречерная...)

«Может, она страдает... лунатизмом?» — в панике подумала Маша.

— Аня, Анюта... — тихонько позвала она, приподнявшись, и девочка сразу отозвалась совершенно трезвым, дневным, печальным взглядом. — Ты почему не спишь, деточка?

Та продолжала смотреть, не откликаясь. У Маши пересохло горло.

— Хочешь, приляг ко мне. — Она откинулась на подушку и ладонью похлопала рядом с собой. — Приляг... к маме.

Девочка шевельнулась, сложила руки на коленях.

— Ты не мама, — проговорила она хрипловатым голосом, в котором слышна была такая взрослая тоска, что Маша опять приподнялась и села.

— Нюта, — шепнула она — а где... м-мама?

Та повернула голубоватое личико, на котором только эти огромные глаза и остались, вздохнула и проговорила:

— Мама в зеркало ушла.

— Толя, помнишь... — сдавленно заговорила Маша. — Помнишь, как в апреле она вошла в подъезд и сказала: «А дверь у нас будет скоро зеленая», и через день вывесили объявление о ремонте, и дверь покрасили в зеленый цвет? И ты потом говорил о теории вероятности, о совпадениях... Толя! Мне страшно...

Он молча обнял ее. Минуты три она лежала, уткнувшись носом ему в подмышку. Все ждала, что муж, как обычно, станет полушутливо объяснять ей про какие-нибудь открытия в психологии, согласно которым человек иногда... Но муж молчал. Наконец, когда Маша стала уже задремывать, Анатолий проговорил вдруг спокойно и внятно:

— Ты, Машута, съездила бы туда.

— Куда? — испуганно очнулась Маша. Бордовые занавески на окне спальни зловеще тлели в свете ночника.

— А вот откуда ты ее привезла.

Помолчал и добавил:

— Порасспрашивала бы... чего тогда не расспросила.

* * *

Недели через две Маша взяла несколько отпускных дней и поехала в Ейск.

Она не знала, зачем, собственно, едет и каких таких признаний ждет от чужой женщины — каких свидетельств, о чем? И что может измениться от этих признаний в их жизни?

За окнами поезда желтыми озерцами цветущей сурепки вспыхивали проплешины лугов; в темных чащах сплошного леса мелькали все оттенки зеленого. Широкое поле, засеянное клевером, поднималось на грудине холма, ребрилось под ветром, как стиральная доска.

Поезд мчался, выходил из полосы дождей, окунался в солнечное марево; снова окна ополаскивала дождевая рябь. Июньская щедрая зелень благодарно дышала под летучими дождями...

Промахнули загон, где по зеленой траве катался на спине шоколадный жеребенок, дрыгая ногами и показывая замшевый и мягкий, как подушка, живот. Такой же замшевой мордой поддевала малыша мать.

Эти два года состарили Машу на десять лет. В ней вдруг опять всколыхнулись невнятные детские страхи, знакомые еще со времен семипалатинской школы, когда, по дороге домой перепрыгивая трещины в асфальте, она загадывала: если не наступлю ни на одну, все будет хорошо и папа вернется. И непременно наступала. Попытка задобрить какую-то высшую силу: бога нет, конечно, да кто-то же отвечает за этот мир! Она чувствовала, знала — отвечает! Вот его, которого... который... словом, эту всевышнюю силу надо было умолить, задобрить или лучше — съежиться так, чтобы тебя не заметили. *Неотвратимость* — вот что было с детства самым ужасным.

Ее мучил страх за девочку, за будущее, а главное, мучило постыдное, глубоко упрятанное: не только Толе, она и себе не признавалась, что боится ее самой, своей маленькой дочки... Боится?! — и внутри себя впервые отчужденно произнесла: Анны...

Анны, которая о *неотвратимости* знает заранее, чувствует ее, спокойно плывет ей навстречу... И значит, *как-то принадлежит* неведомой вышней силе, при мысли о которой Маше хочется сжаться.

...Уже в такси она вспомнила, что соседка Шура как раз в это время вполне может хлеборезить на детдомовской даче, и приуныла — ужасно не хотелось опять гоняться за призраком.

Но дверь, в которую Маша позвонила, сразу открылась и — как тогда, в первом, странном, проклятом телефонном звонке, — все сложилось. Открыв дверь и увидев ее — незнакомого человека, — Шура побледнела так, что Маша заметила это в полутьме коридора. Маша знать не могла, как часто Шура вспоминала ее, доверчиво и обреченно ступившую в мышеловку, и девочку, которую она выхватила на самой грани и унесла с собой.

— Чего... надо? — от неожиданности, от внезапного страха грубовато произнесла Шура. И сама смутилась, мысленно застыдила себя. — Вам кого?

Маша стояла, вежливо изучая кряжистую, с рябоватым лицом, пожилую женщину.

— Извините, не знаю вашего отчества, — сказала она. — Александра?

— Володимерна. — Шура дверь открыла пошире, живот подобрала. — Проходите, чего так стоять...

Дальше, в топтании на пороге, в обмене обрывистыми неловкими фразами, Шура вдруг поняла, что это ей посылается прощение. То самое, которого она мысленно перед сном частенько просила. И вот этого прощения она уже не упустит. Поэтому, энергично оборвав неловкие предисловия и развед-фразы неожиданной гостьи, она сказала:

— Какое там отчество! Ты ведь Маша, прально? Вот. Идем-ка сюда, на кухню. Я каклеты кручу, извини. Вот тут сейчас краешек стола вытру, чаю попьем.

Маша села, и несколько минут они молчали, каждая готовясь к разговору. Шура суетливо убирала миску с фаршем, ставила на плиту чайник, резала остатки какого-то магазинного кекса.

— У меня тут ничо такого к чаю-то и нет...

— А я вот с пустыми руками... — это они сказали одновременно, и стало как-то легче, проще.

Шура поставила чашки и сама села за стол против Маши.

— Ну? — спросила она. — Как живете-то? Чего приехала?

Маша замялась. Она не знала, с чего начинать. А спрашивать о главном вот так, с бухты-барахты...

— Я, понимаете... хотела немного расспросить вас, Шура... о родителях моей девочки. Ведь вы их хорошо знали?

— Родители — это красиво сказано! — усмехнулась Шура. — Уважительно. Родителей у нее мать была, Рита. Вот и все. Девка была — земля пухом — хорошая, добрая... обыкновенная. Ты, Маша, чего хотела-то? По сути? Прямо говори.

Но и тут Маша прямо сказать не могла. Не могла!

— Понимаете, — проговорила она, замявшись, — девочка помнит сотни номеров телефонов наизусть... вот как Виктор Гюго — тот помнил номера всех фиакров Парижа.

— Бывает, — отозвалась Шура. — У меня дядька свистал всеми певчими птицами. Скажешь ему: дядь Фим, давай дрозда! И он как залье-ется, как расы-ыплется... Ты бы и не отличила. А малиновкой как пел!..

И Маша уже не стала добавлять, что, глядя на незнакомого человека, ее дочь может назвать номер его телефона и дату рождения.

Запел-закипел чайник. Шура поднялась, стала засыпать из пачки заварку, наливать, подтирать разлитое. Обе молчали.

— А... отец?

— Да не было никакого отца.

— Я понимаю, — торопливо проговорила Маша. — Я не в том смысле, я же все понимаю, Шура. Просто... я хотела спросить: вы совсем ничего-ничего про отца ее не знаете? Совсем ничего?

— Почему? — удивилась Шура. — Он у всех тут на глазах бегал, Аркашка-то, рыжий. Ну вот, заварился. Давай, подставляй чашку. Я, знашь, завариваю, как меня узбеки учили. Тут много лет узбеки приезжали, дынями торговали на рынке, у меня останавливались. Хорошие люди. Научили толково заваривать. Я с тех пор не люблю хап-лап... Душевный чай, он, знашь, свой характер имеет...

И когда уже Маша подумала, что ничего ей не соизволят рассказать, и чего ж она хотела, если сама крутится вокруг да около, — Шура произнесла решительно:

— Ну да, Аркашка Месин... Ладно уж. Я расскажу, пусть меня Рита покойная *там* простит. Он ведь мальчишка совсем, понимашь? Нет? Этот отец, говорю, так называемый, когда Анюта родилась, сам пацаном был. Лет пятнадцать, ну по-крайнему шестнадцать ему было. Это ж какой скандал, а? представь? Гороно, районо, совращение малолетнего, всяка така грязь. Ну, сама понимашь... Они ее топтали, топтали... кто токо косточки ей не мыл! Кто токо ноги об ее не вытирал! Библиотекарь в школе, ты, мол, культуру быта и книги должна детям несть, а ты — малолетнего своротила... Шла по улице, а вслед только что камнями не бросали... Я бы — спроси меня — от такого сраму повесилась бы. А она, Рита, крепкая в характере была. Самой же ей... ну, скока тогда было, не соврать?.. лет тридцать шесть, да... Она, правда, тощенька така, носатенька... на вид совсем девчонка. Да как говорится, забыла скока тебе годков — в паспорт гляди! Главное же, мальчишка — дрянь. Ведь он и подворовывал, и потом с дружками киоски грабил. А сейчас, вона, за наперстки сидит.

— За что? — растерянно спросила Маша.

— Игра така, знашь? Наперсточник он.

— Нет, не знаю, — уныло, почти не слушая, отозвалась Маша. Она думала о том, какая наследственность, оказывается, ммм... пестрая... у ее девочки.

— Это ж игра така, в наперстки! Сидит хмырь, вкруг себя народ собирает, спрашивает — мол, под каким наперстком шарик? И пошел елозить обоёми руками, наперстки туды-сюды возить. А дурачье курортное, лопоухое, вокруг стоит и денежки свои спускает. И поделом, видать, лёгко заработано! Так Аркашка что: он сначала, когда маленьким был, всегда знал, как угадать с этими наперстками. Ходил-выигрывал. Ну и молчал бы. Но такой характер говенный и язык без костей. Я, грит, Ме-есин, я сын самого Ме-е-сина! Ну, его сначала просто измолотили — для острастки...

— Какого Месина? — спросила Маша недоуменно.

— Ну ты шо, не слыхала... артист такой есть, фокусник. Мысли чужие видит, гипноз насылает. Месин... Да я в газете про него недавно читала. Вроде он еще жив... А имя... Ой, забыла. Немецкое... Фольк, что ли... Да: Фольк Месин.

— Что-о?! — Маша подняла на Шуру глаза. — Вольф Мес-синг?! — всплеснула руками и расхохоталась: — Господи, Шура, что за вздор!

— Эт почему это вздор? — обиделась Шура. — Он тут у нас два года подряд выступал. Артист Московской филармонии. «Психологические опыты» называлось. Мой Сема покойный даже на сцену поперся и потом говорил, все по правде, не мошенство. И этот Фольк взаправду угадал, что Сема велел ему пойти в третий ряд и у Михал Степаныча из кармана пачку «Явы» достать. Сам такой седой, лохматый. Прямо трясся весь, напрягался как...

— Но... при чем тут! Я не понимаю...

— А я тебе и говорю: Зинка-то ведь в то лето работала администратором Дома культуры. Баба она была видная, молодая, блондинка натуральная... Запала на артиста, бывает. И я тебе так и скажу — брюхо у нее примерно в то время и стало расти. Да и зачем бы ей надо мальчонку на таку неродну фамилию записывать? Видать, хотела похвастать перед людьми, подчеркнуть свое особо положение...

— Но... ему же всегда жена ассистировала! Я знаю, мне рассказывали...

— Ну, жена, жена, — насмешливо подхватила Шура. — Когда это мужика-то остановит? В этом деле, ты ж знашь, ежли красивая баба захочет, жена может круглые сутки с берданкой сторожить... а на минутку поссать отлучится, глядь, ему уже другая... ассистирует.

— Погодите, — пробормотала Маша. — Это что же получается... Что моя Нюта?..

«Что твоя Нюта, — жалостливо подумала Шура, — дважды блудное отродье».

Но сказать так прямо поостереглась. Вслух проговорила:

— А что, оно в народе как считается: незаконные-то, они завсегда красивыми да умными родятся!

Маша сидела, сгорбившись, потрясенная и придавленная. Не притронулась ни к чаю, ни к кексу.

Сейчас вдруг она вспомнила историю своей подружки Леночки Зарядной, певицы Киевской оперы, которая хвасталась, как однажды ее, отбывавшую практику в Свердловской филармонии, попросили встретить поезд, в котором приезжал на гастроли уже гремевший повсюду таинственный Вольф Мессинг.

Как, подрагивая мелкими розами в руках, она стояла на перроне и ждала статного романтичного волшебника... а из вагона вышел невысокий щуплый человек.

Она, конечно, виду не подала, сделала уважительно-восторженное лицо, а он рассмеялся, и сказал: «Ну, не великан, что поделаешь. Но, моя девочка, рано или поздно вы поймете, что не в росте счастье!»

И что ж теперь, думала Маша, как со всем этим управляться, с этими генами богатыми... с этим проклятым наследством?

А Шура наоборот, расправилась, будто освободилась. Речь ее потекла охотнее, оживленней:

— ...И что ж это, думаю, за родня така, что сиротку бросают на произвол, как говорится, рока! Херова эта родня! Даж и на похороны не приехали. Да и шут с ними, думаю. Справили мы сами поминки по Рите в их однокомнатной — вишь, тут рядом, на площадке. Ну, все честь по чести — я зеркала занавесила, стол накрыла, холодец застудила, пирог спекла с капустой. После похорон заехали сюда, выпили-поплакали с ее подружками, песни попели... Хорошо посидели. Ну а после — что? Взяла девчоночку к себе, пока туда-сюда дело выясняется. А куда было ее девать? Уложила с собой, вон, у стенки. Ночью просыпаюсь, чувствую — пусто рядом! Прислушалась — нет, и в уборной тихо, и на кухне! Свят, свят, куда ребенка черти утащили? Кинулась — моя дверь настежь, на площадке свет горит, и в ихней квартире — тоже. Я босая, на цыпочках — сердце бухает — вон из квартиры... Заглянула к ним — чуть не рехнулась от страха: стоит она, маленька, в чем душа только осталась... на тубарете, знач, перед зеркалом. Черный платок на пол скинула и стоит, внима-ательно так смотрит, будто внутрь заглядыват... Будто слушает кого там, внутри. Ой, лихо!.. Личико, знач, тако радостное, светлое, какого у детей вообще не видала... Водит-водит пальчиком по зеркалу, как человека рисует, и гладит там, гладит кого-то... И все левой рукой. Я тихо так, ласково, шоб не испугать, а то заикой еще станет, тихохонько зову: «А-а-ня-а... Аню-утка-а-а... Ты кого там увидала?» А она, даж не оборотясь, спокойно мне отвечает: «Маму...» Вот рассказываю сейчас, а меня мороз по коже дерет!

Тут Маша отчетливо вспомнила, как впервые занес Анатолий по высокой их лестнице на третий этаж легкую как перышко девочку. Как отперли дверь, вошли в квартиру, а Полина со счастливым лицом уже спешила из комнат, на ходу щелкая выключателями, всюду зажигая свет в первых сумерках. Чешская люстра «Снежок» удвоила освещение прихожей в старинном зеркале.

И вдруг безучастное личико ребенка вздрогнуло, затеплилось и, словно чудо увидела, девочка зачарованно прошептала:

— Зе-е-ер-ка-ло...

А Шура уже разговорилась совсем. Тяжесть, что давила ей на сердце эти два года, ушла, и она торопилась выговориться, опростать душу, хотела, чтобы Маша поняла ее и... смирилась.

— И вот тогда, извини уж, Мария, твердо я поняла, что не возьму ее. — Шура говорила быстро и горячо. — Нет! От греха, знашь, подальше. Кто она, чего там такого видит в зеркалах... Бабка моя была на селе Остер гадательницей, к ней многие ходили. Из Чернигова аж приезжали. Так она мне говорила — как увидишь, что человек левой рукой ест али крестится, — беги от того без оглядки. Это не божий промысел, а дьяволовы забавы. Это он, леворукий, наплодил своих последышей...

Она взглянула на потерянную Машу, запнулась. И придержала язык.

После долгой паузы проговорила:

— А после той ночи девчушка есть перестала. Таяла, таяла... Будто Рита ее за собой тащила. Я уж была уверена — вслед уйдет. Пристроила ее на летнюю дачу, шоб хоть на людях померла, а то мало ли чё подумают на меня... Но вишь, как все обернулось. Видать, ей все ж положено пока здесь оставаться. Эт ведь никогда не угадаешь — какие там резоны, кому отойти, кому до старости лямку тянуть... Видно, бог ей тебя послал.

Она умолкла, подумала — чего бы еще задушевного сказать этой бедной женщине, что сидит в такой тяжелой задумчивости, уставившись на бесполезно выставленный — теперь вот высохнет — кекс.

Хоть бы успеть еще каклеты нажарить со всей этой катавасией.

Шура отерла о фартук руки, вздохнула и добавила сурово и сочувственно:

— Теперь, знач, этот крест тебе нести!

Часть вторая

...Я получал от него множество писем. Как приятно видеть их в зеркале!..

Однажды в галерее Версаля случилось мне показать их господину маркизу де Мариньи. Тот пробежал глазами несколько строк без видимых усилий, и сказал: «Это написано левой рукой, и хорошо написано».

«И хорошо прочитано», — ответил я[1].

Анри Дюшен.

Об учениках-амбидекстрах

1 Пер. *К. Щербино.*

7

«...Я вырос между Европой и Азией.

Город Гурьев, дитя мое, стоит на реке Урал — о чем тебе, само собой, неизвестно, — прославленной гибелью Чапая. Вот краткая географическая справка времен моего детства. Гурьев — областной город Казахской ССР. Прикаспийская низменность, полуостров Мангышлак, нефть, газ и прочие роскошества. Поэтому в Гурьеве, в прошлом — купеческом, казацком и рыбопромышленном, а затем изрядно повытоптанном большевиками, — много было неместных “спецов”, вроде моего отца.

Сразу после войны он вывез меня и маму из благодатной Жмеринки, чего ему, давно уже загадочно мертвому, не мог простить мой дед.

Отца с тремя колотыми ранами в груди и боку рыбаки выловили из Урала. Мне тогда было лет пять, ни черта не помню, но впоследствии вот это самое — *прибежали в избу дети второпях зовут отца тятя-тятя наши сети притащили* — мне нашей сердобольной учительницей разрешено было наизусть не учить.

Мама и потом отказывалась вернуться на Украину, говорила, что не может “покинуть Сашину могилу”, хотя месяцами не появлялась на кладбище, и “Сашина могила” представляла собой на редкость унылое зрелище — как, впрочем, и остальные могилы.

Так, значит, спецы, да еще ссыльные, да те, кто убегал самостоятельно от советской власти в тьмутаракань... А она потому и “тьму”, потому и “таракань”, что курортом не назовешь. Бывшие степи Ногайского ханства — глина, камень, камыши... Климат неприветливый, летом до плюс пятидесяти, зимой до минус сорока. Снег — развлечение редкое. И зимой и летом ветер гонял песок...

Архитектура Гурьева тоже не поражала заезжего венецианца: на центральной улице — конечно же, Ленина — советские невразумительные постройки, окраины потом застроили блочными поганками “хрущоб”... А когда заряжали дожди, перед входом в каждое общественное здание выставлялись сваренные из железных листов большие корыта, наполненные глинистой водой. Из них торчали деревянные палки с прибитыми ошмотьями рогожи. Гражданам-товарищам предлагалось перед входом помыть обувку. Картина в стиле соц-арт: горком, скажем, партии, а перед ним — очередь из солидных мужчин, смывающих глину с галош. Из-за этого повсюду надо было являться загодя, даже в кино. Одним словом, жирная липкая глина казахстанской степи долгие месяцы удобряла нашу жизнь.

Но мы-то обитали в Жилгородке — а это, дитя мое, для всех прочих смердов был Лондон, Париж, Константинополь и бог знает что еще. Этот район строили для начальников пленные немцы. Дома были двухэтажные, из камня, с верандами, витражными окнами, колонками, балясинками и прочими архитектурными улыбками в стиле барокко. Дома-то все белые, обсаженные карагачиными аллеями... словом, Багдад.

Стоял наш Жилгородок у самой реки Урал, там же и парк был огромный, теми же немцами засаженный, впоследствии роскошный — в смысле танцев, аттракционов и летних турниров по шашкам под выросшими деревьями.

Но главным развлечением раннего детства были комары, вернее, ожесточенная их травля. Комаров травила специальная машина — как молоковозка, только вместо молока из ее цистерны извергались клубы ядовитого желтого дыма; и мы бежали за машиной, что ползла на малой скорости, — соревновались, кто дольше продержится в облаке чудовищной вони. Мы с Генкой Солодовым, ныне монахом Валаамского монастыря (того что за суровый устав называют еще Северным Афоном), держались дольше других.

Но я, собственно, о Европе и Азии.

Видишь ли, мост через реку Урал сначала был простой, понтонный — два грузовика с трудом разъезжались, — потом новый построили. А на перилах точнехонько посередке деревянный ромб прибит, разделенный вертикальной красной чертой. На одной половинке написано: “Европа” — и стрелка в нужную сторону. На другой половинке — “Азия”, тоже со стрелочкой, для нерадивых школьников, вроде меня. Не ходите, дети, в Азию гулять. И вот дважды в неделю я по этому мосту перемещался на автобусе из Азии в Европу, а затем назад в Азию.

В Европе находилась музыкальная школа, где вечно пьяненький Николай Кузьмич обучал меня игре на фаготе.

Дыхания у него уже не хватало, курево проклятое выкоптило легкие, и когда из окантованного слоновой костью раструба вылетал очередной кикс, Николай Кузьмич, смущенно улыбаясь, вздыхал и говорил: “Эх! Раньше ссали — галька разлеталась! А теперь даже снег не тает...”

Подозреваю, некогда он жил другой, более достойной образованного человека жизнью — во всяком случае, первые сведения из истории деревянных духовых, если не считать сумбурных дедовских лекций, я получил из его подрагивающих рук.

Мы с ним вообще долго засиживались после уроков. В расписании он ставил меня последним, в семь тридцать, и занятия проводил в учительской — в школе вечно не хватало свободных классов. Ну а после занятий чайку похлебать сам бог велел.

— Представь, пацан, нашего волосатого предка, — говорил Николай Кузьмич, подворачивая обтерханные рукава сорочки привычным хозяйственным жестом старого холостяка. — Пещерный житель, а к высокому тянулся! Выдолбил из дерева трубку, свистнул, удивился, просверлил отверстия... Вставил пищик в деревянный конус, и — вот вам нате! — появился предок гобоя...

Он осторожно вытаскивал кипятильник из бурлящего пузырьками вулкана, опускал в воронку смолистого чая два-три куска колотого желтого сахара и подвигал мне стакан в железном подстаканнике с вензелем “Курская железная дорога”, сопровождая его пригласительным жестом.

— ...Фагот же — от итальянского слова “эль-фаготто”, что означает, извини уж, “вязанка дров”, — он, конечно, чуть моложе, но все-таки один из самых старых деревянных духовых, примерно такой же, как гобой. Самый нижний голос в группе деревянных духовых, не считая видового контрфагота, но то вообще дрова...

Легкими, привычно любящими руками он поднимал из всегда открытого футляра свой инструмент —

словно ребенка из люльки, — откинув, как одеяльце, широкий отрез вытертой замши. Никогда не забывал напомнить: “Копия Якоба Деннера!” И я видел, как вишневый фагот — еще не играя! — просыпался от прикосновения его рук.

— В каждой группе оркестра есть основа. Прямо как в жизни: на чем-то нужно стоять. У медяшек — бас-тромбон с квартвентилем или туба. Видал, когда идет военный оркестр, сзади несут огромное блестящее чучело? Это геликон, туба в походном варианте. В ударной группе бас — это литавры, большой барабан не в счет, у него высота неопределенная. Струнную группу держат виолончели с контрабасами. Ну а группу деревянных духовых вытягивает на себе фагот. Ты спросишь — почему не кларнет? Ведь тот переорет фагот за милую душу! А я отвечу тебе: потому что фагот — это бас, тесситура у него самая низкая...

С тех пор, сколько живу, никогда не видал более чувственного, любовного движения губ, чем то, каким Николай Кузьмич прикладывался к трости своего инструмента. И фагот разливался пространным речитативом. В этом душевно стесненном “голосе ниоткуда” было вкрадчивое очарование безадресной грусти, ускользающее забвение себя, воспоминание о прошлом.

— Изумительно звучит на фаготе штрих две стаккато-две легато. Слышишь? Стаккато отчетливое, а легато лиричное, благородное... А теперь скажу тебе что-то крамольное. Душу фагота поняли только романтики. В их музыке кларнет спрашивает или утверждает. А отвечает — кто? Отвечает всегда фагот. И в первой октаве достигает — ты послушай! — такой теноровой выразительности, что плакать хочется... — и, отнимая тросточку от губ: — Фагот, пацан, — инструмент меланхолический...

Я забрел к нему случайно на весенних каникулах. Болтался по дворам один, тосковал по деду, который умер в феврале 53-го, не дожив до вонючей кончины Великого Пахана. Тебя еще не было на свете, малышка.

Тогда, впрочем, я не думал всеми этими словами, я был тринадцатилетний заброшенный паренек и просто оплакивал деда.

Я ведь тебе рассказывал, что это был за человек? Дед родился в 1890 году, и ни один из ужасов двадцатого века его не миновал. Вообще он был лучшим часовым мастером Винницкой области и всю жизнь прожил в Жмеринке, хотя это ни о чем не говорит. У него был очень глубокий, одинокий ум — ум, как дар; пристрастное отношение к людям — яркие симпатии, яркие антипатии, очень силуэтный внутренний мир, не каша; горькая ирония по любому поводу и острое чувство абсурда. Что-то в нем было селиновское...

При всем том и какая-то фольклорность в нем жила, всякие украинские поговорки, типа “за компанию та й жыд повисылся”; когда уставал со мной спорить, бросал коротко: “або грай, або гроши вертай”, и, наконец, любимое, программное: “або полковник, або покийник”.

За свою жизнь дед собрал отменную библиотеку; пристрастно, как только любители могут, разбирал классическую музыку (струнным предпочитал духовые) и говорил безукоризненным русским языком. В Жмеринке-то! И это при том, что даже в хедере он не доучился, вынужден был уйти, не сошелся характером с меламедом. Тот его бил — за вопросы.

И потом уже дед не обременил себя ни единой премудростью, вызубренной по готовым трактатам. К тому же, он должен был кормить младших сестер. Словом, это был высококультурный человек с тремя классами хедера, исполненный такой внутренней свободы, какой я не встречал впоследствии ни у кого — лишь у тебя, мое дитя.

Ну так вот, дед умер внезапно перед очередной поездкой в Гурьев, уже прибыв с узлами и ящиками в Киев, где обычно пересаживался на казахстанский поезд. Он каждую весну приезжал к нам с мамой — “подкормить моих казахстанских доходяг”: привозил мед в сотах от друга-пасечника и настоящие украинские яблоки.

На этих узлах он и умер в коммунальной квартире у давней приятельницы, уже одетый, чтобы отправиться к поезду, — в кожухе и своих знаменитых сапогах, снятых с убитого итальянского солдата. Когда-нибудь расскажу тебе историю этих сапог. Это надо делать руками.

Так что я с горя на три недели отвалил из школы — в лучших дедовских традициях, — ну а потом и каникулы подвернулись. И Усатый подох, и страна сотряслась и мучительно стала выхаркивать кровь и гной своей смертной беды... Но до деда уже было не дотянуться.

Я промерз, как собака, и, наткнувшись на кирпичный барак с незапертой дверью, вошел погреться. В темном коридоре пахло сыростью, но дверь с табличкой “Учительская” была приотворена, и там в желтой прорехе электричества жужжал закипающий чайник, тянуло дымком сигареты и божественным запахом, спутать который ни с чем, никогда и нигде, куда бы ни занесло меня до конца жизни, я не смогу.

Эх, дитя мое, — любите ли вы “помаза́й”? Нет, я хотел сказать — любите ли вы “помазай”, как люблю его я?

А ведь ты можешь и не знать, что это такое. Объясняю. Вот приходишь ты в гости к Генке Солодову. Чем тебя угощают? Правильно, жареной картошкой. Иногда заправляют лучком, колбаской, сальцем. И вы это молча и дружно съедаете за минуту — прямо со сковороды, само собой. А на дне там прилипли зажарочки хрустящие, лучок, последняя шкварка мяса... И вот ты уже все-все отковырял, и осталась лишь мутно-золотистая лужица масла. Тогда ты горбушечку-то рвешь на кусочки, крошишь, крошишь, вилкой или пальцем придавливаешь, чтобы пропиталась аж до изнанки, до спинки корочки... И вот это, дитя мое, и будет “помазай”.

Я постучал и вошел. Точно: за столом сидел небритый мужик и доедал со сковороды жареную картошку. В электроплитке на столике дотлевала пепельная стружка спирали. Он на мгновение поднял голову, кивнул мне и сказал:

— Пацан, присоединяйся!

Так началась музыкальная моя карьера — с совместного “помазая”. Николай Кузьмич меня и водочкой пытался угостить, но в те времена мне это было еще невкусно.

Потом головой вбок мотнул — на соседнем столе поблескивала хитрым кренделем завитая труба, — и спросил:

— Музыку любишь?

Сам он уже был порядком поддатый. Вот уж воистину: “Любишь ли ты музыку?” — “Нет, барин, я непьющий”...

Я ответил:

— Ну, люблю.

Он спросил:

— Пацан, ты еврей?

— Ну, еврей, — ответил я. Вообще-то еврей я частичный, но обозначиться никогда не уклонялся — из-за деда.

Тогда, сказал он, учись на фаготе.

— Почему? — спросил я.

И Николай Кузьмич доходчиво объяснил, что в де-

ле скрипки и ф
А вот фагот от н
музыкальной ш
легких этого нар
ходимая для изл
Потому что нас
щая тоска. Особ
рый поет лишь
Сейчас продемо
Словом, пол
остальные инст
де фортепиано,
единственный и
ми клапанами
монтировать.
И то ли “п
влилась в нужн
фагот и прилож
миг, когда в учи
лительный, зам
нен раз и навсе
ный духовой.
Тут же, не с
над вытертой н
ство инструмен
— Запомин
цую ни за что:
ны: три на кры
прикрепляется
правая рука у
металлическая
вставляют разд
лепестка выта
шлифуют внут
ют пополам...

ют в пробку.
придется дер
родную кон
как желтизн
ет с вишнев
тичен, как г
сокогорного
вишневой к
тур и влажно
кируют мор
дерева. Вот
“хрипун, уда
рячился. Фа
допустим, го
ментами сво
летний супр
ма”. Вступле
Какое сочет
слушай...
Вязко, вкра
бил неожида
вдруг густым
В учител
серебрянкой
заоконного
Скорбно
родным голо
всюду, а наш
школы.
Я взмок
не решался,
тянуты по са
вым галстук

Но я опять тебе надоем, бог с ним, моим несчастным гурьевским детством. Все это так далеко.

А близко, совсем близко и вокруг — так что из моего окна видна серая, как мокрый асфальт, доска Рейна, посреди которого лисьим хвостом вытянулся длинный островок, заросший буйной зеленью, — некий винодельческий городок, куда я угодил вполне случайно и куда мне теперь хочется затащить тебя.

Я ведь уже писал, что в октябре у меня выступление во Франкфурте — с Виндсбахским хором мальчиков? Карл Беренгер, руководитель хора, оказался молодчагой: устроил все лучшим образом. Я всегда бываю так пылко благодарен любому, пусть даже положенному мне комфорту и удобству — “гурьевское плебейство”, называла это мама. А тут, ко всему прочему, Карл предоставил мне два свободных дня! Два райских свободных дня, которые я с собачьей преданностью лелеял в мечтах о тебе. Но — молчу. Понимаю — контракт есть контракт, и чикагский “Аудиториум-Театр” — не та контора, которой можно пренебречь... Я привык, что тебя вечно крадут у меня твои проклятые зеркала. Короче, сиротой остался. И почему-то захотелось выехать на волю, куда глаза глядят.

Маргарита, администратор хора, посоветовала съездить в Рюдесхайм, на родину рейнского виноделия — это недалеко от Франкфурта. Я взял машину и поехал.

Ты знаешь, что такое Германия в октябре, в солнечный день: высоченные своды синевы над головой, пастозные лепные облака, словно кто на синюю палитру щедро выдавил белил из огромного тюба; исполненная кротости плавная красота Рейна в крутых виноградных берегах, башни и башенки замков на желтовато-багряных склонах, блики солнца на черном сланце высоких крыш, на петушках церковных шпилей.

Я даже забылся от такой красоты. И все ехал и ехал мимо виноградников, ослепительно желтых полей цветущего рапса, вдоль опрокинутого к горизонту поля, посреди которого огромным пулеметом крутилась дождевальная установка, постреливая дымной водяной струей. Проехал нужный поворот, развернулся и с не меньшим удовольствием еще минут двадцать ехал обратно, с тем же полем, виноградниками и дождевальной установкой уже по левую руку.

Короче, приехал, оставил машину на городской стоянке, наобум бродил по улочкам, заглядывая в уютные пансионы и небольшие гостиницы. Честно старался выбрать что подешевле, но, как обычно, нравилось мне там, где подороже. Увы, мама была права: “гурьевское плебейство” всегда говорит во мне громче разумных соображений.

Мама была права и поэтому лежит на гурьевском кладбище, страшнее которого трудно что-либо представить. Это огромный участок: серая и сухая, иссеченная глубокими трещинами глина, без единого деревца, кустика, даже без травы. Одним словом, такыр.

Все оградки, кресты и металлические пирамидки красили у нас серебрянкой, в которую тут же въедалась пыль. Помню разграбленную и обшарпанную часовенку с вырванной половиной двойной двери, темные прямоугольники на стенах — от висевших прежде икон. И сколько глаз хватает — островки могил, кривые дорожки, железные пирамидки со звездами. Сколько их, дитя мое, сколько их — про́клятых мест на земле...

Но — довольно стонов. О веселом.

Я бродил по веселому, гористому фахверковому городку в поисках дешевого пансиона, а мой блудливый глаз все косил на башню старинного Рюдесхаймского замка, непристойно дорогого.

Разумеется, именно там в конце концов я снял комнату, где мне и хотелось бы тебя обнять. Сейчас опишу подробно.

Отель (наш с тобой) переделан из замка и принадлежит семейству Бройер, которому, кроме того, еще принадлежат окрестные виноградники, винодельни и несчитанные винные лавочки. Они буквально купаются в вине, эта семейка, разливая его щедро повсюду и всем, как бывает только с продуктом изобильного домашнего производства. Я ожидал в роскошном холле, пока уберут комнату, что должны были мне показать, и девушка в национальном костюме — домотканая серая юбка, туго обтянутая кружевным лифом грудь, рукава фонариками — принесла бокал терпкого рислинга, который немедленно ударил мне в голову.

Я сразу представил, как ты, чуть гарцуя, сидишь у меня на левом колене — подсказка забулдыги Рембрандта с его некрасивой любимой Саскией; моя левая ладонь постанывает от тоски по твоему бедру — и мы по очереди отпиваем из бокала. Утехи покинутого старца. Если мы не увидимся в ближайшее время, я совсем зачахну.

За стойкой, великолепно оборудованной всей мыслимой электроникой, сидела загорелая немка, сверкающая крупными белыми зубами и такими же крупными жемчужными бусами — о, как они перекликались! На мой вопрос — когда платить за комнату, она махнула рукой и сказала: “Когда будет настроение!”

В анкетном листе отсутствовала графа для номера паспорта. Я указал на это. Немка весело спросила: “Зачем мне ваш паспорт?”

И всё: бесшумный лифт, свет, что возникает сам собой и сопровождает тебя по коридорам, комната, удобная, как перчатка на руку, большая ванная со всевозможными обольстительными приспособлениями, с черно-белым, шахматным, как на картинах малых голландцев, полом и таким же занавесом на глубоком арочном окне; зеркала — от высокого, напротив двери, до круглого увеличительного в ванной, явившего мохнатую медузу изумленного глаза — всё это было словно из моей мечты о “маленьком городке, остановке в пути”.

Я немедленно разделся, набрал ванну и минут сорок всплывал и колыхался в пушистой пене, хватаясь руками за поручни по бокам. Выполз — разморенный, истекающий стонами о тебе, вытерся докрасна и рухнул в широченную белейшую постель, предназначенную для нас, для нас двоих. И проспал часа три, не слыша музыки из ресторана внизу, перебора колоколов, туристов, горланящих песни...

Словом, я провел два одиноких волшебных дня, исполненных только мыслями о тебе.

Несколько раз вспоминал твою губную гармошку — ту, с двумя пошлыми красотками в мутных эмалевых медальонах по краям. Однажды ночью проснулся от совершенно явственного сна: тараща глаза, ты фальшиво и старательно выдуваешь корявую “Лили Марлен”. Приснилось, возможно, потому, что здесь бродит шарманщик с белой болонкой, энергично прокручивая через свою хрипатую шарманку фарш в виде донельзя обезображенной, но все же бессмертной “Лили Марлен”.

Между прочим, дед напевал ее довольно часто во время работы. Помню этот его картонный стаканчик в глазу, легкое позвякивание часовых инструментов и помыкивание, интонационно очень точное. Немецкого дед не знал, но, само собой, знал идиш. Боюсь, что исполнял он ее на свой лад. Боюсь, что фрицам не понравилась бы эта песня в его исполнении.

И полдня я таскался за шарманщиком, подпевая по-своему, уже по-русски, то, что помнил, — в переводе Бродского, о котором, к сожалению, ничего не знал дед: “Воз-ле ка-зар-мы, в свете фо-на-ря, кружатся по-па-рно ли-и-истья сен-тя-бря... — (Боже, как трогательна эта его лохматая болонка — подвявшая астра на мостовой, сердце рвется от жалости!) — Ах, как дав-но у э-тих стен, я сам сто-ял, сто-ял и ждал те-бя, Ли-ли Мар-лен!..”

Но я должен описать тебе наше пристанище.

В коридоре, перед дверью в комнату, на стене прибиты вырезанные из дерева головы. Их макушки являют собой полочки, на которые хочется поставить бутылку.

Каждая голова что-нибудь символизирует — скорее всего, тип человеческого темперамента или особенность мировоззрения. К четырем даже дана подсказка — выбиты буквы на ребре полочки надо лбом: “Optimist” — круглые щечки, губы, растянутые в немом восторге, и прищуренные глазки идиота; “Pessimist” — печально поднятые брови, морщины вокруг опущенного рта, деревянный вислый нос. За ним следуют “Stoicer” — абсолютно непробиваемая тупая рожа, и “Choleriker” — этого резали с какого-то несчастного геморройника в период обострения: глаза на лбу, рот скошен к подбородку... жалко на парня смотреть. Есть еще явно женское круглое, в улыбке, лицо — вероятно, сангвиник, — и оскаленная, с торчащим зубом, старческая маска. Ипохондрик? Мизантроп? Или затесалась сюда какая-нибудь средневековая ведьма, уже осужденная на костер? А в углу над моей дверью чья-то бабья физиономия с блудливой полуулыбкой. Этой я подмигиваю, когда поворачиваю ключ в замке.

У колоколов и колокольчиков на четырехугольной, увитой плющом башне рюдесхаймского замка, звук не металлический, а скорее, стеклянный, челестовый, особенно, когда мелодия какой-то народной песни, оплетающей в полдень центр городка, поднимается на припеве и там замирает.

На башне флюгер — винная бочка, выкрашенная золотой краской. На бочке — оперенная стрела. На стреле сидит сойка.

В ресторане отеля музыка играет даже днем. В полдень прислуга раскрывает высокие стеклянные двери во внутренний, переплетенный виноградом двор, сноровисто расставляет столы и стулья, стелет скатерти, всплескивая ими, как крыльями. И рояль рассыпается беспечными мазурками и вальсами. А вечером к нему присоединяются флейта и скрипка.

Весь отель немудрёно завешан фотографиями — виноградники семейства Бройер во все времена года и во всех ракурсах. Ясно, что ничего красивее для хозяев не существует. Виноградники, виноградники в разных своих ипостасях; высокие рейнские берега, словно прочесанные гигантским гребнем, — нежно зеленеющие в мае, пламенеющие в сентябре. Черная графика голых виноградных лоз, иероглифы зимних ветвей на фоне заснеженного склона.

Гуляя, забрел в некий замок пятнадцатого века — он оказался музеем музыкальных механических инструментов, частная коллекция, которую лет пятьдесят собирал один энтузиаст-любитель (и, судя по всему, не бедный любитель).

Собственно, я заглянул от нечего делать во двор, увидел там группу русских туристов с переводчицей. Обрадовался оказии и воровато к ним прибился.

А замок прекрасен: подлинные, не вылощенные росписи на стенах, щербатые плитки пола, низкий сводчатый потолок подвала. Оттуда и началась экскурсия.

Она была продумала с немецким тщанием, до мелочей. Вел молодой экскурсовод с простодушным лицом романтика, ясными голубыми глазами, хорошей улыбкой и слабыми рыжеватыми усиками и бородкой, которые, вполне вероятно, отпустил по должности, соответственно стилю всей коллекции. Соответственно стилю и одет был: в залатанный на локтях сюртук, застиранную рубашку, брюки, засаленные на коленях. На голове нахлобучена потертая шляпа шарманщика.

Он переходил от одной пианолы к другой, от шарманки восемнадцатого века к напольным играющим часам, от музыкальных шкатулок разных форм и размеров к расписному играющему — стоит только опустить на него задницу — стулу, от механического пианино к гигантской виолине, хитроумнейшего устройства, и так радостно, так изумленно первым заглядывал внутрь экспонатов, словно не водил здесь экскурсии, а только что сам наткнулся на это богатство — торжество человеческой смекалки, абсолютного слуха и механического гения.

Случилось у меня там нежнейшее свидание: я увидел точно такую музыкальную шкатулку, какая стояла на круглом столике, застланном вязаной салфеткой, в комнате тети Фриды в Жмеринке.

Глуховато полированная, красного дерева коробка с ключиком и рычажком на нижней панели. На изнанке откинутой крышки приклеен листок: “Фортуна. Юлiй Генрихъ Циммерманъ. Лучшiя музыкальныя шкатулки”. И внизу шрифтом помельче: “Звучный и прiятный тонъ. Изящная отдълка. Прочная конструкцiя”.

И совсем уже мелко понизу листка: “С-Петербургъ, Морская, 34”.

Паренек напоследок завел все шкатулки; и, дребезжа, приседая старческими голосами, они окликали друг друга в старинной зале — пока не иссякли силы, то бишь завод. Какие все же прочные конструкции. А мы, моя радость?

Здесь и канатная дорога есть на вершину горы; я, любитель всех на свете аттракционов, купил билет, сел в железную люльку и поплыл вверх, оставляя внизу багряные ряды раскоряченных виноградных лоз.

О, плоды виноградной лозы!

Пьяные немцы, по моим наблюдениям, весьма просты, добродушны и любят подшутить по-дружески: подставить приятелю ножку, сбить с него черно-оранжевую кепку цвета любимой команды, или еще что-нибудь в этом остроумном роде.

Вечером Рюдесхайм оглашается хоровым пением маршей, гимнов и прочей народной — в смысле, всеобщей — музыки. Исполняется все это широкими громкими народными голосами вперемешку со взрывами невообразимого гогота, внезапного и пугающего. Словом, “Marschieren und Prabieren”...

Недели через три завершаю гастроли, и прилечу к тебе, куда позовешь. Только черкни — на любом наречии и лучше цифрами, чтобы я не спятил, — где тебя искать. Господи, я не видел тебя три месяца! И, детка, не завести ли наконец мобильный телефон?

А если... если... а, вот опять он шатается где-то поблизости и крутит свой перпетуум-мобиле, ручку старой шарманки, а болонка выкатывается у него из-под ног прямо в ноги туристам: “Ес-ли в о-ко-пах от стра-ха не умру... — это в невыносимо похоронном темпе вытягивается сладкой лапшой из музыкального ящика, — ес-ли мне снай-пер не сде-е-лает ды-ру... Ес-ли я сам не сдам-ся в плен, то бу-дем вновь кру-тить лю-бовь с то-бой, Ли-ли Мар-лен!”

С тобой, Лили Марлен!

Соскучился по твоей гармошке. Играешь ли ты на ней без меня, мое счастье?»

8

Торговка семечками жила на углу Красноармейской и Жилянской, в квартале от Центрального стадиона, и в обычные дни торговала прямо из окна полуподвала. Свернутые из газеты и вдетые один в другой кульки лежали на земле.

У старухи во рту не было ни одного зуба, но она всегда жевала семечки, и шелуха пузырилась и шевелилась вокруг проваленного рта. Похожа была на мужика, что намылил подбородок и уже занес бритву — пену снять, но его отвлекли, и он так и ходит с намыленными брылами.

Семечки — отлично прожаренные, длинные черные клинышки — в народе назывались «конский зуб»; щелкать их можно было даже руками, в отличие от российских маленьких пузатых-масляных. Цена всенародная: десять копеек стакан.

Но в дни ответственных футбольных матчей старуха сидела на улице. К ней выстраивалась очередь, и тут уж не до кульков было: мужики торопились и подставляли карман.

Нюта с папой тоже покупали стакан «конского зуба», потому что если ты идешь на футбол, надо быть как все: грызть семечки, орать, свистеть в два пальца и выкрикивать фамилии и имена игроков. И о судье не забывать: его, конечно же, на мыло.

А иначе жизнь не в жизнь и радость не в радость.

У входа на стадион толпа растет, пухнет, напирает, захлестывает всю площадь, бьется волнами о кассы — каменные бочки с бойницами окошек.

Папа мгновенно забрасывает Нюту за турникет.

Но в дни чемпионатов, полуфинальных или финальных матчей он проносит девочку на плечах. Это называется «копки-баранки». Если народу тьма, и все возбуждены, и в воздухе прокатываются волны особого потно-опасного азарта, она сама просит: «Возьми на копки-баранки!».

Отец поднимает ее высоко, усаживает на плечи, и с высоты его огромного роста Нюте видны зеленое поле с воротами и трибуны под гигантскими прожекторами.

Между рядами с лотком наперевес ходят тетки: «А ось кому биляши-пирожкы? — и, приоткидывая вафельное, с жирными пятнами полотенце: — Выбырай, золотко, який на тэбэ дывыться...»

Словом, на стадионе ужас как весело. Рев стотысячных трибун накатывает и спадает, колышется, в зависимости от того, как игра покатится... И Нюта честно «болеет», хотя всегда знает, с каким счетом закончится матч, и кому сейчас гол забьют, и кому судья назначит штрафной. Раньше она думала, что все это знают. Оказывается — нет, хотя ведь это просто: внутри лба, перед закрытыми глазами выкатывается вперед зеркальный тоннель, похожий на бумажный язык, который папа мгновенно сворачивает из тетрадного листа и с силой выдувает прямо Нюте в лицо. В конце зеркального тоннеля, как в калейдоскопе, возникает световой круг, где пульсируют цифры, или слова, или фигуры... а иногда просто *молчащие картины*...

Но едва дочь делает хитрые глаза и тянет:

— Матч зако-о-о-нчится со сче-етом... со сче-е-етом... сказа-а-ать?! — папа расстраивается. У него становится такое «уксусное» лицо, будто живот прихватило, будто он хочет, чтобы она замолчала на всю жизнь.

— Нет, не сказать! — отрезает он и отворачивается.

Ла-адно... Помолчим...

То ли дело Фира Авелевна — вот кто совершенно спокойно, даже бесстрастно принимает все предсказания Нюты. Может, потому, что она — слепая старушка? И тоже болельщица.

«Фиравельна» — бабушка и глава большого колобродного семейства Гиршовичей в соседнем дворе, куда Нюта бегает дружить уже с полгода. Семья: дядя Жора, начальник цеха на заводе «Транссигнал» — петушок с задиристым тенорком, в затасканных трениках; его жена тетя Роза, младшая дочь Фиравельны, служит хирургической сестрой в госпитале; их племянница Соня, дочь-расстрелянной-сестры-Буси-благословенна-ее-память-чтоб-сгореть-всем-убийцам; старший сын их Боря, студент музучилища (инструмент — виолончель), и шестилетняя Ариша-косенькая — к ней, собственно, и бегает дружить Нюта.

Между прочим, Ариша тоже учится музыке, причем, на фортепиано, в школе у Машуты. И у нее, Машута говорит, аб-со-лют-ный слух!

Наконец, надо всеми, как племенной божок, — слепая Фиравельна, чтоб-она-была-нам-здорова-до-ста-двадцати...

Все живут в одной — правда, огромной — комнате разветвленной коммуналки. Борина виолончель небрежно привалена к стене в темном закутке общего коридора. Иногда она расчехлена и интимно, зазывно поблескивает румяным лакированным бедром.

Так на парижской улице Сен-Дени, расчехленные и заспанные, поблескивают лакированным бедром утренние проститутки, небрежно приваленные к стене.

Кроме Гиршовичей, в квартире живут еще разные интересные личности. Семья майора-алкоголика Пети. Его грозная жена Любовь Казимировна, судя по всему, лысовата: всегда у нее на голове берет, взбитый, как думка-подушка в уголке кровати. (Однажды Нюта столкнулась с ней в коридоре. Любовь Казимировна в байковом халате, из-под которого свисала ночная сорочка, стремительно летела в туалет: на голове сидел берет, умятый за ухом, как подушка.) По утрам Любовь Казимировна отправляет за молоком восьмилетнюю дочь Надю, и каждое утро из их комнаты разносится зычный трагедийный рев: «Опять?! Опять полбидона отпила?! Жлёкаешь, жлёкаешь молоко, что воду!»

В квадратной комнатке рядом с ванной живет чудной старик Фающенко, художник. Он даже летом ходит обмотанный шарфом, в войлочных женских полуботинках на молнии и в дамской каракулевой шляпке, словно приросшей к голове: его мелко-курчавые волосы в точности повторяют и словно продолжают завитки седого каракуля.

Как-то появился на кухне в старом кафтане с оторванным правым рукавом.

Дядя Жора спросил его: «Что за непонятный полупердин, товарищ Фающенко?»

И тот ответил: «Шо ж тут непонятного, Жорик. В эту руку мне холодно, а в эту, рабочую, жарко...»

Этой рабочей рукой художник Фающенко пишет роскошные картины, в основном голые. Иногда выйдет из комнаты — кисти в ванной помыть, а в приоткрытой щели вдруг как полыхнет парафиново-белым чья-то спина! И все время он рыщет по городу в поисках очередной музы.

Однажды привел паспортистку из ЖЭКа. Черняренькая хохлушка, кровь с молоком, пила на кухне чай и застенчиво шептала мастеру: «Та шо вы, я ж нэ вмищуся у раму!»

А Фающенко гоготал и кричал: «Я умещу, я утисну! Сало не мнется!»

И втиснул. Создал серию обнаженных в стиле Рубенса и выставил их на продажу на Бессарабке. Весь ЖЭК неделю ходил смотреть эту выставку. Возле картин толпились поклонники настоящей живописи. Правда, паспортистку немедленно уволили за «аморальное поведение».

И наконец, в узкой длинной комнате за кухней живет загадочная Панна Иванна, бесподобно уродливая старуха с синевато отбеленной, туго натянутой кожей лица, являющей ужасный контраст кирпично-морщинистой шее. Панна Иванна строга, следит за чистотой на кухне и покрикивает, если кто окурок оставит. Уберите, кричит, мертвечиков!

Еще она сочиняет строгие приказы в стихотворной форме. Пишет их на половине школьного листа и прикнопливает по углам квартиры. Над газовой плитой висит одно из давних ее грозных произведений, заляпанное масляными брызгами со сковород: «Кто захватит мои спички, тот получит по яичке!»

А дверь в это веселое сообщество открыта всегда. То есть она, в сущности, закрыта, но замок открывается обыкновенной копеечной монетой. Да чем угодно можно открыть эту дверь. Племянница Гиршовичей Соня, дочь-расстрелянной-сестры-Буси-благословенна-ее-память-чтоб-сгореть-всем-убийцам, открывает замок пилочкой для ногтей. А Нюта с Аришей однажды умудрились проделать это палочкой от «эскимо».

Панна Иванна говорила, что давным-давно в квартире помещались «номера». Что это значит, ни Ариша, ни Нюта не понимают, но над дверью каждой комнаты действительно прибиты старые заржавленные бляшки с выпуклыми цифрами.

Многолюдные Гиршовичи живут в той, над которой висит забеленная известью мутная табличка «Танцывальна зала». От прежних обитателей у них осталась козетка с крутой волной изысканного облупившегося подлокотника.

В огромной сорокаметровой кухне тоже, видимо, прежде то ли танцевали, то ли принимали гостей — в ней сохранился огромный резной буфет, весь увитый дубовыми листьями. На его полуразбитые стеклянные дверки Панна Иванна вешает стихотворные предупреждения: «Вам грозит больнична койка! Тут бордель, но не помойка!»

Но побаивались все не ее, а слепую Фиравельну. Побаивались и уважали.

Когда майор-алкоголик Петя, вусмерть пьяный, не находил в себе сил доползти до туалета в конце коридора, но достигал кухни, он вынимал, как Фиравельна говорила, *свою енэ майсэ* и, покачиваясь, словно дитя баюкал, упоенно поливал пол с закрытыми глазами. Поскольку все были зрячие, смотреть на такого Петю никто не желал, и только Фиравельна выходила на журчащий звук и внимательно слушала, когда завершится процесс. За глаза она называла Петю шматой (тряпкой) из-за его безвольного характера. Подкаблучником считала.

— Ты выссался, Петя? — спрашивала она сурово.

Петя приоткрывал глаза, видел лужу... К нему постепенно возвращались сознание и стыд.

— Выссался, Фиравельна, — сокрушенно говорил он.

— Тогда возьми большую шмату.

И боевой майор, проклиная водку, ползал с тряпкой по кухне.

Родилась она в местечке Емильчино, рядом с чешской колонией. Была старшей дочерью в семье и помогала отцу в его портняжном ремесле — тот посылал ее в колонию договариваться о заказах, делать расчеты, обмерять талии и груди. Там научилась она курить, постигла европейский стиль, переняла у чешек умение готовить и сверхъестественную опрятность, там же нахваталась чешских словечек и песенок. Когда бывало настроение, могла и напеть девочкам что-нибудь такое:

«Голки выбигалы, вулей купувалы,
панты намазалы, абы не верзалы
двирки у кумуру...»

Однажды эту песню Анна напела чеху-скрипачу, приятелю и коллеге Сени по Бостонскому симфоническому оркестру. Тот понял почти все и пришел в восторг. Песня переводилась, как утверждала Фиравельна, приблизительно так:

*«Девки выбегали, масло покупали,
смазывали петли, чтобы не скрипели
двери той светелки...»*

Религиозная в меру, Фиравельна в субботу ничего не делала, но если футбол случался, могла и нарушить святость дня. Если играли на Кубок или нашим светило золото, два дня постилась, как на Судный день. Правда, курить — курила. На Женский праздник всем бабушкам дарили фильдеперсовые чулки, а Фиравельне дети покупали подарочную коробку папирос «Три богатыря».

Она помнила фамилии всех футболистов киевского «Динамо», а также основных из московских ЦСКА, «Спартака», «Динамо», «Торпедо».

И когда после матчей толпа валила вниз по Жилянской, говорила Арише или Нюте:

— Выглянь в окно, спроси, какой счет.

И те выглядывали и спрашивали. И им отвечали.

Тут Нюте позволялось говорить все. И она говорила, и когда предсказанный ею счет совпадал с выкрикнутым, пересыпанным матерком и сдобренным выхарком на тротуар, Фиравельна удовлетворенно произносила:

— О! Так и есть, молодец. У нее мозги на месте, у этой прыгалки.

Она ослепла еще до войны — глаукома, — и лицо прикрывала косынкой или гипюровым шарфиком, стеснялась слепоты.

Ее часто навещали земляки. Беседа велась на идише, вполголоса; в это время Ариша с Нютой играли под столом в куклы. Наверху шелестел, курлыкал, подплакивал незнакомый язык, Ариша кричала время от времени: «Перевод!» Если очень надоедала, Фиравельна поддавала ей под столом на ощупь ногою.

Но любопытная и настырная Ариша все равно кричала: «Перевод!» — вместо того, чтобы отвечать принцу в руках Нюты, выйдет ли за него замуж юная дочь мельника.

Однажды Нюта сказала ей:

— Отстань от них. Говорят о ерунде: дети-внуки, зять — сволочь, Люся достала польские сапоги. И в медицинский принимают только гоев.

За столом наверху наступила тишина. Пожилой женский голос удивленно спросил:

— Она что, понимает идиш? Эта девочка?

И Фиравельна невозмутимо ответила с некоторой даже гордостью:

— Она понимает все!

Как царь Соломон, старуха давала советы, судила родственников, предсказывала события, выносила вердикты. Уходя, мужчины целовали ей руку. Спустя много лет Анна поняла — почему. Лицо было косынкой прикрыто, оставалась рука: благородство и изящество.

К гостинцам, которые ей приносили, Фиравельна не прикасалась, сразу отдавала детям. После того как она ослепла, патологическая аккуратность переросла у нее в особую брезгливость. Доверяла только Мане, своей старшей дочери, которая жила по соседству и каждый день приносила матери обед. Той дочери, у которой жила, Розе, доверяла не вполне: считала, что работающая женщина все делает хап-лап, нет у нее времени сосредоточиться на еде. Борщ Фиравельне готовили без капусты. Она знала, что в капусте червяки и надо промывать каждый лист, а дети рубили капусту цельным куском. И никогда не пробовала чужие котлеты или фаршированную рыбу — все, что нужно было месить или разделывать руками. В чужие чистые руки она не верила.

Старухи-соседки завидовали и без зазрения совести говорили ей — умеют же некоторые устраиваться: дочка обеды каждый день таскает, зять выносит горшки, а сын ежемесячно посылает деньги. И как только некоторые исхитряются!

— А вы попробуйте ослепнуть, — с улыбкой советовала им Фиравельна.

К Нюте в этой семье относились хорошо, то есть не замечали ее, как не замечали своих. Крутится тут, ну и крутится...

Тем более, что большую часть дня Ариша с Нютой гоняли по двору.

Посреди огромного двора стояли гурьбой сараи, хранилища убогого барахла. Кое-кто из жильцов попроще держал в них кур, в одном жила на приколе остервенелая от одиночества и голода собака Лярва.

Но вскоре сараи снесли, и двор стал всеобщим: и для пятиэтажного дома, и для одноэтажного барака в глубине, и для трехэтажного, сплошь коммунального, где в подвалах, кладовках и бывших ванных комнатах жило несчитанное количество народу.

Жильцы первых этажей разводили в палисадниках цветы: пунцовые георгины, майоры, бархатистые анютины глазки. Уютно и тонко благоухал вечерами куст мелкой чайной розы на углу. Деревце сирени с неказистыми бледными цветками излучало в мае запах, так густо заполонявший весь двор, что хотелось глубже дышать.

И дикий виноград опаутинил дом цепко и жилисто. Однажды Боря, потеряв ключ, влез ночью по виноградным лианам в окно кухни. Хотя мог бы свободно открыть замок сурдинкой от виолончели.

А еще во дворе рос огромный каштан, весной обуянный сливочно-белым волнующим цветом: множество конусообразных свечек, слитых в плотную крону. Потом на ветвях выскакивали колкие плоды. Зелеными их хозяйки высушивали, клали в одежду, в муку — против жучков и моли.

К концу лета вся земля была усыпана треснутыми зелеными шишками, из которых конским глазом выглядывал лакированный каштан. Ариша с Нютой нанизывали их на нитку и бегали, увешанные ожерельями из каштанов.

И весь летний день в столбах солнечной пыли, среди гирлянд перевязанных жгутами проводов, среди помятых алюминиевых чайников, битых фарфоровых слоников и осколков старых пластинок, среди ящиков с дореволюционными «ятевыми» книгами, среди непарной стоптанной обувки, гнутых велосипедных спиц — во всей полноте цвела увлекательная чердачная жизнь.

Какие волшебные находки попадались там! Плакат «Какао Ванъ-Гутена»: в окошке меж распахнутых ставен сидел толстый бровастый дядька, оторопело улыбчивый, как Швейк. На нем надет сюртук, бабочка, феска с кисточкой на лысой голове. А в руке — чашка с надписью «какао Ванъ Гутена», из которой валил и валил, как дым из паровоза, кучерявый пар. «Я никогда не нервенъ, — было написано под картинкой, — и всегда в хорошемъ расположении духа, ибо с техъ поръ, какъ вмѣсто возбуждающаго кофе или чая пью къ завтраку только настоящій КАКАО ВАНЪ ГУТЕНЪ, мои мускулы крѣпнутъ, мое пищевареніе великолѣпно, и мои НЕРВЫ КРѢПКИ КАКЪ КАНАТЫ. Изъ 1 фунта 100 чашекъ».

В эти годы стали валом помирать инвалиды войны, и на чердаках все чаще попадались желто-розовые глянцевые конечности: Нюта нашла однажды правую ногу, почти целую, чуть выше колена, в зашнурованном отличном ботинке. Она явилась в нем домой: все же один — лучше, чем ничего? Отец хохотал, а Машута брезгливо вынесла его к помойке, хотя Нюта плакала и объясняла, что ботинок принадлежал геройскому протезу. В конце концов они с Аришей похоронили протез вместе с ботинком на пустыре за школой.

В другой раз Ариша в куче тряпья откопала левую руку и там же, на чердаке, показала ребятам целый спектакль, якобы играя этой рукой на фортепиано. И наконец, в груде снесенного кем-то хлама, была откопана инвалидная тележка из-под «самовара». Так называли совсем уже половинчатых людей-инвалидов, что передвигались на квадратной доске с подшипниковыми колесами. Тележка была настоящим сокровищем.

Нюта с Аришей немедленно побежали искать грандиозный крутейший спуск, чтобы не стыдно лететь, как на крыльях. Вот как зимой съезжали они с Батыевой горы на санках и в медных тазиках. Горящие на солнце желтыми, зеленоватыми и красноватыми бортами, эти медные тазики считались особым шиком.

Нюта поднималась к Ботаническому саду по гористой улице Толстого с тележкой подмышкой, а струсившая Ариша тащилась за ней хвостом, плаксиво повторяя:

— Нютка, ты чокнулась!.. Нютка, я все бабушке скажу, Нютка-а-а!

Но Нюта съехала! Легла животом на тележку, приказала Арише пнуть ее хорошенько, и — только ветер засвистел в ушах, загремели подшипники, набирая и набирая ходу; крутилась перед глазами серая лента асфальта, звенел и скрежетал вокруг трамвайно-троллейбусный пестрый город, крики и визг летели вдогонку!..

И мало-помалу тележка замедлила ход, подшипниковые колеса уже не визжали, не рычали, а быстро-быстро тарабарили... бешеный круговорот в голове стал притормаживать, поплыл и замер...

 Нюта огляделась, все еще распластанная на тележке, как лягушонок. Рядом кто-то громко проговорил:

— Так то ж нэ хлопэць! То дивка! Во, скажэнна!

Над ней стояли два парня, совсем взрослых. Один покрутил пальцем у виска, обескураженно глядя на Нюту. А второй сказал:

— Не-а, то нэ дивка! То кас-ка-дер!

А попала Нюта в эту бурлящую жизнь благодаря все той же Христине, которая получила от Маши и Анатолия уважительный карт-бланш на Нютино воспитание — после того как те потрясенно выяснили, что...

Но это событие заслуживает отдельного упоминания.

* * *

— Ма, а я могу теперь на пианине играть, — похвасталась однажды Нюта.

— На пианино, Нюточка, — рассеянно поправила Маша. Она раскладывала на столе приборы к обеду. Толя должен был вернуться из госпиталя с минуты на минуту, Нюта уже сидела за своей тарелкой. — А лучше говорить — «на фортепиано». Так правильней.

— Вот, смотри! — не слушая, отозвалась дочь и побежала пальчиками по скатерти, разбегаясь в разные стороны, трепеща оттопыренными мизинцами и сталкивая руки.

Ножа еще не хватает, отметила Маша и вдруг боковым зрением увидела две эти юркие детские руки, абсолютно синхронно вытворяющие на скатерти какие-то замысловатые па.

— У меня теперь две руки есть! — сообщила дочь, выколачивая только ей слышные звуки.

У Маши внутри что-то обвалилось и сразу взмыло.

Она придержала на весу Нютину вилку с эмалевым цветастым попугаем на ручке, которую всегда привычно клала дочери «на левшинский лад», и с пересохшим горлом, неторопливо, не поднимая глаз, поменяла местами вилку и нож. И Нюта, продолжая болтать какую-то чепуху, машинально взяла нож в правую руку, будто делала это всю жизнь.

— Интересно, — сказала Маша. — Очень интересно, доченька. Как же это случилось?

— Меня Христина учила, — с полным ртом промычала Нюта. — Она меня... завязывала, бинтовала... как мумию, и... пеле-ри-цувала. Как пальто! И я теперь все могу! Я могу мячики в шапито кидать, сто штук сразу... Ма! Машута?! — и смотрела на Машу удивленно, с оттопыренной щекой: — Почему ты плачешь?

Впоследствии она довольно точно могла назвать этот перелом, перевал на седьмом году жизни, за которым открылся мир с иной высоты, словно развившаяся правая рука приподняла завесу, до поры опущенную. Словно кто-то извне включил справа яркий прожектор, озарив далеко вокруг, и вверх, и вглубь пространство потаенной зеркальной сцены. Мир раздался в обе стороны, уравновесился, стал полным, круглым и глубоким.

Телу внутри него оказалось очень ловко двигаться.

И страшная, неутолимая тяга к зеркалам, что отражали и дополняли ее правую сторону, смягчилась, утихла.

С тех пор она могла отчетливо объяснить, что такое игра ума.

Это когда в голове вскипают пузырьки, как в стакане с лимонадом, и мозг клокочет, и что-то начинает щелкать-щелкать... Побегут разноцветные цифры, сливаясь и снова делясь, совершенно живые... Картинки хаотически выныри-

вают на поверхность, вздымаются, набирают объем, и там, внутри лба, отражаются в целой галерее зеркал, выстраиваясь менуэтными парами, проплывая вязью, арабесками, стройными волшебными узорами; одна сменяет другую, тает, выплескивая напоследок отблеск дивной калейдоскопической зари, чтобы угаснуть и вновь расцвести, как гобелен, на бархатном вишневом, лиловом, сине-ночном пульсирующем фоне...

Это когда она сидит и не понимает — как это прошло столько времени...

* * *

Так вот, в семью Фиравельны Нюту приволокла Христина. У Христины в той квартире был свой интерес, «пасьянистый».

Таинственная Панна Иванна, бывшая цирковая гимнастка, раскладывала пасьянсы и гадала на картах. В ее комнате, узкой и глубокой, у окна даже специальный столик стоял карточный, с зеленым сукном, купленный когда-то в антикварном магазине на углу Саксаганского и Красноармейской. Помимо столика, железной кровати и полированного платяного шкафа, торжественно именуемого «шифанэр», существовал еще приваленный к стене тощий матрасик, на котором спали обычно многочисленные проезжие гости.

— Обожи там, у кухни, — велела Христина, — полчасика, покы мэни судьбу скажуть.

Судьбу Христине могла бы сказать и Нюта, если б та хоть разок поинтересовалась. Но видимо, карты, настоящая засаленная и захватанная колода Таро, являлись для Христины необходимым обоснованием приговора судьбы.

А Нюта забрела на огромную кухню, где увидела за столом худую старуху с лицом, наполовину прикрытым гипюровым шарфом. Рядом на табурете сидела и ковыряла вилкой в тарелке девочка — кудрявая, хорошенькая. Жаль только, левый глаз ее все время убегал к переносице, словно не терпелось ему все-все вокруг рассмотреть-обежать.

— Шаги чужие... легкие... — вдруг проговорила старуха, выпрямляясь на стуле. — А, Ришэлэ?.. Чужие?

— Нет, бабушка, — сказала кудрявая, смеясь и кося. — Свои.

И Нюту вдруг так потянуло, всем сердцем потянуло к этим двоим!

Она подошла и уставилась на картофельные оладушки, которые нехотя расковыривала кудрявая.

— Бабушка, — спросила та. — Можно я девочке дам попробовать свои «латкес»? Она совсем голодная.

— А она хорошая? — уточнила старуха. — Если дурная, не давай.

И Нюта с кудрявой переглянулись и обе одновременно прыснули.

Так что, когда спустя час раскрасневшаяся Христина покинула комнатку Панны Иванны, Нюта с Аришей были уже закадычными подругами и даже уговорились идти завтра с Зойкой за вафлями на молокозавод.

Христина же на обратном пути домой под страшным секретом открыла Нюте, что скоро должна выйти замуж — осенью.

— Зимой, — машинально поправила Нюта. — Будет снег кругом.

А жених, продолжала Христина возбужденно, почти вдовец и на месте почему-то не сидит, так сказала Панна Иванна.

— Потому что он на поездах все время ездит, — охотно объяснила Нюта. И Христина хохотнула, привалила на ходу ее голову к своему круглому и твердому боку, по затылку потрепала и сказала:

— От балаболка!

* * *

На охоту за вафлями — на молокозавод — без Зойки лучше не соваться. Ничего не выйдет — стыдоба замучит. Только Зойка может без ущерба для своей совести подползти к окну полуподвала и жалостливо захныкать: «Тётычки, тётычки! Исты хочимо! Трошки исты хочимо, голо-о-одни мы!»

Зойка — потрясающий тип маленького живца. Их семья обитает в самом темном углу одноэтажного дома, в бывшей кладовке. Это конура метров в восемь — ободранные стены, земляной убитый пол. И живут они там вшестером — четыре дочки и родители. Зойка младшая.

Большей бедности никто не видел нигде и никогда. Зойкин отец, машинист товарняка, дома бывал редко. Приедет, запьет на неделю, отдубасит всех, кто под руку подвернется, и — на паровоз. А мать уже года три как лежала парализованная.

Зойка — тощая, вихлявая, вечно голодная — может, глисты ее мучили? Есть она хотела ежеминутно и много. Соседи подкармливали, как могли. А если не давали, Зойка сама брала. Носом поведет: «О, Берта пирожки печет!» Берта жила на последнем этаже трехэтажного дома в глубине двора, часто пекла пирожки и выносила противень на балкон — остудить.

Зойка лезла на крышу, оставляя Аришу и Нюту на шухере, и длинным прутом цепляла пирожки. Больше четырех не брала, три себе, один пополам разламывали девочки. А если, бывало, кто-то из детей выходил во двор с бутербродом, яблоком или, чем черт ни шутит, шоколадкой — берегись! «Ленин сказал — делиться!» — и вырывала из рук.

Туалетом не пользовалась никогда, присаживалась, если нужда накатит, под любым деревом, под любым окном.

Христина Зойку ненавидела: за грязь, за вранье, за вечно протянутую руку. Называла ее «Маугли»— по герою спектакля, на который однажды водила Нюту в ТЮЗ.

— И если хто у гамно вступиу, — говорила Христина, — анализа нэ трэба — то Зойкино!

Однажды ее старшая сестра, разыскивая Зойку — а это было уже классе в восьмом, когда шалавая Зойка, бывало, и пропадала где-то дня по два, — добралась до Нютиного дома. Расспросила, где живет доктор Нестеренко и, поднявшись на третий этаж, робко позвонила в дверь. Открыла ей Христина. На вопрос встревоженной девушки, не видал ли кто Зойки, презрительно ответила:

— Можэ, дэ срёть на прыроди...

...Улица Жадановского, которая на самом деле Жилянская была и будет, — очень бурливая, длинная, богатая на всяческую жизнь улица.

Возле самого стадиона, у дома номер 6, четырехэтажного — старого, с кокетливой башенкой-ротондой на крыше, где живут артисты и музыканты театра Музкомедии, и даже — так на каменной доске написано — жил какой-то выдающийся Олександр Рябов, автор оперетты «Свадьба в Малиновке», улица — узкая кишка, двум машинам не разъехаться; и там, под вековыми каштанами, она очаровательна, тениста, уютна. Но по мере отдаления от Стадиона и приближения к площади Победы, а на самом деле к Евбазу (так часто все вокруг названо двойными именами, вроде как у Нюты: есть отчужденное наружное имя «Анна», а есть домашнее, теплое, распевное — Ню-у-у-ута-а-а!) — так вот, по пути к огромному Евбазу, где стоит Цирк под серебристым шлемом, и универмаг «Украина», и гостиница «Лыбедь», Жилянская утрачивает свое скудное очарование, скучнеет, приобретает индустриальный вид, вблизи вокзала становится и вовсе мерзкой, как любой привокзальный район... Но все же остается чертовски интересной! Чего тут только нет, одних заводов навалом: «Ленинская кузница», «Транссигнал», «ТЭЦ-3», с градирней, похожей на египетскую пирамиду, швейная фабрика имени Горького, бывшая артель глухонемых. Есть еще кооператив железнодорожников, в огромном хоздворе которого, среди бараков и мастерских с пилорамой, запросто наберешь кучу увлекательных штук: старые болты и шурупы, битые стекла для оснащения поломанного калейдоскопа, толстенькие, ровно спиленные деревянные шайбы... да и много чего еще.

Но все это, конечно, тускнеет перед притягательным зовом молокозавода.

...Вафельный цех молокозавода, расположенный в полуподвале, окнами выходил прямо на улицу.

И если поддувал правильный ветерок, сытный, с ванильной отдушкой запах вафель дурманил головы и гнал под окна цеха.

Дети ложились на землю и всматривались в кафельную голубоватую глубину полуподвала. Часами готовы были наблюдать, как выпекаются вафли: в этом, как и в любом *превращении*, было что-то сказочное.

Работницы в белых халатах и в марлевых чалмах заливали шипящее тесто в печи и накрывали большой плоской чугунной плитой. Своим весом та выдавливала струйки теста, которые выползали и немедленно превращались в золотые стручки. Вот эти-то струйки-стручки, этот вафельный мусор женщины счищали и сгребали в большой совок из-под муки.

Важно было не пропустить этот момент. Зойка начинала подвывать дурноватым нищенским голосом:

— Тетычки, нам! Дайтэ нам! Исты хочи-и-имо!

Она становилась перед окном на коленки и подставляла подол грязного платья, в который какая-нибудь сердобольная служительница вафельного зала ссыпала пригоршни золотистой рассыпчатой манны.

Ничего вкуснее этой божественной трухи Нюта, которую с детства отец и Машута потчевали «самым вкусненьким», не запомнит, и всю жизнь на десерт к чаю и кофе — в самых дорогих ресторанах, в любой стране — будет спрашивать у официантов заговорщицким тоном: «И две-три вафли, пожалуйста. Как, у вас вафель нет?»

Но увлекательней всего было наблюдать за выпеканием стаканчиков. Когда тесто выливали в формы и накрывали крышкой, два-три стаканчика обязательно получались нестандартными. Работницы сбрасывали их в коробку. И вот тут Зойка устраивала настоящий спектакль. Она рыдала, канючила, икала, подвывала... стыдно было на это смотреть. Но так хотелось погрызть стаканчик!

Нюта с Аришей лежали тихо, благоговейно глядя на Зойкину истерику, — так северные племена, вероятно, с терпеливой опаской наблюдают издалека за камлающим шаманом.

Не выдержав надрывной сцены, одна из работниц обязательно подходила к окну и просовывала сквозь решетки «нестандарт»; тогда Зойка первой хватала подаяние цепкими лапками. Заработала!

Белки — американские и канадские белки, бесстыжие побирушки, — вот кто потом всегда напоминал ей маленькую Зойку. Однажды в университете Мидлберри, в Вермонте, куда она приехала навестить Аришу, Анна подглядела на тропинке совершенное зверушечье воплощение их былой подружки: рыже-белесая белка сидела на откинутой крышке мусорного контейнера и проворными ручками перебирала что-то, при этом воровато оглядываясь.

Тетки ругали Зойку оторвой и цапугой, кричали: «А ну, ты, прорва, дай и девонькам!»

А однажды, когда Христина с Нютой возвращались от Панны Иванны (это было уже после Христининой «почти-свадьбы» с «почти-вдовцом», Зойкиным папаней Василием Федоровичем, — тем, что и вправду на месте не сидел, а тарахтел от Ташкента до Иркутска, и это отдельная история), и шли мимо окон вафельного цеха, одна из работниц, курившая у окна, окликнула Нюту. Девочка подошла поздороваться, а тетка насыпала ей целую гору — и стаканчиков, и вафельных обломков, — так что дня два Нюта чувствовала себя добытчицей. Ревниво потчевала домашних: «Ма, ты почему вафель не пробуешь?»

В начале семидесятых коммуналки стали расселять, и Зойка с лежачей матерью и сестрами первыми получили трехкомнатную квартиру.

Сначала не могли приноровиться к такому количеству комнат, долго жили все в одной.

Кажется, в это же время Христина вдруг нанесла тот исторический единственный визит в семью своего «почти вдовца» Василия Федоровича. То ли совесть ее мучила, что вряд ли, то ли решила глянуть, не пора ли оттяпать комнату в пользу своего «почти-вдовца».

Его лежачая жена лежала по-прежнему. Христина присела к больной на койку, да и стала рассказывать, что теперь Васе значительно лучше — и с питанием, и со здоровьем. А то ведь совсем, бедняга, доходил...

— Смотру, — рассказывала потом Христина, — вона красна сделалася, як буряк! И мне: «Праститутка ты бесстыжа!» — Тут Христина вздохнула, разгладила обеими ладонями юбку на знатном животе и закончила: — Ну шо ж, я молча усэ снисла...

А Зойку голодное детство погнало в кулинарный техникум.

Через много лет, приехав навестить отца, Анна встретила Зойку в ресторане «Киев». Пышная дама, вся увешанная-унизанная золотыми цацками, узнала Анну издалека и ринулась через весь зал. Плакала, вытирала платочком перламутровые веки, приговаривала: «Нютка, та ты ж совсем как раньше, ей же боху!»

Узнав, что Анна по-прежнему «кувыркается на проволке», только головой покачала.

Минут через пятнадцать на столик поставили огромный поднос «От нашего шеф-повара».

— От кого? — удивилась Анна.

— Та от Зои же, Васильевны! — обиделась официантка.

...Дома отец с Христиной выслушали Нютин восхищенный рассказ о царевне-лягушке.

Отец заметил: «Да, стать шеф-поваром ресторана "Киев" — это тебе не Бертины пирожки воровать».

(Он уже тогда прибаливал, хотя обследоваться по-настоящему пока отказывался — возможно, догадываясь об истинных причинах утренней тошноты и вечерних болей.)

Христина же презрительно ухмыльнулась, и сказала: «А ты ж у нее хлавного не спросила. Иде ж тепер она срёть?»

* * *

Перед началом первого учебного года Нюта заболела корью, да так тяжело, что отец, сам инфекционист, дважды привозил к дочери какую-то старую даму.

Дама была светилом по детским болезням, профессором, но вела себя не как профессор, а как сердобольная бабка, называла папу «Толенькой» и, казалось, больше жалела его и полумертвую от тревоги Ма, чем саму больную. Над огромным лбом Софьи Николаевны — будто жидкий волосяной покров кто-то сильно сдвинул, как косынку, на затылок — весело пускало зайчики круглое зеркальце. Пунцовая от жара девочка пришла в восторг, облизнула потрескавшиеся губы и проговорила:

— У тебя такое снаружи, а у меня внутри.

— Где? — удивилась Софья Николаевна.

Нюта пальцем ткнула себе в середину лба.

— Вот здесь! — сказала она приветливо.

И у Маши все оборвалось под сердцем.

— Доченька, — пробормотала она, — некрасиво показывать пальцем.

Словом, когда девочка пошла на поправку, первая четверть уже набрала ходу, и Ма склонялась к тому, чтобы еще год подержать ослабленную Нюту дома. Христина тоже считала, что «тая хвилькина храмота от нас нэ сбэжить». Но отец оказался непреклонен. Женщине, как-то странно сказал он, годы надо экономить.

И Ма повела Нюту в школу. Пришли они, по договоренности с директрисой, заранее, за час до начала уроков. Явились в учительскую и очень робели обе.

— Вера Петровна, — сказала директриса худенькой, угрюмой неловкой женщине. (Видно, в детстве перенесла полиомиелит, сказала потом Машута, — ограниченное владение левой рукой.) — Вот, Вера Петровна, это Нестеренко Аня. Я говорила вам — она проболела, надо как-то подтянуть.

И Вера Петровна повела Нюту в пустой класс. А встревоженной Машуте, которая пыталась объяснить что-то об «особом подходе» к девочке («понимаете, у нее трудности с чтением и письмом... потому что...»), а главное, собиралась торчать первые дни в классе, Вера Петровна велела успокоиться и ждать в коридоре.

Усадив Нюту за первую парту, учительница выдала ей карандаш, тетрадный листок, и стала быстро писать на доске округлые прописные буквы, приговаривая:

— Ничего, что сначала не все поймешь. Ты перепиши, что видишь на доске, потом будем разбираться.

Нюта сидела, напряженно переводя взгляд с доски на карандаш, с доски на линованный лист. Сердце звонко и четко перебирало ребрышки. Карандаш — это тебе не вилка и не нож, то — предметы обиходные, заканчиваются на самих себе, тупо служат коротенькой задаче. А карандаш, это... из него проистекает стихия новых слов, и каждое — как почка, что раскрывается, становится свечкой каштана, сливается в дивную пышную крону... «Каку руку казнить, каку миловать?» Они равны, но левая... в кончиках пальцев у нее бьются сердечные токи, торопятся капельки, торопятся...

— Ну... Переписывай!

Вера Петровна села за стол против Нюты, достала из сумки пудреницу и начала прихорашиваться. Странная это была пудреница, с двойным зеркалом. И с той, и с другой стороны отражательная. Ловила Нютино лицо и руки, хотела что-то подсказать. Направить...

Нет. Не надо смотреть, сказала себе девочка, там ведь все по-другому. А мне надо сделать наоборот. Наоборот!

Решительно взяла карандаш и переписала на лист вереницу букв с доски.

— Ты что, левой пишешь? — неприятно удивилась Вера Петровна, щелкнув пудреницей. — Ты левша? — и заглянула в листок.

Нюта сразу поняла, что произошло ужасное, — по тому пунцовому облаку гнева, что залило шею учительницы и поползло вверх. И вскоре все лицо ее сделалось таким, будто кто его старательно отдубасил о парту.

— Ты — нарочно? — И отчеканила тихо и зло: — Еще раз такого понапишешь — отдам тебя в школу для дураков!

Эти слова будто ударили девочку наотмашь — она даже откинулась всем телом к спинке парты. Словно грешника подвели к яме, откуда вырываются клочья кровавого пара и доносится утробный вой погубленных душ, и заставили глянуть туда, цепко и больно держа сзади за шею...

Всю ночь они с Машей учились переворачивать буквы. Перед глазами у Нюты висела школьная доска — тайная и полная противоположность зеркалу, его спокойной прозрачной глубине, его распахнутой воле. Чернота наглухо запертой школьной доски излучала мертвящий ужас.

Нюта не пускала Машу спать.

— Ма, — просила она, — давай еще раз!

— Ну, давай... — У Маши слипались глаза. В музыкальной школе у нее завтра были намечены контрольные по романтикам сразу в двух группах.

Тренировались они ручкой. Ручкой, а не карандашом. Маша рассудила, что это «перспективней» — не век же первоклашкой будешь. И правой рукой, правой. Ты умеешь! Вот, умница! И буквочки такие ровные. Ты только не тушуйся... И вздохнула:

— Ну, довольно, доченька. Спать пора, третий час...

— Нет, Ма! — умоляла Нюта. — Еще три буквы перевернем!

Ручкой с тех пор и до конца школы она писала правильно, если же в руки мел попадал или карандаш, ее настигал паралич воли; и тогда косые, удивленные, обморочно таинственные буквы улетали из-под руки справа налево и осуществиться могли только в зеркале.

* * *

— А к нам цирковой артист подселился! — выпалила Ариша.

Они толкались в буфете, в кучливой очереди за пирожками, что привозили к большой перемене горячими и в буфет заносили на огромных противнях, выложенными румяными рядами.

В четвертом классе подружек развели по разным буквам. Нюта оказалась в «А», Ариша в «В». Кроме того, Ариша очень много занималась музыкой, зимой стала лауреатом детского республиканского конкурса «Юные дарования» и была загружена «продвинутой» программой.

А Нюта уже с полгода ходила в спортивный кружок при клубе молокозавода.

Они очень друг без друга скучали и, едва прозвенит звонок, спешили обняться неважно где — в буфете, в коридоре или на школьном дворе, если погода хорошая.

Ариша иногда спрашивала:

— Я сегодня меньше косю, правда? Я красивая?

И Нюта с жаром подтверждала:

— Ужасно!

— Клоун! Настоящий! Прямо у Панны Иванны живет, спит на матрасике. Она его давнишняя знакомая. Его хотели в гостиницу, но он говорит — нет, у вас уютней. Такой простой. И смешной-смешной!

...Вот еще и клоун. Жизнь такая интересная! Не знаешь, за что хвататься. У нее и так недавно появилась тайна. Лохматая, в толстых очках, со стесанными и пораненными пальцами в заплатках пластырей, с таинственным именем средневековых алхимиков: Элиэзер.

Месяца два назад после занятий акробатикой Нюта бежала по коридору клуба молокозавода. Сегодня папа возвращался из госпиталя раньше обычного и обещал пойти с Нютой в зоопарк. Все как безумные повалили туда глядеть на двух слонят, Рави и Шаши — их подарил киевскому зоопарку Джа... ха... ларлар Нер какой-то, в общем, индийский царь. Но Нюта с папой ходят ради обезьян, на которых никогда не надоедает смотреть. Главный у них — сутулый матерый бабуин; все время поворачивает к публике красную жопу... Вообще-то слово это произносить нельзя, надо говорить «попа», а Ма — та вообще даже этого слова не знает и называет жопу «мягким местом» или еще противней: «булочки». Но уж Нюта с Христиной знают все точные слова. Когда Христина купает и намыливает Нюту (кстати, пора ее гнать к чертовой бабушке из ванной!), приговаривает энергично: «А ну, лэдачка, нэ хвилонь! И жопку, и письку надрай мочалкой, як следовает быть по хихиене!..»

Так вот, бабуин смущает публику своей красной жопой.

Но у Нюты с папой есть в зоопарке давняя привязанность — юркая хитренькая обезьянка, игрунья и воришка, и они ходят ее навещать.

У этой клетки года три назад папа на скорую руку объяснял дочери теорию Дарвина. Нюта слушала краем уха, внимательно следя за вкрадчивыми передвижениями «их» обезьянки вокруг сурового бабуина, и знала, что как только он отвернется, малышка протянет к корзине с овощами совершенно человеческую, смуглую сморщенную ручку и стащит морковь.

— И вот так обезьяна превратилась в человека! — закончил папа.

Дочь подняла на него глаза, спросила тихо, искренне:

— А она не удивилась?

...Пробегая по коридору клуба молокозавода мимо доски объявлений, Нюта, как обычно, притормозила — ей по-прежнему требовались дополнительные секунды, чтобы сделать над собой усилие — перевернуть строку. И тут она застыла. В аккуратной красной рамке, на тетрадном листке, *ее запретным правильным почерком* — его-то она мгновенно промахнула взглядом, — было написано: «Занимательное Зеркалье!» — и чуть ниже то же самое, черным *оборотнем*:

«.эqлвкqэЄ эонапэтвмннвЗ

Приглашаем записаться в новый кружок, где вы сможете узнать все о таинственных зеркалах, о телескопах, биноклях и других оптических чудесах. Запись в комнате № 3 на втором этаже у Элиэзера».

Она ахнула, не веря своим глазам, попятилась, повернулась, взлетела на второй этаж и там перед заветной комнатой чуть не протаранила головой чей-то мягкий живот. Перед ней стоял большой толстый человек с таким плотным иссиня-черным кустом на голове, что стричь этот куст можно было только садовым секатором. За линзами очков плавали черные вишни насмешливых глаз.

— Эй, всадник! — сказал кустистый. — Ты куда мчишься? В зеркалье? — И пригласительно распахнул дверь.

— А я, — бурно дыша, пролепетала девочка, — я тоже... могу... вот...

Метнулась к столу, где лежали заранее выдранные листы из тетради, схватила карандаш и ручку и быстро — так Ариша играла обеими руками расходящуюся гамму — написала в разные стороны, *по-своему* налево, и *оборотнем* — направо:

»Реве та стогне Днiпр шнрокнй!!!

Реве та стогне Дніпр широкий!!!»

— Елки-палки! — тихо и одобрительно проговорил он у нее за плечом. — Ребенок, ты гений?

— Я — Нестеренко, — ответила она счастливо. — Нюта!

— Так, выходит, это я тебя, Нюта Нестеренко, ждал здесь три дня, как дурак?

Уже через неделю пальцы у нее были так же заклеены кусочками пластыря, потому что они учились шлифовать бронзовую пластину, изготавливая из нее зеркало по методу древних египтян. Круглая пластина, та, что по замыслу должна была изображать солнечный диск, отлично получилась из крышки монгольской Машутиной шкатулки. Нюта стянула эту крышку из родительской спальни спокойно и увлеченно.

В кружок с зазывным объявлением про «Зеркалье» никто, кроме нее, не записался, и дирекция клуба его «расформировала». Пришлось им встречаться каждый раз, где придется.

Элиэзер закончил с отличием физтех университета, но имел инвалидность по какой-то странной болезни, которую сам называл «скукой» («Вдруг навалится, ангел мой, Нюта, шершавая сука-скука... Вот, таблетками ее и гоню»), и работал в зеркальном цехе при мебельной фабрике имени Боженко — как сам говорил, усмехаясь — «на облегчении головы».

После школы Нюта иногда приходила посидеть у него в подсобке, во все глаза наблюдая, как его пухлые, но точные руки наносят амальгаму на стекло, режут по формату, готовят подкладки на «спину» — чтобы зеркало не билось.

— Обычное плоское зеркало, ангел мой, Нюта, — говорил Элиэзер, — отражает все, как есть: что с левой стороны, что с правой, что внизу, что вверху... Все остальное — дело интерпретации увиденного, и происходит оно в наших мозгах, которые довольно хитро устроены. Ты видишь свое отражение и мысленно сравниваешь его с собой, перешедшей туда. За зеркало...

— А... разве можно? — затаив дыхание, спрашивала она. — Можно... без спросу?

— Не знаю, о каком ты спросе, но некоторые вполне серьезные ученые считают, что существуют зеркальные вселенные. Рассказать?

— Да! — выдыхала она.

— Ну, слушай... А когда надоест, мигни — пойдем мороженое хавать... Жил, понимаешь, такой ученый Эверетт, который допер, что существует множество вселенных, параллельных нашей, правда, с несколько иными физическими параметрами... Погоди-ка... ты знаешь, что такое нейтрино? А-а-а, вот откуда начинать надо. Ну, смотри: нейтрино — это одна из элементарных частиц, из которых состоит материя. Так? Физики обнаружили, что при определенных превращениях пространства — вращении, например, — свойства у частиц не меняются. Кроме нейтрино! Только у нейтрино эти свойства меняются при зеркальном отражении... Вот тебе и оп-па! Как же теперь восстановить полную симметрию теории частиц?

— Как? — зачарованно следя за движением его толстых пальцев, неопределенно ощупывающих воздух, повторяла девочка. А пальцы округляли в воздухе некую фигуру, восстанавливая «симметрию теории частиц».

— Надо допустить, что у каждого нейтрино есть зеркальный двойник. Я, скажем, нейтрино, а ты — мое зеркальное нейтрино...

Нюта принималась хохотать, представляя, как в зеркале вместо толстяка Элиэзера отражается она, Нюта. Как они строят друг другу симметричные рожи — ну такая умора!..

— А отсюда, — вкрадчиво продолжал он, дождавшись, когда она умолкнет, — отсюда уже маленький шажок до предположения, что такие зеркальные двойники существуют и у остальных частиц. И тогда-а-а... Что — тогда? Что, ангел мой Нюта, вообще состоит из частиц?

— Материя! — торопливо подпрыгивая, сообщала «ангел Нюта», даже и сама не понимая, откуда в разговоре с Элиэзером выскакивает нужное слово, лишь мысль ее, как канатоходец по невидимо протянутому канату, шла на ощупь меж *зеркалами*, что выставлены где-то в залобном пространстве ее головы, и *зеркалами* под черным колючим кустом головы этого смешного толстяка.

— Правильно! И это значит, из зеркальных частиц образуется?..

— Зеркальная материя!!!

— Точно. А теперь — хавать мороженое.

И они шли в садик напротив, где на скамейках сидели над своими потертыми шахматными досками пенсионеры, играющие «на интерес».

Себе Элиэзер всегда покупал две порции «пломбира», жадно и быстро съедал, откусывая большими кусками, словно за ним гнались; и, уморительно слизывая пломбирные усы над толстыми губами, говорил как-то странно, торжествующе:

— Пока он не смотрит, будем жрать!

Нюта сначала оглядывалась, думая, что Элиэзер встретил какого-то неприятного знакомого, от которого надо прятаться. Но однажды просто увидела за его спиной прозрачного, *другого Элиэзера*, совершенно белого, словно тот *обожрался* мороженым так, что изморозь покрыла волосы, брови, ресницы... Она вздрогнула, моргнула и сказала:

— Ты все же не того... не очень-то налегай. Тебе сладкого-то нельзя.

Теперь вечерами она долго не могла уснуть, подробно обдумывая все, что они с Элиэзером обсуждали днем. Наконец, веки слипались... и *зеркала* ополаскивались сонной рябью, легко колышась, как ряска в пруде... Тогда казалось, еще миг-другой — и зеркалье растворит наконец свою тонкую твердую пленку на входе в другую, обещанную Элиэзером, параллельную, *правильную зеркальную* вселенную, и примет ее в свою — скорее, водную, чем воздушную — природу: *наслаждаться, упруго скользить, рассекая прозрачную массу...*

И там, где существует правильная жизнь, где правильно движутся люди, — там она обязательно встретит *настоящую правильную* маму.

Почему-то она знала, что он в ее жизни Главный. *Главный учитель, вообще,* — главный человек. *Она верила каждому его слову, настраивала зеркала, жадно улавливая все, о чем он рассказывал и чему учил. И учил он, знала она,* главному. *Потому что там, далеко впереди в ее жизни сотни, тысячи зеркал необычных свойств и конструкций отражали небо и землю, коридоры и залы в самых разных странах и городах...*

И еще: он так же спокойно, как Фиравельна, воспринял умение девочки видеть. *Хотя сам, к сожалению, — и это ее удивило, потрясло! — ничего такого делать не мог. Очевидно, все его зеркала, все его многочисленные зеркала находились не внутри, а снаружи.*

И никогда ничего он не спрашивал у нее, ни о чем не допытывался, не напрягал ничем. Единственный только раз, когда его насильно увозили навсегда далеко-далеко — «Меня увозят в Зеркалье», — он спросил ее толстыми дрожащими губами:

— Нюта, мой ангел ... Мы еще увидимся?

И она, глядя ему в глаза, твердо ответила:

— Да!

...Она уже знала, что бронза и серебро хорошо отражают и не заволакиваются окисными пленками, что вредную ртутно-оловянную амальгаму в прошлом веке заменили серебрением, потому что это менее вредно; многое знала из истории зеркал или, как говорил Элиэзер, «лико-отображения».

На переменках, с разбегу врезаясь в Аришу, она возбужденно пересказывала ей про китайских воинов, бравших в сражения зеркальные амулеты, и о китайских новобрачных, которые в день свадьбы держат зеркальце на сердце. И о буддийских храмах, где поныне с помощью зеркала освящают воду...

А вскоре они с Элиэзером собирались испробовать венецианский метод дутья. Его сосед Георгий работал на стекольном заводе на Сталинке, рядом с пивзаводом. Хмурый немногословный человек, этот Георгий однажды устроил им целую экскурсию по стекольному цеху и, показывая дивные чудеса, отрывисто говорил что-то вроде: «ванны расплава», «загрузчик шихты», «канал питателя»...

Этот человек смешно чихал: приподнимал, согнув, колено, расставлял локти, наставлял уши, как сторожкий конь, и, издав короткое ржание, руками словно переламывал о колено небольшой сук...

Потом Элиэзер с Георгием купили пива в ларьке пивзавода и сидели в скверике на скамейке. (Надо полагать, Машута сошла бы с ума, увидев дочь в обществе двух странных типов с пивными кружками в руках.)

Отовсюду летел невесомый тополиный пух, сбивался в пуховые кучи, валялся, полз по земле. Трое мальчишек неподалеку поджигали эти серебристые облачка. Пых!!! — и призрачное сияние гасло.

А впереди — впереди их ожидало море зеркал: плоских, вогнутых, выпуклых, со сферической и цилиндрической поверхностью, которые использовать можно в иллюзионах, на маяках, в прожекторах и в приборах — даже в астрономических приборах! даже в спек-тральных!

— А самые-самые древние стеклянные зеркала, — рассказывала она Арише на переменках, — еще раньше, чем в Риме, изготовляли в Сидоне, это такой древнющий город финикийский, на берегу Средиземного моря, с огромной гаванью. Туда причаливали корабли, и моряки со всех стран увозили оттуда стеклянные зеркала, потому что они давали самые-самые чистые отражения...

— Чистые? — морщила лоб Ариша.

— Ну да, значит, лик отражался четко, без ореола мутных линий. Ты смотрелась и видела: да, это я!

Лет через двадцать пять, сидя на выступе ракушечного мыса в Хоф-Доре, древней гавани финикийского города Дор, неподалеку от Хайфы, Анна вспоминала долгие бдения в подсобке у Элиэзера, его черный кожаный фартук, потертый на животе, то, как он вставлял мягкий знак в слова «пЬять» и «обЬязан», и неутомимую, неутолимую, неумолимую жажду к непрерывному постижению, которую привил ей этот болезненный толстяк с жестким кустом колючей изгороди на голове.

Роскошная ребристая пальма на берегу легонько ворчала под морским бризом.

В траве под пальмой лежала россыпь бордовых, с замшевым исподом фиников, поклеванных птицами. Вот и финикийцы давным-давно сгинули, думала Анна, а финики все падают в траву, так же исправно, как и тысячи лет назад, насыщая птиц, муравьев, жуков, и заодно уж и человека.

Оказалось, что Элиэзер жил вдвоем с братом. Причем, братом необыкновенным — Нюта сразу мысленно окрестила его *оборотнем*.

Впервые девятым трамваем от улицы Халтурина они ехали на Подол, в гости к Элиэзеру. Трамвай — киевский тупиковый «тяни-толкай» с двумя одинаковыми мордами, смотрящими в разные стороны, — повизгивал на крутом подъеме Владимирской.

Элиэзер сказал ей, смешно почесывая толстыми пальцами в колючей изгороди на голове:

— Ты только не удивляйся. У меня брат — близнец, но абсолютно оригинальный. Такое мое отражение в ирреальном зеркале. Я когда-нибудь изобрету и смастачу такое зеркало: в него смотрится брюнет, а отражается блондин...

И когда, мягко постучав мягкими костяшками пальцев, Элиэзер отворил дверь (они жили в коммуналке, в двухэтажном кривоватом доме на улице Героев Триполья, в комнате, оставшейся от бабы Лизы), и проговорил: «А это мой брат Абрам. Привет, Бума!» — из-за стола поднялся... Нюта онемела и так и стояла, не отвечая на приветствие. Это был негатив Элиэзера: все, что у того было черным, у этого было белым: волосы, брови, ресницы...

Позже Элиэзер укоризненно сказал ей:

— А ты могла бы и повежливей себя вести.

И был совершенно прав. А то, что она остолбенела... Невозможно объяснить, почему она так испугалась. Ничего никогда не боялась — такие страшные инвалиды попадались на улицах и в парках, получеловеки, искалеченные войной и болезнями; нищие, вонючие пьяные старики и старухи — побирушки, низота, рвань... Никогда не боялась, не брезговала. Руки подавала, помогала взобраться на трамвайную ступеньку, сесть на скамью... А тут по-настоящему испугалась аккуратного холодноватого человека в выглаженной рубашке, в мягкой домашней куртке, который сразу и чай приготовил, и вазочку с печеньем придвинул.

Правда, Бума, несмотря на уютное домашнее имя, явно был хозяином положения. Минут через сорок стал убирать чашки, спокойно и твердо проговорив:

— Ну, а сейчас всем пора расходиться. — Хотя понятно было, что *расходиться* надо одной только Нюте. — Элик, мне кажется, ты утомился. Тебе пора отдохнуть.

Ладонью остановил Элиэзера, вскочившего проводить Нюту, и, усмехнувшись, добавил нечто странное:

— Не надейся, не отвалится.

И Нюта как миленькая стала *расходиться* — то есть под жалобным взглядом Элиэзера вышла из комнаты, поблуждала в темноте длинного многоколенного коридора и, свалив чьи-то лыжи в углу, нащупала замок на двери и выскочила на волю.

Затем долго ждала в сумерках девятого трамвая. Долго — очень долго, показалось ей, — добиралась домой.

И полночи ворочалась в постели, не в силах заснуть: едва закрывала глаза, перед ней всплывал белесый оборотень, негатив Элиэзера, строго пальцем грозил, заслоняя от нее *настоящего* брата, — всем, говорил, всем пора навсегда расходиться!..

* * *

Отец был озадачен столь бурным увлечением Нюты зеркалами, считал Элиэзера сильно тронутым бездельником и не одобрял этой непонятной дружбы с таким, как он говорил, «возрастным отрывом».

Зато Фиравельна задумчиво и одобрительно объявила, что имя это библейское и переводится так: «Бог в помощь!». (Ариша фыркнула: «Ничего себе “помощь”!»)

Что касается Машуты, она вообще жутко нервничала, слышать ничего не хотела ни о каких зеркалах — это же уму непостижимо, что за дикие увлечения у девочки!

Однажды устроила настоящий скандал из-за двойки по сочинению и кричала надрывно, высоким голосом, совсем «не по-машутиному»:

— Я тебе покажу зеркала! Я из тебя выбью эту чушь! — хотя непонятно было, как и чем именно кроткая Машута собирается «эту чушь» из дочери «выбивать».

Но Нюта к тому времени уже научилась уплывать, как рыбка: при малейшем напряжении просто ускользала из дому, бесшумно прикрывая за собой дверь. Выскочишь вслед за ней в прихожую, а там, в зеркале, только шапочка «буратинная» полосатая хвостом вильнет, словно девочка шагнула в зеленоватый овал и провалилась в зеркалье. Пропадала по многу часов неизвестно где. На все вопросы молчала. Молчала не из упрямства или злости, а так, как молчит глубокая вода в пасмурный день.

Маша в такие дни металась по улицам, обега́ла окрестные дворы, в крайнем случае торчала у окна кухни, чуть не колотясь лбом о стекло.

Наконец в разведку к мебельной фабрике имени Боженко была послана Христина, которая в то время являлась к ним лишь два раза в неделю, изображая из себя шибко занятую мать семейства. Хотя какое там семейство: почти-муж, почти-вдовец Василий Федорович почти не бывал дома, неделями тарахтел то в Иркутск, то в Ташкент, то в Ереван, а вернувшись, запивал до потери восприятия, так что в известной мере Христина и тогда бывала свободна. Хорошо, Марковна к тому времени благополучно загнулась и не видала, что вытворяет в ее комнате пьяный Вася: как он пропивает трофейный столовый сервиз, привезенный еще ее покойным мужем из города Лейпцига, и хрустальную югославскую вазу, добытую в страшной очереди, с перекличками и знатным мордобоем...

Из разведки Христина вернулась небрежно-спокойная.

— Ну? — ответила вопросом на немой вопрос в Машутиных глазах. — Толстый такой яврэй, придурошный на усю холову. Но человек приличный. Дитё не обидэ. Потом — не поняла я: шо за шухер? То жэ ж наука, не? А ну как в жизни сгодится?

И Маша сникла. Не могла она ничего никому объяснить.

Дочь уходила от нее, уплывала, отплывала все дальше. Все больше и все страшнее принадлежа неотвратимому.

* * *

— Один с повидлом! — выкрикнула Ариша, поднимаясь на цыпочки. — И один с рисом!

Нюта купила тоже и того, и другого, и, откусывая на ходу, они стали подниматься по лестнице на второй этаж — звонок уже прозвенел.

— Приходи сегодня после уроков, — сказала Ариша. — Но до пяти, а то у клоуна вечером представление. Он такие рожи уморительные строит — помрешь со смеху!

Нет, клоун не строил уморительных рож. Он был очень грустным. Вернее, с вечным задумчивым удивлением на лице. Даже когда, выйдя на кухню с чайником, он случайно столкнулся с Нютой и облил ее водой, и оба застыли друг перед другом, на его лице с высоко поднятыми бровями было только удивление.

— Армянка? — спросил он.

— Почему? — смутилась девочка.

— На всякий случай спрашиваю всех, — пояснил он.

Фамилия клоуна была Енгибаров. Тонкий, сутулый, как прутик гнутый. Руки висят нелепо, словно плети.

Мрачная жена майора Любовь Казимировна звала его «червяк». Вон, говорила, червяк вышел. Она не любила чужих гостей. К ней и самой никто никогда не приезжал.

Но эта неловкость и нелепость — Нюта сразу поняла — оказались обманкой. У клоуна были накаченные и невероятно сильные руки. Он, когда уже разговорились и познакомились как следует, вдруг метнулся в сторону, подхватил одной рукой Аришу за пояс, перевернул, подкинул довольно высоко — она так визжала, дурочка! — и поймал прямо подмышкой, как бревнышко. Эх, жаль, что клоун не Нюту так подхватил, она ведь легче и ловчее Ариши! Ее на акробатике всегда хвалит тренер, говорит, что она просто рождена для брусьев, и для перекладины, и для каната. И хотя все ее тело яростно запросило резких прыжков, и переворотов, и сальто, и шпагата — ах, как бы она сейчас взвилась под потолок в этой обоюдной игре их тел! — Нюта постеснялась прямо здесь, на кухне крутить свое коронное: колесо. Она была в школьном коричневом платье, с поддетыми внизу — вот Христина проклятая! — рейтузами. Какое уж тут колесо... Только опозоришься.

А когда они уже отсмеялись и подружились по-настоящему, клоун вдруг стал раскланиваться, с каждой прощаясь подозрительно жалостно. Долго тряс руку то Арише, то Нюте, словно уезжал сию минуту насовсем — они даже переглянулись, — и скрылся в комнате Панны Иванны.

И вдруг через два-три мгновения — оп-ля! — дверь распахнулась, и оттуда марширующим шагом вышел... ой, это он маршировал руками, обутыми в старые сапоги, которые Панна Иванна хранила в своем «шифанэре» и каждой весной начищала гуталином, словно готовилась в них выйти на спектакль в театр Музкомедии! Он шел на руках, обутых в эти смешные шнурованные сапоги, а поднятые ноги изображали пылкую жестикуляцию, словно пара самых гибких рук: он то заламывал их в отчаянии, то рукоплескал, то пытался отереть босой ступней слезу...

Сапоги же в это время притоптывали, отбивали чечетку и выделывали танцевальные па. Это была, как обычно говорила Панна Иванна, «неподражаемая реприза». Но, между прочим, в самый разгар представления старуха вернулась из магазина и, не обращая внимания на восторг девочек и азарт клоуна, строго проговорила:

— Леня, оставьте сапоги! Это память о моем покойном друге.

И клоун мгновенно перевернулся на ноги, с тем же удивлением в высоких бровях, расставил руки в стороны, укоризненно покачивая сапогами — ай-яй-яй...

Тем же вечером с запиской от «дяди Лени» Ариша с Нютой протирались в толпе к дверям Цирка.

Две бабки-билетерши стояли по обе стороны раскрытой половины двери, так что миновать их многорукий цепкий заслон было совершенно невозможно.

— Та ще чого? — завопила бабка на предъявленную Аришей записку. Та залепетала что-то про дядю Леню, который у них живет, и он лично пригласил, да вы сами почитайте — а толпа сзади напирала, ругалась, какой-то шалавый заяц, нагнувшись, пронырнул угрем сбоку... Бабки рассвирепели, заругались, одна крикнула другой:

— От чертяка, вин усэму хороду пысульки раздае! — и просто отпихнула Аришу, а толпа сразу прожевала девочек и снесла со ступеней на улицу.

Ариша стояла и плакала, сильно кося; к тому ж она потеряла варежку, совсем новую.

Нюту же вдруг охватила ярость. Собственное тело ей казалось сильным и плоским, как лезвие луча; возникла странная уверенность, что сейчас она прошьет насквозь толпу, легко минует ненавистных бабок и окажется внутри, в вестибюле цирка.

— Стой здесь! — сказала она, не глядя на Аришу. — Я сейчас...

Отошла шагов на десять, но вдруг вернулась, торопливо на ходу вынимая из ушей аметистовые сережки, папин подарок на девятый день рождения.

— Подержи... это мешает... — сказала, глядя мимо Ариши изнутри себя.

И пошла ровной расслабленной походкой, словно давая кому-то невидимому тянуть себя за ниточку; втерлась между мужчиной в сером плаще и двумя подростками и на глазах у потрясенной Ариши мелькнула уже позади старух. Не проскользнула, не протирилась, не прошмыгнула — прошла спокойно и даже.... незаинтересованно, как бы отрешенно. Объяснить себе это разумно Ариша никак не могла. Стояла, зажав в кулаке Нютины аметистовые сережки, чем-то перед хозяйкой провинившиеся, и неотрывно смотрела на двери, что заглатывали и заглатывали новые порции зрителей.

А Нюта в вестибюле цирка привалилась спиной к колонне, чтобы устоять на ослабелых ногах, — взмокшая, хоть отжимай... Она тоже не могла бы сказать, как это сейчас получилось и почему старухи, глядя на нее, ее не задержали. Правда, она приказала себе стать *изнутри* прозрачной, то есть, не отводя глаз, смотрела пристально в *собственные зеркала*, и ощутив в ушах покалывание, поняла, что надо сережки снять. Теперь она тряслась от мысли, что ее могут забрать в милицию.

Дали третий звонок, публика повалила в зал.

Слышно было, как музыканты настраивают инструменты, бегают дети в проходах, скрипят и хлопают откидные сиденья. Слабыми громовыми раскатами издали доносился рык зверей. Невнятный гам и гомон клубился над красным полем манежа, как шум прибоя.

Сейчас, Нюта знала, верхний свет начнет уставать, замирать — и истает. Наступит миг спертого дыхания... И вдруг!!! Грохнет оркестр трам-тарарам-пум-пумом!!! Прожектора ударят в глубокий древний ров между трибун, из которого двумя цепочками выбегут полураздетые, как гладиаторы, артисты, сверкая, словно елочные игрушки! Они закольцуют манеж, поднимут голые руки, приветствуя публику. Прокатится ветром шум аплодисментов. Начнется ослепительный парад — с дурацкими, правда, стихами, «спасибо партии любимой» и всякой такой ерундой... Но кто в них вслушивается!..

И дядя Леня выйдет, грустный клоун в тельняшке...

Цирк тоже был — главным.

Не потому, что с отцом они частенько ходили на одни и те же представления, знали программы и имена артистов чуть не наизусть — благо, тут все под боком. Нет, не поэтому. Глядя на воздушных гимнастов, на балансирующих веерами канатоходцев, она сама шла по канату, оплетая его ступнями, чутко, ровно держа спину... Цирк — и она давно это знала — был ее местом...

Сейчас ее мучительно тянуло войти в зал, тихонько прислониться к стенке прохода... Стоять и вдыхать особенный, сложносоставной, прогретый воздух представления.

Но снаружи ее ждала озябшая Ариша. И даже не заглядывая в зал, Нюта побрела к выходу. Бабки, прислонившись к косякам, стояли на стреме в ожидании запоздалых зрителей и о чем-то мирно беседовали.

— Куды! — окликнула одна из них девочке в спину. — Шо тоби, повылазыло? Дывы, назад не пустымо!

Нюта обернулась и — за Аришу! — протянула звучным Христининым запевом:

— Те-отки! Ду-уры вы трекля-а-тые-е!

9

— ...Понимаете, цирк — учреждение простое. Там каждую идею можно проверить вечером на публике. Подошло — взял. А иной раз попробовал — и полный провал.

У нас коверный, Ким Девяткин, рассказывал, как он делал один номер. Выходил в манеж с зонтиком, в шляпе, в пальто, с чемоданом, постепенно все это снимал. Потом жонглировал шмотками, одевался и уходил. Публика вяло хлопала.

И вот однажды в Риге после представления один старый-старый коверный ему говорит: пусть униформист забирает барахло. Пальто, шляпу, чемодан. Не надо одеваться, пусть свет гаснет — и хана. Не отвлекай публику. Дядя Ким попробовал — прием простой, как лопата, а сделал номер фурором. Кстати, мне рассказывали, что Енгибаров Леня ездил в Одессу, в дом ветеранов цирка. С ним работали старики. Им совершенно нечего было делать, и они ему помогали с репризами.

...Ну, к чему так официально? Называйте меня просто Володей, чего уж там. Надеюсь, мы тут с вами, Роберт, сидим не как следователь и подозреваемый? Ну и отлично. Тогда я еще пива закажу.

Да, вы и в тот раз говорили, что были влюблены в цирк. Я запомнил. Хорошо понимаю вас... Ах, да? Неужели?.. Тем более, приятно. Вы, наверное, были тогда совсем мальчишкой. Это где — в Минске? В каком году?..

Помню, помню эти гастроли. Мы с ней только подготовили свою программу. Там был один сложный трюк, назывался «впрыжка в голову». Он работался так. Мы выходили на центр каната «паровозиком», — я был нижним и шел впереди с балансиром, а она, держась одной рукой за мое плечо, след в след за мной. Дальше я делал выпад на одну ногу, она ставила правую ногу мне на подколенку. По команде «ап» я как бы отжимал канат и подбрасывал ее с подколенки. А она, синхронно оттолкнувшись, свечкой взлетала вверх и приземлялась, сомкнув ноги, на моей голове.

Помните, конечно? Это очень сложный трюк. На мне была такая обтягивающая фетровая шапочка, чтобы волосы не рвать. А ей нужно было тут же вытянуться струной, обжать мою голову ступнями, закрепиться и дать мне ходу немного вперед. Тогда я, поймав баланс, шел или бежал к мостику. Ее дело было — не ломаться, закрепиться, как трость, полностью дать мне балансировать, но не уводить в сторону, а держать строго над канатом.

Вот этот трюк — «впрыжка в голову на канате» — из женщин делала еще только Гаджикурбанова, да и то не на мягкую шапочку, на округлую поверхность, а на здоровенный шлем из папье-маше — настоящий аэродром.

А Анна, бывало, как? Чуть криво приземлишься, чуть больше крен на одну ногу — вцеплялась, как обезьяна, пальцами ног, обжимала изо всех сил мою голову и держалась на честном слове, пока я к мостику бежал... Она этот трюк делала почти без завалов. Правда, однажды, году в восемьдесят пятом, мы с ней отжали канат не синхронно, она попала в контртемп и порвала мне связку. Хорошо еще, что на низком канате, на репетиции... Я долго потом восстанавливался.

Был у нас в программе еще такой трюк, «лопинг-делоп» называется, вы его тоже помнить должны. Это когда на глазах у публики я шнурками привязывал ноги к канату, скользил до середины, балансируя только руками, а потом как бы валился. Публика — а-а-ах!!! — а я делал оборот и снова ловил баланс. И начинал «крутить лопинг» — оборот за оборотом, под нервные рваные аккорды «Пинк Флойд», скользя на шаг к мостику. У самого мостика опять ловил баланс в верхней точке, что было очень сложно — после крутки. И с последним шагом на мостик — мы просили оркестр синхронизировать это мое победное движение — врезал медный аккорд марша Дунаевского! В то же мгновение вспыхивал полный свет — все прожектора и пушки на максимум. И начинался этот марш без вкрадчивого вступления, прямо с победной темы. Публику со стульев взметало!

Трюк принимался на ура, а я на нем отдыхал, так как безопасно, привязан...

...Нет, никакая лонжа здесь невозможна. Я был привязан именно шнурками. Веревку мы покупали в хозмагах крепкую, многожильную, 7–8 миллиметров толщиной. Перетереться сразу она не могла. Раза два такое случалось, и только на одной ноге. Я тогда останавливал крутку, ловил баланс в верхней точке, снимал с ноги перетертую веревку и обрывки швырял в манеж. Надо было видеть реакцию публики. Рев стоял, как на стадионе.

Лопинг эффектно смотрится, его многие воздушные гимнасты на финал пускают. Крутят обороты на руках, на ногах вокруг турников или штамберта трапеции...

...Вы не первый, кто запомнил только ее. Она действительно была такая... ослепительная, в этом костюме, мы его называли «голый» — бикини из эластика телесного цвета: узкие трусики и лифчик, густо усеянные цветным чешским стеклом. Оно под пушками переливалось, сверкало, как драгоценные камни! А ткани и не видно. Да ее почти и не было — треугольники телесного цвета на резинках. Это было смело. И чертовски красиво. Сверху еще плащ с пелериной из прозрачного капрона, до пола, отделанный белыми перьями. Ну, и на голове огромный плюмаж из перьев. Неудобно, зато шикарно. И все это в полутьме, под цветными пушками, только стеклышки горят на ее фигурке. Народ стонал...

...Да ради бога, заказывайте себе, я еще не хочу есть... Хотя... сидим мы тут с вами уже прилично, можно бы и проголодаться... Ну почему — я не страдаю отсутствием аппетита. Хотя, сказать по правде, вначале думал: не то что есть — жить не смогу. Но видите — смог... Отлично себе живу... А вот Сеня...

Да бросьте вы, какой там ураган. Каждый сам себе выбирает свой ураган... Я предпочел жить и... ждать...

Не понял... Не понял, простите... Что?!

Ах вот оно что! Ах, во-о-о-т!.. Вот для чего вы назначили мне свидание в этой забегаловке!

Вы что, господин Керлер, хотите сказать, что не знали этого раньше?! Ничего себе, свеженькое открытие! Да, я не упомянул этого на следствии; не думал, что это делу поможет! А впрочем, вы правы — не захотел упомянуть. Что было, то быльем поросло. Нет, это вообразить невозможно: исчезает человек вместе с мотоциклом — а следствие интересуется, кто кем кому приходился двадцать лет назад!

Да, она была не только моей многолетней партнершей! Она была моей женой. Ну и что? Вы хотите знать — были ли у меня причины ее убить или просто желать ее смерти? Да у меня было сорок причин ее убить! И остервенелое желание ее смерти!

Это сообщение вас развлечет?

Пустит следствие по новому пути?

Вот кто действительно пытался ее убить — это Женевьева. Да вы и сами знаете: Говард ей помешал... Ну, Говард, — попугай Женевьевы, жако, горбун. Женевьева его из какого-то питомника взяла умирающим птенцом. Его выбраковали, и ясно почему: мало того, что горбун, у него еще какая-то болезнь перьев была, они все повылезали. Женевьева из пипетки его выкормила. И он того стоил: умница, говорун, забавник. В Анну был влюблен, как человек. Серьезно: едва увидит — перышки вздрючит, прихорашивается, приговаривает: «Анна — мальчик! Дай поцелую!» А вы когда-нибудь видели, как целуются попугаи? Нет? Они тянутся клювом к вашим губам... глаза закрывают... как люди! Рехнуться можно.

Так вот, он и спас Анну.

Потом уже, месяца три спустя, Женевьева сама рассказала, выплакала мне подробности этой сцены: волосы дыбом встают. Как же она должна была отчаяться, несчастная птичка — я имею в виду Женевьеву, само собой, — чтобы напасть на этот профессиональный сгусток мускулов! Она так плакала, бедняга, так она безутешно плакала...

Сказать по правде, много лет Женевьева была в нее безнадежно влюблена. Анна не хотела распространяться на эту тему, всегда грубо обрывала любые намеки. Вообще в каких-то вопросах она была на удивление чопорна. Как будто забыла, как студентами циркового училища мы с нею, бездомные, неприкаянные, искали местечка, где бы влиться друг в друга. Бедные, мы даже в пустые будки забирались в Парке Горького... Выломаешь две-три доски, расстелешь куртку на затоптанном заплеванном полу... Вот уж где нам пригождались акробатические навыки.

...Хорошо. Дайте помолчать, выкурить сигарету... Я устал от самого себя. А от нее я устал, как только один заключенный в тюремной камере может устать от другого.

Я, знаете, глаза закрою — у меня на сетчатке всплывает ее лицо, и вечно будет всплывать, покуда не издохну.

Я вам уже рассказывал, как впервые увидел ее, пятилетнюю...

Во второй раз я увидел ее в подвале, в бильярдной клуба молокозавода. Она ходила туда с отцом. Он был человеком спортивных интересов, и дочь с собой таскал повсюду — на стадион, в тир, в бильярдную. Кстати, когда в пятнадцать лет на день рождения она потребовала мопед, отец купил, не моргнув глазом. Вообще мужик был замечательный. И врач хороший. Он ведь, знаете, боевые награды имел — в мирное, между прочим, время. Был начальником специального инфекционного госпиталя, несколько раз выезжал на ликвидацию холеры. Например, в Каракалпакию, в шестьдесят пятом, кажется, и потом в семидесятом — в Астраханскую область. Я сам видел эти боевые ордена, все эти грамоты Верховного Совета... Не говоря уж о том, что он лично ездил в Чернобыль, хотя был уже пожилым человеком. Собственно, от этого и умер. Слишком долго находился в зоне поражения. Здоровущий мужик, казацкая закваска, мог бы сто лет прожить. Хотя Анна уверяла, что умер он от тоски по жене.

...Так вот, бильярдная была в клубе молокозавода, в подвале. И мы, ребятишки, бегали туда поглазеть на игру.

Там я и увидел ее. Как она играла в бильярд! Это было что-то невероятное! Девочка семи лет! У нее глаза приходились вровень с бортом стола. Она как-то смешно брала кий в левую руку, а могла и в правую, смешно оттопыривала губу и била так точно, что у мужиков кепки слетали. Так и плывут в моей памяти эти зеркала: зеленые глазищи над зеленым биллиардным полем...

А познакомился с ней потом, когда она перешла в нашу сто сорок пятую школу — в седьмом классе.

У нас математичка Изольда Сергеевна — злющая была, въедливая... разве что зубами не клацала. Такое, помню, монашеское лицо, бескровные губы. И впечатление, что в классе ей как-то зябко. Вызовет тебя к доске, быстро-быстро попятится к окну и невзначай так присядет на батарею. Мерзла, наверное...

Ну вот, на первом же уроке она вызвала к доске Анну. Представляете?! Представлять вам, конечно, нечего, да и мы ничего не знали... Ее отец, оказывается, для старой школы добыл справку, чтоб к доске ее писать не вызывали, давали отвечать устно, или чтоб на листке писала. Ну, а Изольда этого не знала — то ли родители не подсуетились вовремя, то ли наша монашка плевала на все справки, это тоже бывало. Могла и назло вызвать, с нее бы сталось, посмотреть, что это за блатная папина дочка, фу-ты, ну-ты, которую и не тронь...

И вызывает: «Нестеренко Анна!»

Вот тогда я услышал ее имя впервые. У меня и так, когда увидел ее в классе, под ложечкой будто граната взорвалась — все внутри заполыхало. Она сидела в сонеднем ряду, справа от меня, чуть сзади. Я обернуться не смел, но правая половина лица у меня горела, как печка. Несте-рен-ко Ан-на! Ан-на Несте-рен-ко! — будто песенки припев...

Изольда повторяет имя, тонкие брови подняла высоко, изумленно, и говорит: «У тебя что, Нестеренко, со слухом нелады?»

Говорю вам, она могла еще до настоящего провала обдать человека таким презрением, что, выйдя к доске, ты себя чувствовал уже законченным дерьмом.

Я голову повернул, вижу — Анна, бледная как мел, выпрастывается из-за парты и плетется к доске, ну просто — смертник на плаху.

Изольда — не помню уж сейчас — дает ей какое-то задание, а та стоит у доски спиной к классу неподвижно, обе руки приподняла, как слепец, который готовится ощупать нечто ужасное перед собою... Наконец левой потянулась к мелу и начала писать.

Вот как по классу пронесся вздох и замер, и как наступила гробовая тишина — это я помню... Мел стучал и стучал — у нее ведь, у Анны, знаете, были отменные математические мозги — но никто ничего не мог понять в этих косых каракулях. И все примолкли, ошарашенные, заинтригованные... Все мы почувствовали ее... нездешность, понимаете? Будто тень другого мира мимо нас проплывала беззвучно, как корабль в ночи... Не, все не то! Вот мне однажды Сеня в Лас-Вегасе — мы случайно там встретились, году в девяносто восьмом, и провели ночь за бутылкой, — он мне втолковывал насчет природы ангелов. Ну то есть не буквально ангелов небесных, а вот людей, у которых возможности превышают... ну, которым по недосмотру, что ли, небесному, дано больше, чем полагается обычному смертному... И в зависимости от того, как человек справляется с таким грузом... с каким, мол, достоинством его несет... нет, это я уже бред какой-то... А он так складно объяснял, так убедительно... Ладно. Про что это я?..

Да: Изольда Сергеевна как уселась на батарею, так будто к ней и прикипела. Внима-а-ательно следила за левой рукой этой чудно́й ученицы, а та все быстрее, быстрее чечетку мелом — тра-та-та-та-та — на доске.

Дописала и стоит, не оборачиваясь. Руки опущены, голова опущена... Потом она вспоминала, что боялась обернуться.

Изольда вдруг говорит:

«Так-так... Я предполагала нечто вроде».

Повернулась к классу и спрашивает:

«Ребята, знает ли кто-нибудь из вас, что такое “почерк Леонардо”?»

Мы молчим.

А Изольда улыбнулась, зябко закуталась в толстую вязаную кофту, да и завелась чуть не на целый урок: стала рассказывать, что это почерк такой, у некоторых людей, у левшей — «зеркальным письмом» еще называется. Потому что прочесть то, что им написано, можно только в зеркале. И что Леонардо да Винчи, великий художник и изобретатель, тоже писал таким почерком в своих чертежах и рисунках. Раньше считалось, что он, самый знаменитый левша, таким образом зашифровывал свои гениальные изобретения. Но некоторые ученые — психологи, физиологи — сейчас с этим не согласны. Мол, это такой врожденный почерк, из-за особого строения головного мозга у левшей. И даже термин появился в психологии: «почерк Леонардо», а означает он не только строчку в зеркальном отражении, а целый ряд отличий подобных уникальных людей. Что сейчас и продемонстрировала нам Анна Нестеренко, наша новая ученица. Садись, Аня. Решено все правильно. Пятерка.

А та стоит, как стояла, и видно, как мел подрагивает в левой руке.

Ну а на переменке мы все ее замучили: каждый подбегал с листком бумаги и просил написать что-нибудь этим самым «почерком Леонардо». И она писала, всем писала — такая счастливая...

Потом уже они с Изольдой до конца школы были наипервейшими друзьями. Ведь Анна тогда закорешилась с этим малахольным гением Элиэзером, который зачем-то втолковывал ей все свои университетские учебники. Во всяком случае, даже Изольда иногда рот раскрывала и спрашивала — а это ты откуда знаешь?

Да я же говорю — у нее была страсть к цифрам. И большие способности к математике... И все в ее судьбе могло сложиться иначе, если б не эта... если бы не ее вот эта особенность... Эти возможности, бóльшие, чем требуется человеку для счастья...

А дальше чего рассказывать? Как я два года хвостиком за ней повсюду бегал? Как зимой вечерами торчал на катке Центрального стадиона — там на нижнем поле играли матчи, а верхнее зимой заливали. Музыку врубали целыми сутками: «А у нас во дворе... есть девчонка одна-а-а»... «Увезу тебя я в тундру, увезу тебя одну-у-у»... И я часами дожидался, когда она появится — в зеленой пуховой шапочке, в мальчиковой куртке, на «снегурочках» — и можно будет с ней катнуть круг-другой. Вот этот момент, когда она варежку снимет, заткнет за поясок, и ее горячая ладошка окажется в твоей заледенелой руке...

Я ведь ради нее и в секцию борьбы записался, и боксом занимался целый год, чтобы драться и убивать, если кто на нее нападет... Страшно вспомнить, знаете, как я ее любил, какая мука это была и какая беда! Абсолютное истощение организма...

Помню, однажды в начале июня перед экзаменами в восьмом классе дожидался ее на скамейке недалеко от университета — она там в библиотеке часами отсиживала с этим чудиком блаженным, Элиэзером. Он, хотя и был не от мира сего, но во всех библиотеках держал какой-то фантастический блат. Сижу, смотрю в конец аллеи, откуда она должна появиться. Как раз — цветение тополей, городское проклятье, знаете, смерть аллергикам. Всюду пух клубится, вязкий, паутинный, целыми одеялами летает, как во сне...

Я шпионил за ней повсюду: с трамвая на трамвай, часами топтался за сараями — оттуда было удобно за подъездом ее следить. Наконец, подстерег ее. Решил, что вот сегодня все скажу. Признаюсь. Просто скажу, что убью, если... А я, когда задумал, что все ей скажу... я два дня ни черта не жрал, поверите? Крошки хлеба в рот не брал. Трясся, как заяц.

И вот наконец она возникает в конце аллеи. И идет... плавно так идет, огромные лужи тополиного пуха сандалиями расплескивает... А мне с голодухи и со страху почудилось, что она по воздуху идет... по облакам. Представляете? И я как сидел, так и свалился кулем под скамейку: обморок...

Вот как сильно я ее любил.

...Что? Потом — что?.. Потом я ее бил... Тоже сильно... Лет десять спустя. И она не стонала, но после каждого удара сплевывала кровь и жалостливо так спрашивала: «Больно, Володечка? Больно?»... Пока могла еще говорить, пока сознание не потеряла, все повторяла: «Больно, Володечка?»...

— Хай, Джордж, привет! Не знал, что ты уже вернулся. Ну как там Лондон? Все удачно прошло?.. У меня все хорошо, спасибо... Познакомься, это мой приятель Роберт. А это Джордж... Приятно повидать тебя, старина... Созвонимся. Привет!

...Мой французский ужасен... Да и русский не лучше. Ничего, что я вас представил как приятеля? Не мог же я сказать — знакомься, мол, это меня допрашивает следователь Интерпола... Ну, не «допрашивает», хорошо: беседует... Между прочим, я раньше всегда путался: кто из них Джордж, а кто Роже. Они близнецы. Один гей, другой нормальный или, как здесь говорят, стрейт. Оба в «Цирке Дю Солей» работают. Роже — воздушный гимнаст, а Джордж в кастинге. Любовник администратора... Как подумаешь, что у них те же страсти, поневоле крыша едет...

Между прочим, вполне возможно, что я так и не признался бы ей никогда. Школу бы закончили, разбежались-разъехались... Переболел бы, как большинство влюбленных парнишек. Подумать только, что у меня вообще была бы другая — дру-гая! — жизнь. Жизнь без нее. Даже вообразить странно...

Но только в конце-концов она сама меня выбрала. То есть не выбрала, а показала: теперь ты мой.

Это было в девятом классе, в конце мая, перед самыми каникулами. Ну, конец года, у всех уже мысли на лето летят. После урока физкультуры все по раздевалкам разбежались. Я один остался в спортзале. День такой яркий был, все светом залито, на дощатом крашеном полу — солнечные квадраты от огромных окон. Сижу на мате, прямо в солнечном окне, колени обнял... тоскую. Вдруг она возникает в дверях. Может, что забыла... Или вдруг увидела меня наконец. Или другая блажь накатила. Я никогда не знал, что ею движет.

Подходит она ко мне, ближе, ближе... так что ее коленки круглые у меня уже перед лицом... Я сижу, дурак-дураком, чуть не зажмурившись, глаза боюсь на нее поднять. А она вдруг обеими руками берет меня за уши и вверх ка-а-ак потянет. Я вскочил, как ужаленный. Она меня обняла — крепко так, как пацан. Мол, ты при мне теперь, не бойся, не брошу. Представляете? Я стою, очумелый от грохота собственного сердца, вцепился в нее, как ребенок над обрывом, боюсь руки расцепить. И стояли мы так минут пять, наверное, в этом солнечном квадрате на полу, обнявшись крепко-крепко. Как брат с сестрой...

Так о чем вы еще хотели меня спросить? Только, если позволите, я покину вас на минутку... Пиво есть пиво...

...Сейчас, извините, отливая, вспомнил, как мы с ней разбегались в разные стороны на кукурузном поле, на окраине Жмеринки... За день наезживали на мотоциклах столько кругов в «бочке», что вечером добредали до поля и падали замертво. Просто лежали, смотрели в звездное небо... Когда вокруг встают стеною заросли кукурузы, звезды на черном небе висят над головой, как лампы в комнате. Там нас и подстерег сторож, Панас Редько, и до нашего отъезда приходил каждый вечер, истории рассказывал. Кургузый такой мужичок в телогрейке и ватных штанах — в такую жару, — с двустволкой за плечом и с собачонкой настолько не сторожевого вида и характера, что было странно, как еще у него все поле не обчистили.

Вы не знаете, что такое «бочка»? Это мотоаттракционы такие. Похожи на огромную деревянную бочку, метра четыре высотой с островерхим, как шатер Шемаханской царицы, куполом из грязного брезента. Внутри — опоясывающая галерея для зрителей. Ставили их на базарах, и работали они не от цирка, а от другой шараги — «Союзаттракцион».

В советском цирке был только один мотоциклетный номер, давным-давно: «Шар смелости» — Маяцкие, муж, жена и дочь. Он оказался очень громоздким для перевозок, нерентабельным, поэтому больше такие номера не делали, все заявки на них просто отметали...

Кроме того, когда под куполом цирка в шаре крутятся, как белки в колесе, мотоциклисты, а ты сидишь внизу с полным комфортом и смотришь со стороны... это совсем не «экшен». А вот внутри «бочки», когда тебя самого трясет и колбасит, и сердце в пятки проваливается, и вся конструкция ходуном ходит, а гонщик вот-вот вылетит за края стенки... тут ощущения другие. Между прочим, в американских цирках таких номеров очень много. Работают семьями, реквизит собирают и разбирают довольно быстро, перевозят своими трейлерами.

Ну, и «Союзаттракцион» очень даже выгодно прокатывал номер.

Эта история у нас как началась: в девятом классе Анна уже разъезжала на мопеде по всему Киеву. Ей Христина перешила из старой отцовской кожанки такую классную курточку, отец привез из Монголии мужские ботинки из натуральной отличной кожи. Еще очки мотоциклетные она купила в «Спорттоварах», в универмаге. Ох, как она гоняла! Как она гоняла! Как в зарубежных фильмах. Помните этого мотоциклиста в «Амаркорде» Феллини? Ну а мне что было делать? Не мог же я за ней пешком бегать. И несколько месяцев после школы я разгружал в гастрономе Фридмана грузовики с овощами — парнишка я был крепкий, — и к весне тоже заработал себе на мопед. А чтобы папаша не пропил, хранил его в сарае у Гиршовичей — Анна дружила с их дочкой Аришей...

Постойте, да вы, может, слышали, она же недавно выступала здесь. Известная карильонистка Ирэн Гиршович, играет в церквах, соборах — на колоколах... Не приходилось? Знаете, очень мощно звучит, до слез продирает. Я вообще-то к музыке абсолютно глух, мне главное, чтоб ритмично ухало. А тут — смешно даже — прослезился!.. Может, потому, что это Ариша, ее подруга, да еще такие мучительные колокола... просто глас небес, даже страшно. Будто тебя напрямки допрашивают — ты, червяк, сознаешь ли, чем владел и что потерял?

Короче, они жили по соседству, тоже на Жилянской. Анна у них околачивалась больше, чем дома. У нее ведь мамаша к тому времени умом тронулась, кстати, на почве зеркал... Ей казалось, что оттуда, изнутри зеркала, на нее какая-то порча идет. И вроде некто, боюсь соврать... некто из зеркала подменяет ее дочь. Короче, жуть и бред. Ну, это другая тема.

Так вот, в квартире, где жила Ариша, — а коммуналка была роскошная, одна кухня метров сорок — обитала еще старушка, Панна Иванна. Колоритная бабуся, бывшая цирковая звезда, вероятно, восемнадцатого века — с большой придурью. И сама курила, и другим — пусть даже и детям почти — смолить при себе тоже милостиво позволяла. Но окурков не терпела. Не успеешь докурить, то-о-олько придавишь червячка в пепельнице, она тут как тут: «Ну-ка убери мертвечика!» — окурки так называла. Да. И стихи писала по всем хозяйственным темам. В основном гигиенического свойства. Зайдешь к ним в туалет, а над бачком плакатик рукописный: «Труд уборщицы нелегок! Граждане, поймите! По-большому аккуратно, ласточки, ходите»...

Ну, а я был пристегнут к Анне на коротком поводке, все время у правой ноги. Зимой кататься на лыжах, на Труханов остров. Едешь до станции «Гидропарк», а вокруг бряцание лыж, вопли: «Мужчина, вы своими палками глаза мне повыкалывали!» Летом на мопедах гоняли купаться на тот же Труханов остров. Ох, какая оттуда панорама открывалась — от Андреевской церкви с ее куполами до Киево-Печерской Лавры... А запах — слиянный такой запах травы и речной воды. Непередаваемый!

Анна с Аришей были как сестры, не разлей вода. Такая сердечная дружба! Так что и я на их кухне сиживал, куривал...

И вот — последние каникулы на носу, сидим мы на кухне с Аришей и ее слепой бабкой. Ох, тоже потрясающая старуха — как-нибудь расскажу, будет минута... Вдруг выходит из своей комнаты Панна Иванна и говорит: ребятня, а шо ж вам не заработать пару копеек? И, мол, так и так, ее знакомый работает мотоциклетный аттракцион по провинции, вдвоем с супругой. Но как раз сейчас супруга уже «така беременна, така беременна», что на мотоцикл не влезает. И чего бы, мол, Анне ее не заменить в «бочке» на летние месяцы. Натаскать в номер не проблема. Неделю поучитесь, ну, две... Самый, говорит, сейчас навар, жалко терять... И Анна загорелась. Она всегда оголтело бросалась в любые безумные затеи. А я что? Я целиком при ней...

Вот так мы впервые сбежали из дому. В тот раз она хоть записку отцу написала. Отлично эту записку помню —

Анна очень смешно писала правой рукой, такие округлые детские прописи: «Папа! Не волнуйся, я всегда с тобой!»

Ну что вам сказать... Наше первое общее лето...

«Роман и Ирина Купчие: безумный полет!» — у них и афиши были, красочные, честь по чести. Правда, если б какая проверка нагрянула — всем бы нам не поздоровилось, Роме прежде всего. Шестнадцатилетние дети, страховки никакой... Э-эх... Ни черта никто не боялся, всем было до лампочки. Сейчас иногда подумаю: в какой безумной стране жили — не описать!

Индустрия-то, скажу вам, своеобразная: каждые полчаса в «бочку» запускались новые зрители. Мы сами и продавали, и отрывали билетики. Потом переодевались за занавеской — шлем, спецприкид... И пошла реветь губерния: пару кружочков по полу, потом по переходной наклонной дорожке, потом все выше и выше, и вы-и-ише стремим мы полет наших пти-иц! Главное, не потерять ориентир, из виду не выпускать такую широкую — белилами на щитах — линию.

Как чувствуешь себя при этом? Да ничего, знаете, вибрация не помеха — тебя так вжимает в стенку, что тело становится тяжелее во много раз. Это только казалось, что мы летали, как птицы. А при скорости в 60 кэмэ в час в «бочке» такой вихрь закручивается, что только щеки парусами раздувает и кишки штопором завинчивает. Публика от восторга взвывала вместе с мотоциклами. Мы с Анной менялись, Рома семижильным был. Мы на родных «ИЖах» тарахтели, а Рома ездил на трофейном BMW, они же вечные. На вид простой, но классный агрегат: двигатель, как у автомобиля, полноценный, хоть и одноцилиндровый... Рома был настоящий ас, мог ездить сидя, боком, задом наперед и даже стоя. Ну а чтоб башка у него совсем не закружилась, он уже с утра прикладывался к пузырю. Так что под вечер аттракцион praванивал не только мотоциклетными выхлопами, но и крепким духом алкоголя.

А какие погоды тем летом стояли! Сухие, жаркие... Мы еще в Виннице купили в «Спорттоварах» спальники и уходили ночевать куда подальше — в лес, в поле... Желтая кукуруза, зеленая трава, черное небо с гранеными стеклышками звезд...

Ну, само собой... вы понимаете... все между нами там и произошло...

Нам было по шестнадцать лет. Можете представить, какой смерч гулял по многострадальному полю, вверенному охране Панаса Редько.

Когда он впервые набрел на нас... Вернее, сначала его собачонка с восторженным лаем вспрыгнула к нам на спальник, потом чья-то рука раздвинула стебли кукурузы и показалась усатая добрейшая физиономия с двустволкой за ухом. Дядька изумленно воскликнул: «Хлопци! Що цэ такэ?!» — он сначала и Анну принял за хлопца; я перед всей этой мотоциклетной эпопеей обскубал ее волшебные волосья чуть не под корень, чтобы где вшей ненароком не подхватить, ну и в «бочке» за что не зацепиться... Разговорились... И, знаете, так он к нам привязался! Каждый божий вечер наведывался. Сказок, баек, притч, страшных историй знал столько, что Гоголь в гробу ворочался. А к ночи ведь на поле все летние запахи слетаются. Издали собачья брехня, как музыкальное сопровождение, цикады вокруг цокают-свиристят, а из лесу вдруг ка-а-ак ухнет сова, как у-у-ухнет... Короче, тиха украинская ночь, и все при ней, что про нее писали.

И тут наш Панас Ягорович со своими байками...

Рассказывал, как дед его работал «на панщине». Почему-то все его истории были связаны с «панами». Такой зачин протяжный: «Во-о-от, едет пан на коне-е-е...» А сколько нечисти разной в его историях водилось — ужас! Вот он уйдет уже, мы угомонимся... и до рассвета по небу меж звезд так и сигает что-то, так и носится. То ли комета летит, то ли звезда падает, то ли ведьма в ступе шкандыбает...

И ведь что значит — юность! На все хватало сил. Мы еще умудрялись ездить на Буг купаться. Там было у нас местечко заветное: крутой берег, на самой кромке горбится корявая сосна, и к толстенной нижней ветви чья-то добрая душа привязала «тарзанку». Хватаешься за нее обеими руками, отбегаешь, разбегаешься и — лети-и-и-шь на этой качели чуть не на середину реки или на сколько там веревки хватит. У меня и сейчас летящая Анна перед глазами: легкая, как листик, вот руки отпустила... падает! Я стою над водой и вглядываюсь — где вынырнет. Секунды тикают... еще... еще... у меня сердце в пятки! И вдруг — под самым берегом — она выныривает из воды!

Такое это было вольное, поднебесно-полетное, мотоциклетное лето...

...Все ж десятый класс мы закончили. И даже неплохо. Можно было поступать в какой-нибудь приличный вуз. В конце концов, этот недотепа, этот комнатный гений Элиэзер еще мог увлечь ее каким-нибудь оптометрическим наваждением... Но к тому времени он эмигрировал в Америку — знаете, эта волна еврейской эмиграции в конце семидесятых. Говорили, что его брат увез. Они и жили вдвоем с братом.

Между прочим, тоже были близнецами, но очень

странными. Тот, другой, был альбиносом. Представьте: то же лицо, только абсолютно белые волосы, брови, ресницы... Когда они рядом стояли, можно было умом тронуться. Вот только второй брательник, в отличие от Элиэзера, нормальным был. Таким молчаливым сухим господином, очень строгим.

Работал архитектором в каком-то институте, проектировал что-то животноводческое. Элиэзер во всем его слушался, просто по струнке ходил, как будто не близнецом был, а сыном... Часто как бывало: сидим мы с Анной у них, чай пьем, беседа такая бурная, споры... они всегда о чем-то непонятном спорили, сидишь между ними, глазами хлопаешь, как на математической или физической конференции: «невидимые пустоты», «загадка ортопозитрония», «искривление световых лучей»... Вдруг входит тот, с работы вернулся. И будто холодом повеяло, ну прямо святой инквизитор явился: «Элик, — говорит, — ты перевозбудился. Пора тебе отдохнуть». Да при этом еще какую-то дикую фразу всегда добавлял: «Не надейся, она не отвалится». Понятия не имею, что это значило. Кто — отвалится? Кто такая «она»?

И мы с Анной как миленькие отбываем восвояси... А может, действительно брат его берег? Ведь этот ее зеркальный кумир мало того, что диабетиком был, еще и депрессиями страдал. Еврей с диабетом и депрессиями — для Киева тех лет это было многовато. Видно, брат посчитал, что ему спокойней будет в Америке.

Анна его разыскала через много лет, Элиэзера этого, — в Индианаполисе, в захолустье. И даже приезжала к нему. Он помогал ей с расчетами в каких-то проектах, но это потом, гораздо позже. Тогда уже он один жил, тяжелый старый толстяк на Восьмой программе... Анну всегда называл «мой ангел Нюта»... Еще жив, кажется. Только ногу ему оттяпали на почве диабета...

...Так про что я?

В то лето, говорю, она как безумная рвалась в цирковое училище, причем не в киевское, рядом с домом, а в Москву. Она, знаете, всегда куда-то стремилась: мчаться, лететь, бежать... Неважно — куда. Главное — прочь отсюда.

А я что? Я при ней уже был. Навеки...

10

«...Она явилась ко мне в гостиничный номер. Я открыл дверь на раздельный троекратный стук — этакие многозначительные удары судьбы, тема Рока.

На пороге стояла она: *хочете видеть красавицу?*

Впервые в жизни я почувствовал, как пол — у трезвого — может уйти из-под ног. И ужасно на себя обозлился.

Ее глаза и в самые-то уютные минуты вызывали беспокойство. Их тревожный цвет — прозрачная зелень морского мелководья, над серыми камешками, что проблескивают под ломким утренним солнцем, — менялся от освещения и, конечно, от этих ее вечных свитерков всех оттенков морской волны, которые так ей шли. Вместе с розовато-смуглой кожей лица это рождало впечатление ветреной свежести, даже когда она, взмыленная, соскакивала с мотоцикла, блестя потным лбом.

Она стояла у меня на пороге, я смотрел на нее и все, все в этих ужасных глазах Горгоны видел. Я в тот миг всю нашу жизнь промчал: бесконечные разлуки, неизбывные скитания, самолеты, поезда, мотоциклы... дороги, города, мотели, концертные залы... и какая-то снежная буря: поваленные деревья, машина в снегу...

Весь этот вихрь закрутился и пронесся передо мной немыслимым штопором. А может, это она мне протелепатировала? Все честно изложила, чтоб не сомневался, — скучно не будет.

И все это предлагалось мне — в мои, как писали классики, преклонные года?!

Я попятился, замахал на нее руками, и сказал: “Нет! Нет! Ради бога!”

Она вошла и закрыла за собою дверь.

...К тому времени я играл в ленинградском заслуженном коллективе и в цирках почти не подхалтуривал. Хотя случалось: заработок не из утомительных, вечерняя работа без особых затрат на репетиции. Марши, вальсы, фокстроты — не бином Ньютона.

А попал в цирковую компанию совершенно случайно, еще в студенческие годы. Друг Алешка, шикарный тромбон, затащил меня к одному приятелю, художнику.

“Он лежачий, — повторял Алешка оживленно. — Представляешь, абсолютно лежачий!” И пока мы не доехали на автобусе до Петроградской стороны и не дошли до типового кирпичного дома, я все не мог понять — зачем о калеке он говорит в таком легкомысленном тоне? Когда вошли, все прояснилось.

Художник действительно валялся на продавленной тахте с томным видом, и головы при нашем появлении не поднял. Ровно год назад, рассказывал тромбон Алешка накатанным запевом, Гриша выполнил большой заказ в цирке, заработал кучу денег. Весь гонорар ему выдали десятками; он принес их домой в пластиковой кошелке, сказал жене — все, пока не кончатся, работать не буду. И весь следующий день работал, как каторжный: обклеивал стены комнаты красненькими, по принципу рыбьей чешуи — легонько за клейкий язычок крепил червонцы рядком, один к другому, затем ряд пониже... Все четыре стены обклеил, после чего залег на тахту в великую лежку. Просыпаясь утром, любовно оглядывал чешуйчатые багряные стены, напевал задумчиво: "Утро красит нежным светом стены дре-е-е-внего Кремля..." А когда в отворенное окно залетал ветерок, стены шевелились рдяным шепотком.

Лежал художник Гриша так уже год, стены выглядели, как крона дерева осенью, сильно пооблетевшая.

Увидев нас, он обрадовался, крикнул: "Ирка, сбегай за водярой!"

Та подошла к стене, осторожно оторвала бумажку и вышла. И пока мы разогревались с морозу, явились еще трое — два крепких парня и девушка, тоже какая-то жилистая, резиновая. Сначала я принял их за ребят из Кировского, потом оказалось: цирковые. Уж больно косноязычны все трое. Балетные — они тоже не спинозы, но все-таки... Так мы с Алешкой, шикарным тромбоном, оказались среди накачанных мышц, крепчайшего мата и легкой, чрезвычайно гибкой морали. И оба радостно ринулись в эту кашу. Платили там мало, но для студентов и это были деньги. Ну а потом, даже когда играл в приличных оркестрах, я все же изредка наведывался к цирковым.

Притягивала меня эта вселенная, — с ее вереницей непередаваемых рож, со своими силачами и коверными, гимнастами, фокусниками, дрессировщиками и зверьем, с красотой мускулистых тел, с париками и накладными носищами. И с обреченной невозможностью жить иной жизнью. Была в них упругая беззаботная сила, обаятельная бездумность. Праздник забытых дорог, повозок, шатров... ненавязчивой обиходной любви.

Словом, что такое цирк и его обитатели, я знал неплохо, кое-с кем дружил, со многими выпивал, а скольких выслушивал — дюжину романов настрогать можно.

Цирковые по жизни — они животные, люди тела. Сплочены, как макаки в стае, пугливы, боятся мира, доверяют только своим. Недаром они живут и работают семьями, целыми поколениями. И чужих принимают неохотно. Цирк — их природная экологическая ниша.

Вскоре я с удивлением обнаружил один существенный парадокс: в большинстве своем цирковые ленивы и не привычны к систематическому труду. Эта жизнь развращает избытком свободного времени. Репетиция часполтора, да и то пока номер нуждается в работе. (Не считая жонглеров — те часов по двенадцать репетируют. Я знал одного, который и на толчке сидя кидал шарики.)

Если сравнивать со спортсменами, цирковых можно уподобить спринтерам. Когда аврал — могут сутками, не выходя из цирка, торчать на подвеске, устанавливать аппаратуру, готовить новый реквизит, костюмы шить. Вечером, на публике, они выкладываются полностью; а после пьют, чтобы снять напряжение. Вообще пьют в цирковом сообществе по-страшному, в основном пиво и портвейн.

Известный в свое время коверный Ким Девяткин прикладываться начинал на утренней зорьке. Едва точка открывалась. Особенно уважал портвешок “Агдам”. К вечернему представлению мог запросто уговорить пяток бутылок, а работа уже шла на автопилоте. Свои репризы бережно хранил неизменными всю творческую жизнь. Лет сорок работал с собачкой Манюней, как Карандаш с Кляксой. Разумеется, Манюня время от времени уходила в мир иной, однако почти сразу возникала ее следующая инкарнация. Сочинять и репетировать новые репризы он не желал, любое творческое усилие считал блажью. И главная задача была — в конце репризы не перепутать форганг с боковым проходом, не утрюхать туда. За этим зорко следила его жена Ниночка, главный лоцман; стояла бдительной сиреной в форганге, громко звала из-за занавеса: "Кимуша, сюда, сюда!" — и тот шел на звук родного голоса.

Помню одного акробата, горького и окончательного пьяницу: на ходуле с подкидной доски он делал три сальто.

— Паша, шо ж ты водки столько жрешь? — спрашивали его. — Как завтра прыгать будешь?

— А я так, — объяснял он, — раз земля мелькнула, два мелькнула. На третьем — открываюсь.

Весь выходной, само собой, в лежку. Ну а после "зеленого спектакля" — это завершающее представление — оттягиваются уже по-настоящему, так что ясно: техников не будет дня три...

Язык, на котором они общались, процентов на девяносто состоял из мата, а на остальные десять приходились глаголы и существительные: "встал в стойку". О цирковых детях принято обычно говорить «родился в опилках", только они говорили "вышли из тырсы", и мне это нравилось: как из гоголевской шинели. Помню, воздушный гимнаст Довейко кричал кому-то в манеже на репетиции: "Я это делал, когда ты еще в тырсе валялся!"

Все интересы, волнения, интриги — все заключалось во всеобъемлющем понятии "цирк". Все разговоры вокруг цирка, все шутки, подначки. Посмеивались над "тырсовиками" — теми, кто всегда внизу: иллюзионистами, коверными, музэксцентриками, мелкой дрессурой. Цирковой элитой считались воздушные гимнасты, акробаты, канатоходцы — словом, группа риска.

И все были чудовищно необразованны и бедны.

Беднее цирковых не было артистов. Они, как цыгане, с легкостью адаптировались в любых условиях, жили табором, то есть семьями, в так называемых гостиницах или общежитиях; там же, в этих гостиницах и готовили на электроплитках. После спектакля я много раз ужинал с ними: каждый приносил из своей комнаты что-нибудь на общий стол — например, картошку, жаренную на плитке.

Из-за бедности все осатанело сражались "за выезд". Заграничные гастроли были единственной возможностью прилично заработать. Собственно, как и в нашей музыкантской среде. Помню, как Мравинский кричал на репетициях: "Знаю я, вам бы только тетю Машу накормить!" Это был эвфемизм, само собой. Привозили шмотки, спекулировали... Словом, "тетю Машу" кормили гастролями.

Везли кто что мог. Были такие, кто привозил по пятьсот пар колготок.

Цирковые контрабанду прятали в контейнерах, в клетках со львами и медведями. А кто туда сунется — таможенник? Ему пока собственная шея не мешает.

Одно время у меня даже был роман с некоей воздушной гимнасткой; правда, я не застал ее расцвета. Она работала на трапеции. Стояла на голове — на штейн-трапе. Такой утяжеленный медленный кач... Блондинка со скульптурными плечами, стройными, несколько подвявшими ногами и спецпоходкой, напоминавшей конский аллюр. Все это сходило за красоту. Она не пропускала ни одного юного униформиста; с похмелья, сидя за общим столом, истомно клала ногу то на стул, то на стол, гнулась, прогибалась, поглаживала подъем ступни или икру, как гладят шею лошади... Вздыхала: скорей бы под купол. Там надежней...

...Стоит ли говорить, что к той минуте, когда в мою жизнь троекратно постучала тема Рока, ни один персонаж этой конторы под названием "Цирк", ни одной романтической искры не мог во мне высечь.

И я бы эту девицу с удовольствием отправил восвояси щелчком под зад... если б не давний вечер в киевской квартире; если б не грохот, прыжки, тарарам и топот смешной девчонки и — между шалостями — точно названный день моего рождения. Да и что там скрывать — если б не странные дрожь и тяжесть, разлившиеся во всем теле, как только раздался этот стук.

Между прочим, накануне я видел их номер — тот, знаменитый, с доской. Если уж быть честным с самим собой до конца, ради этого я на день отложил свой отъезд в Питер. Просто явился вечером на представление.

Это был действительно романтичный, эффектный номер. И музыка подобрана точно — фонограмма группы "Спейс", легчайшие волнообразные перекаты, бесплотные, лунные.

В полной тьме перекрестные лучи пушек высветили мужскую фигуру в белом атласном трико. Он вышел на середину каната с доской вместо балансира — длинной доской, метров в шесть, — опустил ее на канат, легко уравновесил ногами. И с противоположных мостов спустились две женских фигурки, мягко ступая и балансируя веерами. Вот они сошлись...

Насколько я понимал в подобных вещах, для гимнасток это было очень сложно: одновременно ступить правой ногой на доску и перенести левую. Тут нужна была полная синхронность, чтобы не перевесить какой-нибудь край, рассчитать, как далеко ставить ногу, когда приставлять вторую, как погасить возможный кач... Короче, все трое работали филигранно.

Обе девушки медленно, боком, начали расходиться скользящими шажками к краям доски. Видно было, как она прогибалась и вибрировала. Пушки парами скользили за обеими артистками. Каждая была высвечена в рост, красным и синим лучами. И так они расходились к краям, и на самом конце доски — особый шик — пятки зависли над пустотой и под обморочный вздох зала возвратились на доску. Обе синхронно развернулись лицом к центру и замерли в полувыпаде. Тут публика взорвалась овацией.

В это время артист покинул канат. Остались две одинокие фигурки по краям доски.

Включился зеркальный шар, рассыпая по залу хлопья белого света, словно медленный снегопад поплыл. И неожиданно для публики один конец доски стал проваливаться вниз. Девушки начали свой кач — все шире и шире. Да... Это было весьма эффектно: очень длинные качели висели в снегопаде на десятиметровой высоте, и две легкие фигурки балансировали на краях в лучах прожекторов, раскачиваясь все рискованней в сумасшедшем вращении зеркального шара...

Зал уже просто ревел.

А я не отрываясь следил только за одной. Другая была отличной гимнасткой, отличной, профессиональной гимнасткой с великолепной и очень женственной фигурой. А эта... стремительная, как стрижик, просто была рождена медленным снегопадом, лунным полетом и, казалось мне, если б оступилась и сорвалась — как ни в чем не бывало продолжила бы вздыматься к колосникам и медленно опускаться чуть не до ковра, и опять вздыматься...

Я не стал дослушивать овацию, досматривать “комплименты” и прочие восторги благодарной публики. Вытер платком вспотевшие ладони и вышел на воздух. Решил перестать валять дурака и тем же вечером выехать в Питер.

...И вот — я уже и сумку дорожную уложил — она постучала и вошла, на вид ну совсем подросток, презрительно оттерев меня с моей чуть ли не истерикой — “нет-нет, ни за что!”...

Кажется, она сказала, что мы отныне принадлежим друг другу — какая-то пошлость в этом роде.

Я спросил: не спятила ли она, девчонка, соплячка? Вы понимаете, спросил я сурово, на сколько я старше вас?

Молчи, отозвалась она, мне плевать.

Я сказал: нет уж, извините, я не педофил. Я, знаете, люблю зрелых дам, тяжелые груди, вислый зад, ножки рояльные, для аккомпанеме...

Она молча толкнула меня со всего размаху в грудь, бросилась в меня, как с моста бросаются в реку, мы свалились на пол, и мощное течение поволокло нас беспощадно, неумолимо, швыряя и крутя, как щепки.

И с той минуты... да-да: “*усилие ноги и судорога торса с вращением вкруг собственной оси рождают тот полет, которого душа как в девках заждалась...*” — с той минуты — как это писали в классических романах? — “участь моя была решена”...»

11

Болезнь Машина проявилась внезапно и странно: в вестибюле здания телевизионного центра, куда Маша приехала аккомпанировать ансамблю балалаечников музыкальной школы, она вошла в лифт вместе с какой-то невзрачной женщиной, отвернулась к стене и вдруг поняла, что, если обернется, увидит у женщины клыки.

Маша судорожно выхватила из сумки пудреницу, раскрыла ее и зеркальцем поймала тусклое лицо женщины. Та равнодушно скользила взглядом по стене. Однако неизъяснимо зловещим было именно то, что в круглом зеркальце, позади женщины, затылком к Маше стоял некто, держа в руке зеркальце, и ряд затылков и лиц множился, уже неразличимо утекая в жерло пудреницы там, в бесконечной сфере латунного обморока.

Лифт остановился, Маша вышла, волоча ноги, и усилием воли сбросила отвратительное наваждение. К обеду о происшествии забыла.

Недели через три они с Анатолием пошли на концерт оркестра Французского радио под управлением Клюитанса (программа редчайшая — симфонии Лало, например), и моя руки в отделанном по всему периметру зеркалами туалете киноконцертного зала «Украина»,

Маша подняла голову и в зеркале за своим отражением увидела спину и затылок некоей женщины, моющей руки. А перед той, в отдалении и слева, опять стояла *другая Маша*, моющая руки, — и явно усмехалась, и даже подмигивала той, что стояла симметрично справа... Обе они переглядывались и посмеивались над *настоящей Машей*.

Ей стало дурно там же, и две сердобольные зрительницы, одна из которых, по счастью, оказалась медсестрой какой-то больницы, пропустили минут пятнадцать второго отделения концерта, приводя Машу в чувство. А Толя сначала сидел в зале как на иголках, потом метался по фойе, не зная, что и думать.

После чего уже невозможно стало скрывать от него всю эту гнусную чепуху.

Ну и дальше — Яков Миронович Стелькин, известный психиатр, к которому за два месяца записываются, но, слава богу, свой мир, врачебный... Толя в тот же вечер позвонил ему прямо домой, и Стелькин — вот что значит воспитание и коллегиальность! — повел себя, как родной: и принял сразу, и успокоил, и уговорил «отдохнуть и подлечиться»...

Маша посветлела, они еще погуляли с Толей в центре, прошлись по Крещатику — ведь редко гуляешь просто так! — заглянули в универмаг и купили Маше очаровательную шляпку «раньшего времени», стилизованную под двадцатые годы, с обрывком вуали. Эта вуалька чудо как хороша была Маше — вылитая Мэри Пикфорд. Жаль, что она не хотела посмотреть на себя в круглое зеркало на прилавке.

Потом посидели в кафе «Грот», съели по «сливочному». Вспоминали, как именно здесь, в захудалой киношке «Дружба» много лет назад Толя сделал Маше предложение, от волнения перепутав все на свете слова, комкая ее ладошку и бормоча: «Разрешите объявить вам свою любовь!»

И сейчас он ел мороженое, то и дела восклицая: «Мадам Нестеренко! Разрешите объявить вам свою...»

Машута улыбнулась даже раза два.

В последние недели они совсем не говорили о Нюте — Маша запретила. Толя пытался замолвить словечко за дочь — вспоминал, как в юности сам сбежал из Мариуполя на заработки, аж на Белое море, прибился к биологической станции. И ничего, Машута, видишь, все обошлось, все остались приличными людьми... Она его обрывала такой мучительной судорогой рта, словно давилась нутряным воем, — он сразу умолкал. И то сказать: паренек на биостанции и девчонка, выжигающая круги на мотоцикле в базарной «бочке» с пьяным мужичьем, — вещи разные. Главное, вообще не думать — где там она летает, мой ангел мотоциклетный...

...Когда поднялись по лестнице к своей двери и Толя, привычно щелкнув выключателем в прихожей, озарил в зеркале худенькую и сутуловатую незнакомую женщину в допотопной, черным пирожком, шляпке минувших времен, Маша отшатнулась, осела на пол, страдальчески навзрыд крича: убери, убери! Шляпка со стуком упала с головы и покатилась в угол смешным черным колобком.

Толя подхватил жену под мышки, поволок в спальню, раздевал, успокаивал... Затем долго, чертыхаясь, вытягивал плоскогубцами из стены старые гвозди. Снял тяжелое старинное зеркало в резной овальной раме, и — «черт, словно покойник в доме!» — в кладовке отвернул его к стене.

Ну, валокордин, валерьянка... прочие припарки мертвому — в доме, где все были всегда здоровы, не нашлось нужных средств, даже снотворного сильного не оказалось, да и с чего бы? С трудом дотянули до утра, и Толя на такси отвез Машу в знаменитую больницу Павлова, что на Куреневке, где и просидел с ней до вечера.

* * *

Этой ночью Нюте приснился один из самых тяжелых кошмаров в ее жизни: растрепанная, с опухшим, не своим лицом Машута била зеркала.

Высокие учрежденческие зеркала, вделанные в стены, лопались с тихим треском, змеясь кривыми множественными ранами. Босая Машута металась с немыми воплями от зеркала к зеркалу и каблуками туфель, зажатых в обеих руках, колошматила направо и налево.

Но самое страшное: одновременно это были и сокровенные *зеркала*, что отражали весь живой мир ее дочери, и этот хрупкий мир с каждым ударом, с каждым воплем торжествующей безумной Машуты осыпался, струился кровавыми трещинами...

Нюта с трудом очнулась.

Лежала распластанная, будто переломанная, не в силах двинуться. Старалась понять — за что? Как слепец пыталась нащупать выход из завала осколков. Над нею школьной доской лежало беспросветное небо. Наконец оно зазеленело рассветной ряской. Собрав всю волю, Нюта рывком поднялась.

— Ты куда? — сонно спросил Володька.

Она молчала, запихивая свои вещички в рюкзак. У нее ныло тело, от сверлящей боли раскалывалась голова, но главное — *зеркала*... погашены были, раздавлены все *зеркала*. И теперь так долго, так мучительно долго они будут нарастать слой за слоем, тонким накатом, пленкой, отраженным блеском, зыблющим светом — неделями...

Сейчас она ничего *не видела*. Просто сердцем знала, что с Машутой несчастье.

Сказала хриплым больным голосом:

— Я, Володя, домой... домой должна ехать. Там у нас беда.

— Откуда ты знаешь? — оторопело спросил он. Еще не привык... не ощутил колыхания бездны у нее под ногами. Она задержала взгляд на нем: белесый ежик, лицо со сна обескураженное, детское, губы черные от вчерашней лесной черники... Бедный ты мой.

Одна, подумала обреченно. Не втягивай, ты должна быть одна!

И тихо проговорила:

— Знаю.

* * *

Машу и Анатолия мучительно сопровождала по всем *новым маршрутам* старая жизнь: именно в Кирилловскую церковь, что на территории психиатрической больницы, Маша привела Анатолия в первое же свидание — показывать Врубелеские образа в иконостасе. И объясняла, что икона Богоматери, с таким неканоническим, страдальческим лицом, написана с женщины по имени Эмилия, чужой жены, в которую Врубель тайно был влюблен. И Толя так серьезно, так *лично* смотрел, а потом сказал, что для любящего мужчины его женщина — всегда Богоматерь. И за эти его слова Маша сразу же безоглядно влюбилась в него на всю жизнь...

Дочери он телеграммы не отбивал. Да и куда отбивать — на деревню в «бочку»?

Но когда вечером, возвращаясь из больницы, подошел к дому со стороны Владимирской, по многолетней привычке поднял глаза и вдруг увидел освещенное окно кухни — ахнул и взбежал по лестнице, как молодой.

Ослепшая и оглохшая, с огромным — от зеркала — бельмом прихожая тоже была освещена.

Нюта вышла из кухни, стояла в проеме двери, не приближаясь.

Она была прекрасна — загорелая, тонкая, с короткими, но вьющимися, темно-золотыми от солнца волосами, с яркими глазами, в которых плескалась водная стихия. От нее веяло здоровой свежей провинцией, купанием в Буге, всеми злаками, плодами и волей украинского лета.

Грузно опустившись на старую козетку с вытертым вишневым бархатом, не сводя с дочери глаз, Анатолий глухо проговорил:

— А у нас, Нюта, беда... — и тоскливо подумал: зачем я это говорю? Она же все...

— Я знаю, папа, — сказала она спокойно. Подошла, обняла его голову, прижала к груди. И Анатолий не выдержал и заплакал, впервые в жизни заплакал, ничуть не стесняясь дочери.

Когда позже они на кухне пили чай, он тихо сказал ей:

— Нютонька... как бы нам... изменить нашу жизнь?

Дочь ответила, глядя ему в глаза:

— Она уже изменилась, папа. Ничего не поделаешь. А ты не убивайся так. Машута вернется. Недель через пять.

И действительно, уже через полтора месяца новенькая и хрупко-спокойная Маша диктовала ученикам шестого класса музыкальной школы даты биографии Ференца Листа, выдающегося венгерского композитора, чья дочь Козима знаменита еще тем, что, выйдя замуж за Рихарда Вагнера...

Вот только зеркало теперь стояло в кладовке, в глухую стену плеща потаенной морской глубиной.

Часть третья

...но лишь боги могут положить предел вольностям нашего ума. Если же они не желают вмешиваться, мы принуждены выдумывать свои собственные законы или в страхе ходить по пугающему бездорожью свободы, мечтая найти опору хотя бы в запертых воротах, хотя бы в глухой стене[1].

Торнтон Уайлдер.
Мартовские иды.

1 Пер. *Е. Голышевой.*

12

На подоконнике в кухне общежития лежит петушок на палочке — липкий розовый леденец, завернутый в фольгу от шоколада «Аленка».

Это общественный петушок.

Студенты циркового училища им закусывают, вернее, зализывают портвейн от случая к случаю. Лизнут по разу-другому и бережливо завернут в фольгу до следующей выпивки. Иногда кажется, что он лежит здесь уже лет десять и несколько поколений цирковых взрослили на этом золотом петушке.

Вообще за выпивку, если поймают, могут и отчислить. Время от времени общагу прочесывает комиссия. Ходят по комнатам два-три педагога, топают-маршируют, во все углы заглядывают, кастрюли инспектируют — прямо гестапо. Прихватив бутылки, нарушители с верхнего этажа, «мужского», сигают на улицу через окно первого этажа — из комнаты, где живет Анна с еще двумя студентками.

Комната — в чем удобство-то — угловая, самая дальняя по коридору. К тому же, рядом с окном проходит по фасаду отличная крепкая труба. Так что именно в это окно через форточку можно в общагу нырнуть и так же втихую вынырнуть.

Вечерами у них настоящий проходной двор. Девушки уже и дверь не запирают, чтоб не будили их. Прибег ты, убег ты — дело личное, но проскальзывай бесшумно, дай людям поспать. Завтра с утра занятия.

Впрочем, среди педагогов были и «свои», из бывших артистов.

Однажды нагрянула комиссия нравов, и ребята примчались к заветному лазу. Человек пять-шесть бесшумно и ловко — чему-то же учат в нашем славном училище — высыпались через форточку один за другим. Наконец, последний выскользнул угрем, мягко спрыгнул на землю.

Анна подошла к окну — форточку притворить, и — обмерла. В черной тени большого тополя во дворе кто-то шевельнулся, и на свет фонаря вышел, прихрамывая, старичок Фирс Петрович Земцев, педагог по жонглированию. Подошел к окну, головой покачал и тихо проговорил, ухмыляясь: «Ах, Нестеренко-Нестеренко... Ах ты, бестолковка!» Значит, наблюдал срочную эвакуацию молча, никому не сказал.

Касаемо выпивки: она, в основном, какая? — портвейн или сладковатая «Лидия», с могучей-то стипендии аж в тридцать рублей. Отличница Анна получает повышенную стипендию — целых тридцать пять рубликов. Володька же обязательно провалит один-два предмета, потом пыхтит-готовится, мучается, пересдает... Весь процесс учебы у него — как тришкин кафтан: пересдал зарубежный театр — провалил музвоспитание; дозубрил одно — из башки другое вывалилось. Зато ритмика, танец, специализация — сокращенно «спец» или «спецуха» — у Володьки всегда в полном порядке.

Обедать бегали в столовую издательства «Правда», недалеко от училища. Там за полтинник давали приличный комплексный обед: на первое щи или борщ, на второе какой-нибудь гуляш с обычным советским гарниром — резиновые макароны или жидкое пюре. Можно и котлеты взять, но в гуляше что ценно: подливка. Насобираешь со столов оставшийся хлеб, и макай себе в подливу. Иногда еще салат выставляли из свежей ватной капусты с майонезом — витамины все же. Ну, и компот с дохлыми медузами разваристых яблок и абрикосов. Короче, нормально, жить можно.

А уж в день стипендии, если долгов набежало не очень много, душа развернется — можно и «Шашлычную» на Неглинке навестить, или тот же «Полевой стан», нареченный студентами *половым*, конечно же, *станом*...

Ну и в общежитии с голоду помереть не дадут. То Нинке от родителей придет посылка из Винницы с булыжником шоколада, ворованного с тамошней шоколадной фабрики, то Надежда удачно спекульнет лифчиками (ее сеструха работает на фабрике трикотажного белья в Минске, и младшенькой, студентке, помогает «натурой»).

А можно скинуться и накупить картошки, нажарить от пуза. Или засандалить богатый супешник в огромном эмалированном баке, забросив туда все, что нашаришь по тумбочкам, — как солдат варил похлебку из топора. И уплетать его будут все два этажа — и второй, мужской, и первый, девичий, — дня три за обе щеки. Да на такой суп еще и актеры набегут — Щепкинское училище с их общежитием тут же, в одном дворе с цирковым.

Вечерами бывало весело. Нинка, соседка Анны по комнате, — хохотушка, анекдотчица, бренчалка на семиструнной гитаре; игриво ее пощипывает и громко поет, дабы заглушить фальшивое звучание струн. «Стойте, стойте! — кричит посреди песни. — Анекдот вспомнила: плывут на корабле русский, армян и жид...»

Есть еще красавица-латышка Сандра, но в конце первого курса она бросит училище — как острили однокурсники, «по инвалидности: страшенная водянка». Водянка не водянка, а живот вырос. Это бывает, если потеряешь бдительность. Беременной на трапеции не покувыркаешься. Но Сандре, можно сказать, повезло: ухажер — он не цирковой, посторонний, — вдруг сделал ей предложение. Она даже изумилась: надо же, какой парень попался сознательный! Так что Сандра неожиданно становится москвичкой.

Лет через десять после представления в Старом цирке Соломонского на Цветном — того последнего сезона, после которого цирк закрылся и пошел на слом, — к ним с Володькой прорвется в гардеробную дебелая блондинка с двумя своими мальчиками, целовать бросится, будет говорить какие-то ласковые слова...

Такой вот привет из юности.

И Анна в своем ослепительном костюме, затянутая в узкий, сверкающий камнями лонжевой поясок, еще не снявшая пышного плюмажа с вьющихся волос, будет стоять и улыбаться. И так вдруг захочется ей ладонью провести по двум этим вихрастым макушкам...

* * *

Но здание училища ГУЦЭИ на 5-й улице Ямского Поля, небольшое, уютное, с первых же дней стало родным.

Влетаешь в вестибюль, сдаешь куртку в гардероб, бегло проверяешь почту — нет ли письма от отца, не нацарапала ли Христина открытку? — и мчишься дальше. Напротив двери — открытый, словно кулисы на сцене, — проем: за ним вправо и влево разбегается коридор, что охватывает полукольцом главный «круглый» манеж. Там репетируют выпускные номера, идут просмотры, экзамены, спектакли — но до этого и Анне, и Володьке пока далеко.

На первом этаже еще учительская, буфет, раздевалки-душевые, мастерская и гримерная.

А вот на втором этаже, в большом репетиционном зале, на «квадратном манеже» занимаются первые два курса. И это настоящий манеж, почти как в цирке: внизу по всему периметру — барьер, на полу мягкое ковровое покрытие на опилках; по верху — опоясывающий балкон. Ну и, само собой, все снаряды, что для занятий требуются: брусья, кольца, трапеция, дорожка для акробатов, низкая проволока...

Первое занятие по гимнастике — постыдное, унизительное — Анна всю жизнь помнила. Учебная трапеция, ничего особенного. Но эта мерзавка вихлявая пляшет под тобой, точно живая: чуть пошевелишься — болтает во все стороны, встанешь на нее — норовит выскочить из-под ног. И чем больше пытаешься усмирить, тем меньше она тебя слушается. И дело, конечно, не в страхе: по всем правилам безопасности Анна пристегнута к лонже за лонжевой поясок на талии. Тонкий трос уходит от Анны вверх, перекинут через блок, закрепленный на потолке и свободно ездит на ролике. А другой конец троса, что заканчивается веревкой, держит внизу педагог — страхует. Правда, чаще говорят «пассирует», и это по-своему большое искусство: держа веревку лонжи, нужно постоянно выбирать слабину, чтобы люфт не образовался — иначе, сорвавшись с трапеции, студентка может травмироваться. Однако выбирая слабину, важно не потянуть слишком сильно, а то просто сдернешь вниз несчастную, которая и без того болтается на трапеции, как праздничный флажок на шесте.

Трапеция напоминала их с Володькой «тарзанку» на Южном Буге. Со злости казалось — сейчас разбегусь, повисну, и понесет меня прямо на огромное окно и сквозь окно — на улицу.

Внизу Лазурин стоял, курсовой педагог Анны. Сверху его желтая лысинка в цыганистых кудрях казалась пятаком в траве. Он натягивал пристегнутую к ее поясу лонжу и насмешливо покрикивал:

— Гляньте-ка на эту! Еще мечтает воздушной гимнасткой стать! Ну-ка, вались! Кому сказал — вались!

Анна закрыла глаза, стиснула зубы и отпустила руки. Резкий сдвиг всего тела вниз и влево — оп-ля! — она ощутила, что висит на поясе. А Лазурин еще подергал ее вверх-вниз, вверх-вниз, точно мартышку. Как в детстве она крутила несчастного акробата на перекладине. Так и висела обмякшим кулем, зажмурившись, боясь представить, как позорно выглядит со стороны.

— Ну, — сказал Валентин Семенович, — понимаешь, что никуда не денешься? А теперь расслабься... Становись опять... Та-а-ак... Постой, привыкни...

Валентин Семенович оказался человеком сумрачным, без сантиментов. Но школа у него была отличная: жесткая и требовательная. Учил наотмашь, не жалея и не особо церемонясь в выражениях. В иные моменты мог и матерком прошить.

Занятия, — хочешь ты или не хочешь, стесняешься или наоборот, мечтаешь себя показать, — открытые. Приходи и смотри любой. Вверху, на балконе, среди студентов постарше, на фоне вечной «Ленинианы» под плакатом с красным серпом и молотом, частенько топтался Володька. Переживал за нее... и хищно, тревожно поглядывал вокруг — ревновал, бедняга.

Анна иногда оглядывалась на него, беглым взглядом цепляла: даже отсюда видно, как он крепко сбит, какой торс красивый, как за последние месяцы вылепились бицепсы и мышцы груди, — неожиданное, новое для них обоих, спокойно-профессиональное отношение всех вокруг к полуголому телу.

Как пришел с утра в училище, переоделся в темный купальник и трико, так весь день и ходишь. С девяти утра до девяти вечера, все предметы вперемешку, так что на лекции не переодевались — в купальниках сидели, в гимнастической униформе. Друг к другу все уже привыкли. Когда жара наступала, сидели на лекциях полуголые.

Ну и душ — кабинки открытые, как в казарме. Стесняйся не стесняйся, а пот смыть после занятий хочется. Тем более, что в общежитии на Пушечной никакого душа нет, только туалет в конце коридора.

А на репетиции вымотаешься так, что в дýше не только по сторонам не смотришь — тебе плевать, кто смотрит на тебя. Смоешь пену, сослепу нащупаешь застиранное вафельное полотенце, разотрешься посильнее и даже застонешь — такая крепатура!

Гимнастика вытягивала все силы, кожа на ладонях трескалась, мозоли кровоточили. Главная мечта после занятий: доползти до общаги и — в койку. Вот жонглерам хорошо: отойдут в уголок и кидают, как заведенные. А чего не кидать: стой себе, клешнями шевели. Хотя и у них, бывало, трескались ладони от колец.

Именно Лазурин за три года блестяще отработал с ней всю технику, ту, что потом ни разу ее не подвела: кач на ногах, на руках, повороты, «флажок», обрывы в носки и в пятки — все это въелось в мышцы, в сухожилия, ощущалось уже пластикой собственных движений. Стало походкой, разворотом плеч, иногда и мыслями.

— Трюк, — говорил он, — любой трюк, если делать его по правилам, безопасен. Вот обрыв в носки: развела ноги, взяла на себя носки «утюжком»... Так... Теперь — отбросила тело назад!.. Молодец, молодец!.. Главное, вывернуть голеностопы врозь, наружу, тогда ноги прочно застрянут в углах трапеции, и ты виси себе... Поняла? Поначалу страшно головой-то в бездну, потом привыкнешь... А потом — понравится!

Потом ей и вправду нравилось, особенно не на статичной трапеции, а в каче.

Раскачаешь длинную пятиметровую трапецию как можно выше, так что в крайних точках амплитуды достигаешь почти горизонтали. И в момент, когда трапеция взлетает назад до предела, ты отпускаешь руки и продолжаешь движение спиной — вылетаешь из нее по той же траектории, цепляешь за углы ногами. И уже повиснув, распахиваешь руки, будто хочешь обнять весь мир. Трапеция уносит тебя в длинный кач, ты слышишь «а-а-а-х!» — и аплодисменты. И летишь... летишь, чуть не истаивая в невесомости...

А тело просит еще, еще выше, еще дальше, как будто хочет прошить невидимую пленку этого мира и оказаться там, в запредельном пространстве, в другой, зеркальной вселенной...

По первому году Анна с Володькой, лишь только выпадала свободная минута, прибегали на балкон «квадратного манежа». Особенно если репетировала сольный номер на трапеции Таня Маневич — воздушная гимнастка, звезда выпуска. Сам Лазурин считал, что она абсолютно гениальна. Легкая тонкая фигурка оплетала, шнуровала собою перекладину трапеции, вниз-вверх, вверх-вниз — резко, отточенно, в немыслимом темпе!

Анне порой казалось: отпусти сейчас Таня руки — полетела бы себе дальше по периметру зала, поднимаясь все выше, и снова резко ныряя вниз, и почти у пола взмывая опять к перекладине...

* * *

Среди педагогов — цирковых на пенсии — много людей непростых. Каждый наособицу, с какой-нибудь эдакой судьбой, да с заковыристым характером, да с манерами такими, что хоть стой, хоть падай.

Например, Клавдия Ивановна Мастыркина.

Реликт училища, ну просто баобаб священной рощи, преподавала с года основания — с двадцать шестого! Еще Карандаша выпускала. Вела она танец. Марципановая фея без возраста, с мелодичным голоском мультипликационной Белоснежки, с нарумяненными щечками-яблочками и... байковыми рейтузами под юбкой-шотландкой. Поначалу все первогодки просто штабелями у станка валились, когда Клавдия Ивановна невозмутимо задирала ножку в высокий аттитюд, демонстрируя интимную панораму нежно-голубых байковых полей. Потом привыкли, перестали обращать внимание.

У многих поколений выпускников циркового училища голубые рейтузы Клавдии Ивановны стали чуть ли не самым трогательным воспоминанием об «альма матер».

Но всеобщей любимицей была Элина Яковлевна Подворская — за глаза ее называли «Элькой»: небольшого роста, изысканно саркастичная, с седыми курчавыми волосами и шеей борца.

Она вела историю зарубежного театра и историю цирка. Помнила имена и даже клички всех своих выпускников, и все о них понимала. Учились тут в большинстве своем дети артистов: неучи, цыганята, вся жизнь на колесах. Акробаты, которым голова нужна была, «чтобы ею кушать».

Элина Яковлевна вбивала в них Софоклов и Еврипидов с поистине античным упорством. Говорила: интеллигентов из вас я сделать не мечтаю, но хоть не стыдно будет, ежели где рот откроете.

— Пять процентов! — восклицала она. — В ваших тесных головах должно остаться пять процентов того, что я даю, — и я могу спокойно умереть.

Знания драла с них, как мытарь — невозвратный долг. Имена персонажей Шекспира и занудных древнегреческих трагедий требовала знать наизусть. Вызывала с ехидной улыбочкой, ко всем обращалась на «вы». И чем безнадежней студент, чем медленнее думает и с бóльшим скрипом рот открывает, тем это «вы» объемней и многозначительней...

Потом, на переплетениях и развилках цирковых дорог Анне случалось сталкиваться с выпускниками их училища, чей лексикон своей убогостью мог изумить цирковую лошадь. Но Антигону с Электрой они ни за что бы не перепутали: Элькина выучка.

* * *

В конце первого курса Анна едва не бросила училище.

Однажды после репетиции (Лазурин кричал, бранился и раза два больнехонько врезал по коленке, как бы ее выпрямляя), она стояла намыленная под вялой струей из проржавленной головки душа. Сладко ныли под горячей водой изнуренные мышцы, отмякая от напряжения.

— Привет, Нестеренко!

Анне и глаз не требовалось открывать, чтобы узнать голос Тани Маневич: низкий, приятно картавый, как будто она досасывала за щекой карамельку... такую кисленькую «кавамельку»...

— Ну чё... видева тебя щас... Очень даж непвохо. Флажок только девжи. Пвижмись к руке и фиксивуй... Все пойдет.

Анна вспыхнула, булькнула, нырнула под струю и стала торопливо смывать с лица и волос мыльную пену, чтобы поблагодарить, сказать, что она-то всегда, разинув рот, следит за...

Таня стояла возле деревянной скамьи спиной к Анне, вешала на крючок снятый купальник. Высокая, даже слишком высокая для гимнастки фигура безупречной стати. Вытянутая, изумительно пролепленная годами занятий, спина вырастала, как из вазы, из скульптурных ягодиц. Таня взяла полотенце, обернулась, готовая шагнуть в соседнюю кабинку: ну просто древняя Греция, никакого музея не надо, стой и любуйся. Особенно грудь — небольшая, «закаченная», как у всех гимнасток, широко расставленная сильная грудь поражала классически эллинским соотношением к талии, бедрам, мускулистому животу.

Анна — пока та не вошла в кабинку — торопливо отерла полотенцем лицо, чтобы наконец сказать этой потрясающей прекрасной и щедрой девушке, что...

...и вдруг за телесной плотностью живой Тани Маневич увидела другую, полупрозрачную Таню — бесформенным кулем на ковре манежа, с открытыми мертвыми глазами. И также мертво, равнодушно покачивалась высоко над манежем опустевшая трапеция, болталась порванная лонжа...

Анна дико вскрикнула.

Таня шарахнулась в сторону, поскользнулась на мокром кафельном полу душевой, грохнулась на бок...

Анна продолжала кричать от ужаса. Впервые, безо всякого ее желания, наотмашь и больно, как удар бича, *зеркала показали ей смерть*.

Захлопали двери, в душевую влетело несколько человек.

— Чё, чё там? Подрались? — спрашивал кто-то из коридора.

— Да не, не похоже... Мож, крысу увидала...

Таня, завернутая в полотенце, растерянно повторяла:

— Да она чокнутая, чокнутая... как заорет ни с того ни с сего!

Мокрая, дрожащая, обезумевшая Анна отпихивала чьи-то руки, что пытались укрыть ее, успокоить, и умоляюще бормотала:

— Таня! Лонжа порвется! На трапецию... никогда! — Кто-то из девочек помогал ей одеться, ее уже тащили из душевой, а она все упиралась, и кричала, не унимая дрожи: — Не иди больше в манеж, Таня!.. Никогда в жизни!!!

Наконец, ее утащили.

— Я ж говорю, больная какая-то, — объясняла подруге Таня, расстроенно изучая кровоточащую длинную ссадину на бедре. — Ниче себе: «в манеж не иди». А куда мне идти? В киоск — мовоженым товговать? Вот, блин, — пвосмотр через неделю, а я с подавочком!

— Мож, завидует, — удивлялась подруга.

...В день, когда Таня Маневич разбилась насмерть на последней перед выпускным экзаменом репетиции на «круглом» манеже, кто-то вспомнил о случае в душевой. Конечно, лонжа рвется запросто, если трос завернут кольцами. А там весь трос был в «барашках»... Но как можно заранее знать?

Имя Анны всплыло и повторялось во всех классах, в буфете, даже в учительской. Повторялось глухо и потрясенно. Знала? Но как?! Говорят, завидовала страшно. Да что вы? Нет, не скажите, может, и предрассудки, а я вот знаю у нас в Малеевке одну бабку... Так вы считаете, что тут сознательная порча?! А что, я б не удивилась... Девочки, да сглазила она ее, сжила со свету!

Володька примчался в общежитие, влетел в комнату, где на своей койке, лицом к стене лежала Анна, а вокруг нее сердобольно, хотя и опасливо расселись три сокурсницы.

— Убью сейчас всех, кто! — рявкнул он, тяжело дыша. — Все на хер отсюда все!

И когда из комнаты, испуганно застревая в дверях, выкатились девушки, он лег к Анне, просунул руку под бок, обхватил тесным кольцом, намертво впечатался в легкое, почти бесчувственное тело.

Он не знал, и знать не желал, сделала она *это* нарочно или случайно. Хотела этого или не хотела. Он любил ее так, что если б для ее спокойствия пришлось убить пятерых, он совершил бы это — с обреченной молельной истовостью.

Но как бы тесно ни вжимались они друг в друга, она знала, что осталась одна, обреченно одна перед ужасающей бездной, куда распахивались — всегда внезапно — ее *зеркала*. Она знала: та безжалостная сила, что ворочала, месила и ломала ее, забавляясь этой неравной борьбой, уже не отпустит свою игрушку. Таинственная эта сила то замирала на целые месяцы, то внезапным выхлестом гигантского удава сбивала ее с ног и сгибала, подбрасывала, ловила, обжигала и скручивала до распяленного в беззвучии рта, до немого вопля: пощади!

Теперь она ежеминутно чувствовала — за ней следят с насмешливым любованием: нут-ка, вот тебе картинка, глянь — эка заваруха?.. Побежи-побежи... дай полюбоваться, человечек... дай потешиться на твои метания, на усилья твоей бессмертной — хэ! — души...

Нет... Нет! Ты можешь убить меня, сказала она беззвучно этой непостижимой чудовищной силе, можешь сломать меня, раскрошить на кусочки. Можешь в пыль меня стереть. Но и только.

Ты больше не потешишься... Не развлечешься мною.

Нет! Ты мной не развлечешься.

* * *

В том году в училище отменили просмотры и выпускные спектакли.

А Володька с Анной подрядились на летние гастроли в Горький от шараги такой, «Московский цирк на сцене».

В эту концертную бригаду (жанр: немудреная эстрада с легким уклоном в цирк) — Анну взяли Белоснежкой на роликах. Володька — бородатый гном — улепетывал от Белоснежки, лихо крутя педали, на моноцикле — одноколесном велосипеде. Комическая сценка на три минуты — школьная акробатика, плевые трюки, легкий веселый хлеб, летняя синекура.

Администратором концертной бригады, собранной за неделю по принципу «с бору по сосенке», был пожилой артист, вернее, бывший артист, закрученный штопором. Ходил боком, неотрывно глядя себе за левое плечо. У него и кличка была — «Штопор». Когда-то в молодости работал верхним в номере групповой акробатики. В свободные дни ребята наладились выступать по клубам в провинции. Однажды на представлении в каком-то клубе, работая в пирамиде, стоя головой в голове нижнего, большим пальцем ноги он угодил точнехонько в патрон лампочки. Током пробило всю группу.

С тех гастролей Штопор получил свою кличку, а с ней инвалидность. Но его пронырливая натура не терпела простоя. Каждое лето, пробив через кореша-чиновника в Министерстве культуры разрешение на гастроли, он набирал очередную свою бедовую команду. Помимо зеленого молодняка — студентов циркового училища, которым платили сущие копейки, выписывая остаток на кого угодно, — программу украшали артисты и более опытные, то есть куда более спившиеся.

Например, музыкальный эксцентрик Жека, бездарный до такой степени, что директора цирков предпочитали его номер снимать с представлений, платя ему полную ставку, — лишь бы не позорил.

При фантастическом невежестве — Жека и средней школы не осилил — он взрастил в себе поистине наполеоновские амбиции. Говорил весомо, любил вставлять в разговор умные словечки собственного измышления. Если проваливал номер, считал это непрухой, случайностью, коварством судьбы. «Сплошные экстрессы и незаурядицы», — говорил он. С уборщицами, конюхами, униформой разговаривал высокомерным густым баритоном. С ведущими артистами и администрацией переходил на блеющий тенорок. Если назревала драка, мгновенно переключал голосовой регистр на пронзительный визг. То есть диапазоном собственного голоса демонстрировал и подтверждал специализацию: музыкальная эквилибристика.

В цирке за ним прочно закрепилась кличка «Задрыга».

Эквилибрист Семен Аркадьич — единственный, кроме «молодняка», непьющий артист, то есть пьющий, конечно, но вечерами, после представления, — держался со сдержанным достоинством. Свой элегантный номер работал под романтическую музыку, на высоком белом пьедестале, с красивой сине-белой подсветкой. Сухощавая тонкая фигура гнулась в медленных пируэтах, замирала на полминуты в замысловатых арабесках, вновь оживала...

Горьковских работяг завораживала скульптурно застывшая красота.

Была еще девушка Марина, «каучук»; но посреди столь удачного чеса ее пришлось снять с программы: во время выступления прямо перед носом у нее выскочила крыса, уселась и с любопытством уставилась в глаза артистке. От ужаса у той замкнуло позвоночник. Так, дугой, прямо со сцены, беднягу и увезли на «скорой».

Но вот кто работал потрясающий номер — латыш Алексей Трокс. Это была чистая манипуляция: обаятельная неуловимая ловкость рук. Фокусы с картами, шариками, монетами, спичками.

Например, появившись на сцене, артист мучительно и безуспешно пытался зажечь спичку о подошву элегантной концертной туфли. И когда нарастал насмешливый ропот публики, в его левой руке неожиданно вспыхивала совсем другая, тайно припасенная спичка.

Заканчивал свои выступления безотказным трюком: ходил по рядам и, отвлекая внимание зрителей, виртуозно снимал часы с простодушных зевак. Затем вызывал на сцену двух-трех особо «неверующих» и на глазах у недоверчивой публики, в те мгновения, что крутил, разводил, расставлял добровольцев, попутно снимал часы и у них. И все в хорошем темпе, с прибаутками, какими-то стишками собственного производства, довольно смешными. Так что в финале, когда фокусник приступал к раздаче «уведенных» часов, в зале стоял гром аплодисментов.

Каждый день, отработав свою детсадовскую туфту, ребята спускались в зал — Анна иногда прямо на роликах — смотреть на «дядь Лешу», на филигранное искусство действительно ловких рук. Им не надоедало.

...Правдами и неправдами Штопор устроил «своих гавриков» на постой в цирковую гостиницу в знаменитом районе Канавино. Дядя Леша уверял, что именно в здешних ночлежках и кабаках Горький брал своих персонажей. Говорил — вы принюхайтесь, малыши, и запомните этот жизненно-исторический перегар. Здесь воздух такой.

В самом деле, не верилось, что со времен написания известной горьковской пьесы прошло уже полвека: вокруг гостиницы и по всему району бродили такие ужасающе театральные типы, точно вырвались из гримерной минуток на пять — хлопнуть кружку пива тут, за углом.

Встречались и в самой гостинице бывшие цирковые, пропитые до последней жилочки.

По утрам собирала бутылки и выклянчивала кружку пива у ближайшего ларька всем известная Катька, в прошлом воздушная гимнастка. Жила она с сердечным другом, бывшим артистом, которого все звали просто Заяц, — довольно крепкий был старик, алкоголик со стажем, подрабатывал ассистентом в каком-то номере. Жили они душа в душу, сутками квасили, а когда не на что было пить, Заяц продавал Катю командировочным в той же гостинице. Не задорого. Иногда за бутылку.

В ободранном вестибюле с выщербленными плитками кафельного пола висело написанное от руки объявление, безнадежный вопль уборщицы Маруси: «Дорогие товарищи! Душевная до вас просьба не ссать в подъезде! Это какой же труд за вами убирать!»

Вся гастрольная компашка вечерами кочевала из номера в номер. Иногда по блату «москвичей» (все ж люди культурные, столичные) пускали «отдохнуть» в пустом помещении буфета — в комнате, обшитой формайкой и безнадежно пропитанной застарелым духом пивной отрыжки.

Жека роман крутил с местной буфетчицей Гердой Ивановной, одинокой дамой в вековой химзавивке. Губки она тщательно рисовала фиолетовой помадой — умильным сердечком, как на дешевых открытках — *учительница первая моя*. И пахла очень авторитетно: многолетний засол духами «Сирень» перешибал даже могучую вонь старых креветок в стеклянной витрине буфета.

Романтичное имя досталось ей от матери. Та в детстве на ярмарке видела спектакль заезжих кукольников. Огромный, с татуировкой на лбу, заморский мавр, невесть откуда взявшийся, надев на руки двух кукол, разыгрывал на разные голоса ужасно воздушную любовь. Принц и принцесса, Гай и Герда, впечатались в горячечное воображение девочки. И через тридцать лет родив единственную дочку, она сначала хотела назвать ее сразу двумя именами, слепив их в радужное кольцо: Гайгерда. Потом, увидев, как скривился муж, тяжелый заика, махнула рукой и усекла мечту.

За приют Герде немного платили — оставляли бутылки от пива. Она никогда не забывала напомнить: «Деньги, ребята, на жопе не растут!» И по-своему, отмечал справедливый Штопор, была права.

Устроившись «в уюте и просторе», да еще раздобыв у Герды граненых стаканов, чтоб как люди пить, вся цирковая бригада усаживалась вокруг сдвинутых столов, навеки застланных липкой клеенкой. И тогда обязательно затевался разговор о достоинствах разных цирковых буфетов. Да не тех, зрительских, в фойе, а что в служебной части, рядом с гардеробными. Это ведь, как ни глянь, очень важная часть жизни у цирковых.

— Все-тки я вам скажу, — говорил эквилибрист Семен Аркадьич, педантично ломая плитку шоколада и выкладывая дольки на расстеленный носовой платок. — Лучшие цирковые столовые — это Гомель, Минск и Алма-Ата...

— Так в Алма-Ате, Сема, даже своя пекарня при цирке! — вступал Штопор, аккуратно разливая по стаканам пиво. Никогда ни капли не пролил мимо, хотя делал это, можно сказать, со спины. Стаканы были казенные, с ними трепетно обращались. — Какие они там эклеры пекут, помнишь?

— Ну. А вот Горький, Ярославль, Тула — это чума; голод почище блокадного. Туда, если зашлют, консервами запасайся, сухарями, супами в пакетиках. Да и всем, чем можно.

Тогда влезал в разговор Жека-Задрыга, заявляя, что хуже буфета, чем тутошний цирковой, просто не бывает. Одни яйца вареные и креветки.

— Зато спиртного залейся, — возражал Штопор. — Здесь директор сам зашибает, потому следит, чтоб не обидно было трудовому народу. Ну, будем!

Артисты опрокидывали, откашливались, отхаркивались, культурно отирали губы ладонью и тянулись к шоколаду.

— А у нас здесь, в Горьком, такой случай был. Здесь же артистический буфет прямо за форгангом, у выхода в фойе... Ну, и потому алкаши и бомжи просачиваются. Помню, стоим мы в форганге за занавеской, разминаемся... Полутемно, представление идет. Смотрю, какой-то мешок лежит. Пригляделся — алкаш в полной отключке. Значит, выполз из буфета, перепутал направление. Вместо фойе, направо, пополз налево. И сморило его прямо под святая святых, под доской авизо.

— А в Горьком и буфетчицы особые, — добавлял Штопор, наливая по новой. — Просто суперхамло! Одна так довыебывалась, что наш коверный — да ты его знаешь, Сема: Коля Сокольничий! — не выдержал, схватил с прилавка счеты и шарахнул ей по башке так, что она аж присела, а счеты — вдребезги. Ну, Колю мы тут же увели и прятали, пока милиция не уехала... Но баба хоть немного притихла. А Коле все потом говорили: «Что, сводишь счеты счетами?»

— С другой стороны, где Сокольничий, там драка и даже поножовщина, — вставлял Жека. — Что, скажешь — нет?

— Почему? — соглашался Штопор. — Я ж ничего не говорю, Коля вспыльчивый. Он тебе, Жека, в позапрошлом или прошлом году рыло-то начистил?

Когда напивался, Жека любил порассказать о своих победах над дамами:

— Ну, думаю, выпью еще полстаканчика! — рассказывал интимным тоном. — Выпил! Ну, думаю, щас нападу!

Часто компания обсуждала, какой цирк чем славится. Они ведь как люди — каждый со своей репутацией. Были такие, с дурной славой. Харьковский, например, — там всегда что-нибудь случалось.

— Вечные, ну вечные истории с дрессировщиками, — говорил дядя Леша. — Штопор, помнишь ту румынскую дрессировщицу, которую лев убил?

— А то! В Харькове много смертных случаев. Как и в Ижевске.

— В Ижевске — не скажи, не для всех, — поправлял Алексей. Он точность любил и в разговоре, как и в своей профессии, не допускал небрежности. — Там только канатоходцы летят. Многие падают и калечатся. И убиваются тож. Мой брат, когда ему приходила разнарядка в Ижевск, дважды брал больничный, да и запивал для верности. И пронесло! А через год после его «болезни» там еще кто-то из канатоходцев упал. Просто фатальный город...

Анна с Володькой прибились к дяде Леше.

На публике — во фраке, в бабочке — он глядел гоголем, к дамским ручкам галантно склонялся, рисованной бровью поводил. Вечерами же — в номере, да за бутылкой пива — лоск с него сползал, растрескивался, как старый грим на коже. Проступали морщины, красные прожилки змеились на носу и щеках, по-стариковски соловели глаза. Но цирковые байки и поучительные «соображения» так и сыпались из него, ни разу не повторяясь.

— Настоящая манипуляция — это большое искусство, — говорил дядя Леша. — Если ты настоящий манипулятор, ты каждым пальцем обеих рук должен действовать одновременно. И взглядом, взглядом уводить зрителя, как утка от гнезда, совсем в другую сторону. Каждодневный рабский труд — вот твой удел.

Он вытягивал руки на столе: длинные нервные пальцы чуть подрагивали, словно прислушивались к разговору, в любую минуту готовые поймать из воздуха платочек, расплести намертво завязанную веревку, вытащить из уха горящую спичку.

— Пальцы точить надо. Как токари точат особо деликатные детали. Как старый чертежник оттачивает любимый карандаш. У тебя рисунок кожи на подушечках пальцев — то, с чего менты отпечатки снимают, — должен быть отшлифован, как стекло. Вот тогда я скажу тебе: да, ты достиг нужной степени чувствительности. Теперь — прикасайся! Прикасайся к лепестку цветка! К крыльям бабочки! К стрекозиным глазам — ты вреда им не причинишь. Пианисты это называют «туше». У нас это встречается — как жемчужные зерна в навозе.

Дядя Леша подпирал кулаком дряблую щеку, вздыхал, сливал себе в стакан остатки пива.

— В нашем жанре кто в основном наяривает? Приспособленцы всех мастей: либо отработали свое в сложном жанре и им влом с манежем-кормильцем расстаться, либо детки именитых родителей, что аттракционы по наследству получают... И потом, что такое иллюзион в советском цирке? Это ж в основном ящики. Разные ящики — покрупнее, с ассистентами, помельче — со зверушками или там метелками из крашеных перьев. Халява-матушка, с огро-о-омными сиськами. Такой, с позволения сказать, аттракцион может отработать любой человек с улицы. В ящиках все ж само работает! Главное запомнить, какой трюк за каким следует, да не споткнуться спьяну о реквизит. У меня была ассистентка Лолка, она так и говорила: «Главное, когда ладошками хлопаешь “оп-ля!”, чтоб ладошки встретились».

Алексей занимал номер на пару с Жекой-Задрыгой, но частенько оставался в одиночестве: Жека промышлял в здешних райских садах, гоняясь то за одной, то за другой нижегородской Евой.

Едва ли не каждый вечер Анна с Володькой засиживались у дяди Леши. Уже и сам он клонил голову на локоть, уже Володька засыпал и трижды просыпался над столом — Анна все не отпускала фокусника.

— А Гарри Гудини? — спрашивала она. — Дядь Леш, он ведь правда под водой от цепей освобождался? По-настоящему?

— Что значит — по-настоящему? — Тот взъерошивал остатки жалкой шевелюры, которая на сцене, тщательно расчесанная на прямой пробор, сверкала декадентским бриолином, а вечером свисала со лба тусклой серой тряпкой. — Ты с ума сошла. Забудь слово «по-настоящему», когда речь идет о манипуляции, об иллюзионе! Об ис-кус-стве!.. Гудини — да, классик жанра, но он уже умер когда — в 26-м году! — кто сейчас раскроет его секреты? А между прот-чим, знаешь, в честь кого Гудини, который был просто Эрих Вайс, еврей из Будапешта, взял себе псевдоним? В честь знаменитого французского фокусника-иллюзиониста Робера Гудэна... Жил такой во Франции, в городке Блуа, в девятнадцатом веке. Вот это был волшебник! Могучий интеллект и дьявольская изобретательность. Никто его зеркальных фокусов до сих пор не может повторить...

— Блуа? — переспрашивала Анна. — Гудэн — через «э»? — Тут, на свободе, она левой горячечной рукою писала и писала что-то в блокнотик своей летучей абракадаброй, своим никому более не подконтрольным «почерком Леонардо». Володька иногда заглядывал и сразу отворачивался: у него даже голова кружилась, когда пытался хоть что-нибудь разобрать.

— К тому же, — продолжал дядя Леша, — все они себя чудовищно мис-ти-фици-ровали! — У него уже заплетался язык, но логическая связь беседы никогда не путалась. Порой он умолкал посреди фразы, мысленно как бы проверяя сказанное, удовлетворенно кивал и возвращался к разговору на том же слове. — Чудовищно мистифицировали! Я знал знаменитого Мессинга. И скажу тебе, что в жизни Вольф Григорьич был спокойный, даже замкнутый человек. А на публике?! Клокотал и страх нагонял. Законы жанра! Артистизм! Сценический блеск! Понимаешь?

— Ань-ка-а... — просил в очередной раз проснувшийся Володька. — Спать идем!

— Погоди! — отмахивалась она. — И что, этот Гудэн, он с иллюзионными ящиками работал?

Алексей фыркал, откидывался к спинке стула, с негодованием поводил уже мутными очами:

— Он их придумывал! Причем абсолютно нестандартные ящики! Ведь у нас с какими работают: их секрет либо в двойном дне, либо в стенках. Как-нибудь подробней покажу, на трезвую башку... Одним словом: под дном ящика крепится зеркало под углом, вот так. — Показывал наклонной ладонью. — Пол отражает, дает иллюзию пустоты. Главное опять — что? Не забыться, не попереться вперед, не отразиться самому ногами или задницей. Такое бывало, я помню случаи...

— А если добавить грань вот с этой стороны?

— С какой?

Она доставала из кармана джинсов почтовый конверт, сложенный пополам, шариковую ручку, и рисовала:

— Вот здесь... так... Или так...

— Не понял!.. А при чем здесь вот это...

— А ты не смотри отсюда. Ты стоишь вот здесь. Так? Публика — тут. Тогда вот в этом сегменте возникает мертвая зона, которую можно использовать... Подожди, тут места мало... — переворачивала конверт с Аришиным письмом и азартно чертила с другой стороны.

— Ё-мое! — бормотал фокусник. — Вот мозги у девки!..

Они принимались обсуждать и спорить о каких-то деталях, Володька переходил на койку дяди Леши, засыпал, опять просыпался от всплеска их голосов:

— Да откуда ж это возьмется? Фантастику писатели пишут!

— Это не фантастика, дядь Леш. Это физика. Здесь тот же эффект, что в космической черной дыре: гравитационное притяжение настолько велико, что покинуть ее не могут даже объекты, которые движутся со скоростью света. Значит, и сам свет не в силах из этой дыры убежать!

— Анька!.. Утро уже!

— Да подожди ты!!! — кричали эти двое в один голос.

В этой летней плевой халтуре они постигали законы, приметы, словечки цирковой жизни. Спиной к манежу-кормильцу не садиться. Никогда не говорить слово «последний» — худшая примета. Не «последний раз» делаю трюк, а «еще раз». Семечки в цирке не грызут — программа прогорит. Да и слово «пожар» понимается только в том смысле, что прогораем. А еще есть чистокровно цирковые слова: мандраж и кураж, которые давно ушли в народ. Ну, мандраж — оно понятно. А вот кураж — это как? Если на репетиции никогда не пойдешь на трюк без лонжи, а в работе на публике тебя будто вверх подносит, а о страхе и осторожности просто не думаешь, и неуверенные, не накатанные еще трюки вдруг отрабатываешь с блеском; когда купаешься в лучах прожекторов — только сила и ловкость, только взгляды на тебе сотен глаз, — вот тогда и говорят в цирке: «отработал на кураже».

— А вот еще о кураже, — говорил Алексей. — Я что скажу — и это чистая правда, клянусь самым дорогим. Всю жизнь манеж для меня — как святой источник. Энергией питал, исцелял в самом буквальном смысле... Иной раз притащишься в цирк с температурой да после вчерашнего «отдыха»: там болит, здесь саднит, спина — как рассохшаяся доска, голова чугунная... Интересно, думаю, как я выползу, не говоря уж о работать... Доползаю до форганга: о-о... лучше, лучше... голова вроде проясняется... поясница прошла... Ну, а когда слышишь, как инспектор тебя объявляет, да выходишь под пушечку — тут уж и видишь себя как бы со стороны: статным, элегантным, загадочным — эх! Я уверен, что там, в манеже — особая какая-то сила. Объяснить не могу. Это уже точно из области фантастики. Но на собственной шкуре многажды испытал.

В один из таких вечеров дядя Леша сказал:

— Малыши, вот у вас вся цирковая жизнь впереди. А я на пенсию выхожу. Завершаю, так сказать, профессиональную карьеру. Что б вам у меня кофер не купить? Учтите, кофер дореволюционный, настоящее папье-маше. Я сам его тридцать пять лет тому купил у знаменитого коверного Гусакова Михал Григорьича. А тот божился, что ему кофер достался после смерти артиста императорских театров Мамонта Дальского.

— Дядь Леш, — усмехнулся Володька, — да нам его и поставить некуда. Мы ж без кола без двора.

Но Анна уже крутилась у кофра, ощупывала уголки-застежки и вцепилась в этот старый кофр, как только женщины умеют вцепиться в приглянувшуюся вещь. И правда: в цирковых мастерских кофры мастерили совсем неприглядные: фанеровка дерматиновая, снаружи грани подбиты алюминиевыми уголками — дешевка. Ценились кофры довоенные, немецкие, — фибровые, как солидные сундуки. Каждый уважающий себя цирковой номер владел таким кофром, а то и двумя-тремя. Они были предметом гордости, престижа. И стоили не меньше двухсот пятидесяти рублей.

А тут такое подвалило, такая удача, да с биографией!

И, отработав в таборной компании Штопора еще месяц, они без разговоров и торга отвалили дяде Леше запрошенные им немалые деньги.

Так, по случаю, ничего не загадывая про свой будущий номер, Анна с Володькой приобрели великолепный старинный кофр или, как произносили цирковые, *кофер* — еще дореволюционный, из настоящего папье-маше, того, что фанеры тверже.

Это был целый шифоньер — «шифанэр» (незабвенная Панна Иванна!), — да на заклепках, да с накладным замком. По углам обит латунью. Раскрывался он стояком на две половины, почти в рост человека — во всяком случае, Анна свободно в нем помещалась. С полочками, зеркалом, ящичками и вешалками. Изнутри оклеен был алым шелком, чуть погасшим — все же артистическая жизнь, года скитаний. Анна становилась между половинами, раскидывала руки, делала «загробное» лицо: изображала огненного ангела с тяжелыми крыльями на пунцовой подкладке.

Вернувшись в Москву к началу второго курса, они подали заявление в ЗАГС Ленинградского района столицы и чинно расписались — бледные, напряженные, Анна — с букетиком ромашек в руках. Свидетельница Ариша — в тот год она перевелась из Киева на второй курс Московской консерватории и с фортепиано перешла на орган — стоит на фотографии слева от Анны; еще косенькая, до операции, но все же видно, как благородны ее точеные черты и как она похожа на свою уникальную бабку Фиравельну.

Кофер — единственное имущество молодых, вместилище неизвестного «номера» — Володька занес на спине в темную и тесную комнатку на улице Кирова, которую на оставшийся с лета заработок они сняли у полусумасшедшей четы старых троцкистов Блувштейнов.

* * *

Многие годы ей снился оглушительный грохот вертолетов и внизу по воде — черная рябь от вертолетной воздушной струи.

Праздник военно-морского флота.

Уже одетые в костюмы, они с Володькой стоят на летном поле в Тушино. Все выверено по минутам: ровно в двенадцать тридцать дадут отмашку (сквозь грохот двигателей ни черта не услышишь), и тут главное не зевать: как только впереди махнут флажком и две гигантские стрекозы с подвешенными на двадцатипятиметровом тросе трапециями оторвутся от земли и медленно всплывут, надо быстро подбежать справа и сесть на трапецию — легкий вертолет «Ми-8» долго висеть неподвижно не может. А «если что вдруг», как им объяснили, надо резко прыгнуть вправо, чтоб под винт не попасть.

По отмашке они срывались с места, мгновенно усаживались на трапеции, махали руками: готовы! — и лысоватое, в проплешинах, травянистое поле покато уходило вниз.

В первые секунды сердце ныряло вместе с землей, но уже через мгновение все тело обнимал такой ликующий восторг, что занималось дыхание. И никакого страха уже не было в этой нарастающей высоте.

Люди внизу, задрав головы на рокот вертолетов и углядев под железным брюхом крошечные фигурки гимнастов на трапециях, восторженно махали руками, останавливали машины, выходили и долго смотрели вслед.

Многоэтажки отсюда казались коробочками, путано переплетались ленты дорог... Город уплывал куда-то вбок, как бесконечная радиосхема.

Так, сидя на трапециях, минут десять они летели из Тушино в Химки. И там триумфально, как боги, спускались с неба на глазах у праздничной толпы.

Трапеции зависали метрах в пятнадцати над водой Химкинского водохранилища, Анна с Володькой приступали к программе. Все выступление занимало не больше пяти минут.

Трюки-то, были, в общем, простыми — экзаменационный стандарт первого курса училища: там оттянуться, тут прогнуться, на подколенке повиснуть, на одной руке повиснуть в красивой арабеске, сделать «флажок». Обувь мягкая была, облегающие шнурованные сапожки из шевро. Технически все несложно... если б не высота. Любой пацан может пройти по рельсе железнодорожного полотна, но если положить эту рельсу между балконами пятого, скажем, этажа — много ли охотников сыщется пройтись?

Работали, само собой, без страховки. Пригласивший их начальник на этот вопрос поморщился и сказал: «Ну какая, к чертям, страховка, ребята? Просто держитесь хорошенько, и все».

Они и держались. Глядели друг на друга и старались все делать синхронно.

Она до конца помнила эту бурлящую, маслянисто-черную воду.

Через год в Самаре выступали над землей. И странно, что висеть над далекой зеленой травкой было гораздо приятней. Умом понимала, что вода — это хоть какой-то шанс уцелеть, в отличие от приятной травки. Но вот поди ж ты...

Веселая далекая травка самарского луга пронеслась у нее перед глазами в тот момент, когда, через много лет, она стояла, готовая к прыжку, на скалистом выступе над Неаполитанским заливом чуть ниже Равелло.

Режиссер отмахнул дубль, пошел мотор, Анна пробежала — по сценарию, спасаясь от погони — метров сто апельсиновой рощицей и, по сценарию же, помешкав секунд пять, должна была сигануть вниз, аккурат между тесно сдвинутыми громадами грузно стекавших к воде черно-изумрудных скал... Она была собрана и одновременно взвинчена — как обычно перед выходом на манеж. Надо было только мысленно обозначить траекторию прыжка.

Но темно-синяя искристая пядь внизу сверкнула вдруг таким глубоким зеркалом, явила ошеломленному зрению конец пути, окончательный выход, блаженный тоннель в Зеркалье. И было это нежданно, необязательно, как некий запасной вариант... Незаслуженный пока еще, не выстраданный, подарочный выход...

Она отшатнулась, обеими ладонями уперлась в стену воздуха, медленно повернулась...

И пошла назад — взмокшая, освобожденная, отпущенная на свободу... Конечно, не навсегда, но в тот миг казалось — а вдруг? Вдруг?..

Шла апельсиновой рощей, не слыша визга нервного ре-

жиссера и ослепительного каскада итальянских ругательств за спиной, хватая руками и отводя низкие ветви деревьев.

Заканчивали «вертолетное» выступление обрывом в носки. Трюк, конечно, не самый сложный, и все же...

Вертолет прилично потряхивало, от мощной воздушной струи воздух был вокруг вязкий, тугой: улететь к чертовой бабушке можно было за милую душу. Смягчая рывок, они повисали на грифе трапеции. И так — вниз головами — приветственно махали публике...

Им отчаянно аплодировали. Говорят, играла музыка, но там, наверху, ничего, кроме грохота, не было слышно. Дети визжали, отпускали в небо воздушные шарики.

Потом машины медленно поднимались, гимнасты подтягивались, усаживались на свои трапеции и уносились в небо.

Это была замечательная халтурка: деньги получали в бухгалтерии немедленно, причем деньги сумасшедшие — по 100 рублей на нос. Два года подряд выпадало такое счастье. В Самаре после выступления к ним на аэродроме подошел главный диспетчер, в прошлом боевой какой-то летчик, орден Красной Звезды — жал руки, смотрел на Анну с восхищением. Уважаю, сказал, отчаянных! Они даже смутились — какие же они отчаянные? Все отрепетировано, вызубрено позвоночником, вбито и влито в мышцы. Не подвиг какой-то, а профессия наша.

И она жалела только об одном: что отец не видит, как она летит, как сигает вниз головой прямо в бездну, удержав себя в сантиметре от последнего, чистого и честного парения. Отец бы оценил! Сквозь ужас, с валидолом за щекой, со спазмом в горле — но оценил бы!

 Два года подряд, откувыркавшись в облаках, они уезжали на неделю к морю, в Коктебель — проматывать шальные деньги на фруктах, на шашлыках-чебуреках. И оттягивались там на всю катушку. Валялись под солнцем, лениво шатались по набережной, наблюдая за промыслом увертливых наперсточников.

Один — гениален, заметила Анна, отрешенно следя за нырками и взмывами юрких рук. Вот его бы в манипуляцию. Гениален!

— Который, чернявый? — спросил Володька, обнимая ее облупленные плечи с глянцевитыми островками новой кожи.

— Нет, — сказала она. — Другой. Рыжий.

13

«...Если же ты спрашиваешь практического совета, свет мой, зеркальце, то я бы снял эту мансарду хотя бы на год. Деньги не трагические, а все же Франкфурт, и район хороший, и было бы гнездо под крышей, куда нам слетаться, — тебе, моему ангелу, и мне, старому сивому грифу. Я ведь не ошибаюсь — это та мансарда на Швайцерштрассе, которую "Тигерпалас" обычно предоставляет контрактникам, в двух шагах от Майна с его мостами? Мы ведь именно там провели с тобой целую неделю года два назад, неприютной такой, дождливой весной? — там еще электрочайник, помнится, барахлил.

А мансарда прекрасная: открываешь глаза, а над тобой беленый скошенный потолок меж старинных мощных балок, очень высокий с левой стороны и совсем низкий справа; два полукруглых окна с видом на реку, на мосты.

У тебя что-то не ладилось с номером, какие-то не те зеркала тебе прислали с завода, и не так их смонтировали, и не под тем углом приварили... Ночами ты металась по мансарде. И глухо бормотал дождь в близком, чуть ли не над головой, старинном желобе.

Твоя медлительная любовь на рассвете...

А я-то просыпался в шесть, полным сил. И пока ты спала до полудня — и, значит, фагот мой тоже полеживал на боку, — я спускался на улицу и бодрым утренним шагом доходил до старой булочной "Айфлер", открытой уже с семи. Минут пятнадцать с обстоятельным наслаждением выбирал нам что-нибудь к утреннему кофе. Выпечку там же готовили, в булочной. Над печью висел плакатик: "В 17.00 булочки "айфлер" все еще свежие, а корочка хрустит!" И это было чистой правдой: под корочкой золотистые пышки скрывали нежную сдобную мякоть. А пахло там! Боже, этот запах — коричный, яблочный, лимонно-гвоздичный... и мятный ветерок из приоткрытой двери, со звоночком на си-бемоль.

Я любил наблюдать, как продавщица — осанистая дама в красном фирменном фартуке, с золотыми буквами "Булочная Айфлер" на пышной груди, с красным шейным платком на сдобной булочной шее — посыпала крупной солью лежащие на противне "брецели" — попросту бублики, свернутые кренделем, — и ставила в печь. А на прилавке уже лежали "брецели", обсыпанные миндалем и маком, ванильные "плундеры" (тетя Фрида тоже называла плюшки именно так) и умопомрачительные "креппели", вроде наших пончиков, щедро посыпанные сахарной пудрой.

Вкуснее всех были "креппели" — полые, с начинкой из малинового джема. А пирожные, а пироги: сливовый, луковый, ревенный и здешний фирменный — "Бабушкин яблочный пирог"!

В глубине зала стояли три стола, стулья с заплетенными ножками; можно было выпить кофе, свежевыжатый сок и, разумеется, попробовать любую выпечку, и в такую рань там уже сидели, неспешно лакомясь пирожным, две пожилые дамы с безукоризненным маникюром на фарфоровых пальцах.

Но я-то к тебе торопился! Нагруженный райской добычей в бумажных фирменных пакетах, я возвращался в мансарду, тихонько, чтобы не разбудить тебя, поворачивал ключ в замке, входил и принимался за хозяйство: варил кофе, сторожа подошедшую пенку и рассматривая в окно поток машин, текущих по Альте Брюкке, муравьиную дорожку пешеходов на Айзернер Штег...

Во дворах уже цвела умопомрачительная магнолия — ты помнишь? — и каштаны проснулись: белые, совершенно киевские, и заморские сиреневые... Над ними кружили медленные тучи, под мостами ворочалась медленная река, а из церкви Трех Волхвов текли медленные удары колоколов.

Когда басовито ронял последнюю хозяйскую реплику "старший" колокол, ты медленно поворачивалась в постели, являя наспанную, теплую абрикосовую щеку.

Бери, дитя мое, бери эту мансарду, не раздумывая!

Странно: я вырос у реки, да и на Украине, у деда, все лето ездил купаться в Гнивань, на Южный Буг, а все же недолюбил, мне кажется, большую воду и всю жизнь стремлюсь оказаться у водоема. Почему?

В детстве, пока дед был жив, я целый год мечтал о каникулах, о Жмеринке. Тебе, киевлянке, не понять этого властного зова — лето на Украине! Летняя ночь на Украине! Густой ультрамарин плотного, и все же прозрачного месива неба, его нависшая над землей истома; созерцательное мерцание Млечного пути.

Я спал во дворе, на топчане, который дед сбил для меня из бросовых досок и разновеликих чурбаков. Засыпал поздно, когда изнеможение сонного восторга на грани сна рождало еще один потайной сон, где звезды, месяц, колыхание Млечного пути играло какую-то эротическую пьесу из жизни турецкого гарема.

Южный Буг я любил до дрожи, до посинения губ. Мы с пацанами с утра до вечера летали на “тарзанке”.

Да знаешь ли ты, что это за забава? По сути — та же самодельная трапеция. Названа в честь Тарзана, неведомого тебе героя американского фильма с Джонни Вайсмюллером в главной роли. Как он летал там, боже мой, по голливудским джунглям, скользя по лианам над болотами, в аккуратных лохмотьях и с безукоризненным пробором в волосах: дикая свобода по-американски.

Да, “тарзанка”. Берег должен быть крутым и обрывистым. Хватаешься обеими руками за перекладину, разбегаешься и летишь над рекой, которая хоть и не Днепр — в смысле, редкая птица долетит, — но и не ручей. Восхитительный полет с обрывом в ледяную воду, бесконечным погружением ко дну и таким же долгим путем вверх, вверх, на исходе запертого дыхания, вышколил мои легкие на всю дальнейшую жизнь. Дыхание, знаешь, пригождается в игре на духовом инструменте.

Больше всего я любил приезд, сам вокзал, дорогу к нашему дому.

Замечательный вокзал в Жмеринке, доложу я тебе, изысканнейший стиль арт-нуво, такой и Вены бы не посрамил. Сосед наш дядя Федя ежедневно выпивал бутылку в привокзальном буфете, выходил на перрон и кричал проходящим поездам: “Я никого не бою-у-усь!” Однажды его побили прямо там, на вокзале. Он не прекратил свои походы, нет. Все так же выпивал в буфете, выходил на перрон, и все так же кричал вслед проходящим поездам. Правда, сентенция несколько поменялась, а с ней, как это частенько бывает, и политическая платформа: “Я никому ничего не долже-е-ен!” — орал дядя Федя, качаясь от ветра.

Дом деда стоял на улице Пушкина. Разумеется, его уже снесли, тетка умерла, и только я продолжаю разгуливать по лаковым половицам в зыбких рассветных снах. Топографию дома помню наизусть: с улицы поднимаешься по деревянным ступеням прямо на застекленную веранду, туда, где — в идеальном порядке, со всеми инструментами — извечно стоит дедов рабочий стол. Дед очень красиво работал.

Мама рассказывала, что в детстве могла часами сидеть и наблюдать, как он чинит часы. Я тоже любил подкрасться сзади, к его плечу.

— Сенчис, — говорил он, оборачивая ко мне лицо, вооруженное стаканом-линзой на резинке, — боже тебя упаси подходить ближе, чем на два шага. Ты пыхтишь как паровоз. Сдунешь мне секундную стрелку. Отсчитай два шага назад, Сенчис, и стой там, как цуцик!

Но — идем, дитя мое, дальше... А дальше гостиная: кожаный диван с высокой спинкой, с изумительно вырезанной полочкой, на которой стояли фарфоровые фигурки, и про каждую дед знал затейливую историю; книжный шкаф, кресло — все старинная резная мебель. Из столовой — дверь в спальню, где стоит неожиданная девичья дедова кровать, а рядом еще один — и огромный — книжный шкаф. Тетя Фрида называла эту пару "Машенька и медведь".

Бабушка умерла в сорок лет, и дед больше не женился. Я любил смотреть, как по утрам он застилает свою девичью кроватку, аккуратно разравнивая от середины к краям складки на покрывале, словно разглаживая ладонями любимый призрак незабвенного тела.

Была и кухня, которую дед содержал в таком же идеальном порядке, как свой рабочий стол. Кстати, он хорошо кухарил, вернее, импровизировал из того, что в доме было. И потрясающе готовил "латкес" — картофельные оладьи.

Удобства, само собой, во дворе. Еще во дворе был сарай, где среди хозяйственного и садового барахла жили куры — точнее, гостевали: присутствие их было недолгим, до ближайшей субботней трапезы, на которой гостюшек с аппетитом съедали. Несушка должна была непременно пройти инаугурацию у резника. Тот резко сворачивал шею царственной особе и одним махом отсекал голову острым ножом. Это был ритуал. Не из религиозных соображений — из кулинарных: магазинная курица курицей не считалась. Ну, а после резника особу скубли, смолили — этим занималась тетя Фрида, младшая дедова дочь, — и томили из нее прозрачный бульон, чище родниковой воды и благоуханнее райских кущ.

Я чуть не забыл добавить: весь дом был увешан бабушкиными вышивками — крестик, ришелье, мережка. Темы самые идиллические: пейзажи, дамы, кавалеры, готический собор, подозрительно напоминающий знаменитый Жмеринский костел — островерхий, полетный, с четырьмя пинаклями на колокольне, среди тонкоствольных и островерхих сосен, как бы торопящихся догнать его рост.

Помню улицы: Центральная, параллельная нашей, Горького, Шолом-Алейхема — все застроенные одноэтажными белыми мазанками, каждая, как наш дом, — с верандой.

По воскресеньям публика фланировала по Центральной. Сразу же после войны крутили в кинозале клуба забыл-какой-швейной-фабрики трофейные фильмы: “Девушка моей мечты”, “Индийская гробница”.

Ты будешь смеяться, но я до сих пор вожу с собой в футляре с фаготом три открытки — мой талисман, скудный трофей незадачливого детства. Это фото актеров из маминой послевоенной коллекции: Марика Рёкк, Мэри Пикфорд, Валентино...

У Фриды был набор пластинок. И жаркими вечерами на нашей веранде чаще других выступала Ляля Черная со своим “Не уезжай, ты мой голубчик”, да Утесов треснутым лукавым тенорком раскидывал море широко...

Я еще помню, как мощенные булыжником улицы постепенно закатывали асфальтом. В центре зелени было мало — клены, липы, — а вот подальше, на Пролетарской, Толстого, Шевченко стояли частные дома, и при каждом был сад, исполненный благодати фруктового рая: яблони, груши, вишни... И цветы, само собой. Повсюду благоухал жасмин. Смешно — до сих пор любые духи, в букете которых мне чудится жасмин, волнуют меня до слез — может, потому, что мама душилась этими духами? Или потому, что у ступеней к нашей веранде рос жасминовый куст?

А ночью повсюду раскрывались цветки метиолы, и по округе растекался их густой сладковатый запах, пропитывая собою даже занавески на открытых окнах.

Каждое лето мы с дедом обязательно навещали бабушку. На еврейское кладбище дорога шла мимо яблоневых садов и пирамидальных тополей на фоне глубокой истомной синевы неба. Напротив еврейского располагалось католическое, его называли “польским”. Эти картинные пейзажи своими контрастными богатыми красками столь отличались от российских и тем паче от убогих гурьевских! А сильное присутствие католичества добавляло всему вокруг некий привкус... Адриатики, что ли.

Дважды в неделю я сопровождал тетю Фриду на Большой базар (был еще маленький базар, нашего внимания не стоивший) — к нему спускались по улице Октябрьской Революции. И, знаешь, столько лет прошло, а мне все кажется, что те же тетки и дядьки все стоят там, в рядах, вывалив горы пахучих крепких украинских помидоров, навесив на грудь плетеные, хоть сейчас в натюрморт, гирлянды лука, протягивая покупателю в сочных листьях лопуха темно-золотой слиток масла, похожий на "городскую" булку.

А багряно-розовое бесстыдство мясных рядов? Туши, окорока, свиные головы с игриво и в то же время сонно прищуренными глазками. В них всегда чудилось что-то философское.

А ряды знаменитого украинского сала! "А ну, йдить сюда, жэншина, дывиться, яке сало гарнэ, соломою палэнэ". Солома придавала особый аромат.

Ряды с квашеной капустой: "Капустка, капустка недосолена, свижэнька, жэншина, а ну покуштуйте, мэни не жалько. Вам даваты знизу чи звэрху?"

Рыбные ряды с угрюмыми браконьерами, что промышляли на Южном Буге где-то ниже Сабарской ГЭС.

Молочные ряды с неповторимым запахом настоящего жирного творога, лежавшего в миске неровным колобом, с марлевой штриховкой на крутом боку. "Оцэ тильки сьогодни выджала, цэ нэ творог, цэ просто масло".

"Жэншина, хай дытына попробуе. Хлопчик, а ну кажи — гарный творог?"

Я, не желая никого обидеть, только улыбался. А они говорили: "От бачытэ. Дытыни наравыться. То бэрить, бо мэни ще далэко ихаты".

На базаре Фрида немедленно переходила на странный язык — не русский, не украинский.

"Раженку маешь? — начинала она. — Так ее ножом можно резать! Стоить, як оловъянный солдат по стойке "смирно" пэрэд генералом. Ну, и сколько? Нет, я пытаю, шо стоить это золото?"

Одновременно она старалась девушку задобрить:

— Ой, в тэбе таки бровки... наче намалёвани. И шо ты их вскидаваешь, ты лучше цену спусти!

На этот язык переходила она еще, когда ненавистный сосед дядя Федя подворовывал с нашего огорода.

— Этот биндюжник, шикорнык, уркаган поганый! — кричала она на всю улицу. — Опять выдрал огурец на закуску! Шоб он застрял у него в заднице! От бисова мать, Фрида спину гнэ, а тот красномордый хрумкает!

Но я отвлекся.

Знаменитый шоколад, ворованный с Винницкой кондитерской фабрики. Огромная, в две ладони величиной, шоколадная фигура: петух или рыба, вылитые в самодельной топорной форме. Но чаще просто бурый комок на кусках фольги. Чистый горький шоколад, похожий на гранит.

В толпливых и душных вещевых рядах, среди подержанных вещей, каких-то глянцевых сапог, войлочных ботинок, вязаных кофт, бесформенных юбок на резинке и тканых бело-красных рушников всегда можно было выклянчить у Фриды крашеную свистульку.

И часто по базару шлялся некто с оперно-смоляными кудрями (почему оперными? ах да: “Аида”, ария Рамзеса); его называли “айсором”. Не знаю, что это значит, но баранистые кольца его бороды и шевелюры впоследствии всплыли у меня в памяти, когда в Британском музее я стоял перед рельефами с профилями древних ассирийских царей.

Так вот, айсор Яшка носил на груди лоток, что крепился широким ремнем у него на шее. В лотке были пузырьки, порошки, коробочки, камешки пемзы и прочая дрянь.

И хорошим раскатистым баритоном Яшка рекламировал свои снадобья: “Нашо Вам жинка чи коханка? Визьмить ОЦЭ, — он вытаскивал пузырек, — полывац до потрибного мисця, та ковзайте туды-сюды — и усэ будэ добрэ!"

И моя уже зрелая, но по-прежнему заводная тетя Фрида, шла за ним по пятам, давясь от смеха.

Да, не забыть бы: в августе появлялись яблоки: семеренко, антоновка, белый налив и еще один зимний сорт, выведенный селекционерами, — огромный краснобокий плод, необычайно вкусный, с легкой кислинкой. Назывался, кажется, "Победа". Ну а ближе к осени — кукуруза. И если ее приварить, как следует, — не слишком, чтоб лопнули почки, а в самый раз, — и вгрызться в пружинистый, присыпанный крупной солью выпуклый початок... ах, зачем бередить старые раны!

Одним словом: лето на Украине.

Дед, как я сейчас понимаю, был настоящим и последовательным диссидентом. Настолько последовательным, что совершенно меня "не берег", как говорила Фрида. Ай, говорила она, зачем ребенку знать твои майсы!

"Майсы" деда — разные истории, накопленные его наблюдательным умом за годы жизни, с поучительными выводами, с прологом и развернутым эпилогом, — были, как правило, бессмысленны и беспощадны. Иногда я не понимал, зачем он рассказывает мне, как убили глазного врача Гурвича, у которого лечился весь город. Зачем? — недоумевал я. Чтобы ты знал, где живешь, терпеливо отвечал дед. Чтобы не строил иллюзий. Ты будешь молодой, пылкий, вдохновенный. Тебе захочется поменять зло на добро. Так я не хочу, чтобы ты растерял на это годы. Эта страна, Сенчис, говорил он, — страна бандитов. Разбойников. Безотносительно к власти. Здесь именно власть всегда будет разбойная, потому что земля такая. Ветер здесь свистит разбойным свистом...

“Отстань от ребенка со своими майсами!”

“Молчи, Фрида, — говорил дед. — Молчи и вспомни, кто украл у немецкого офицера пачку папирос... Так вот, Сенчис... Пусть тебя не одурачит что-нибудь доброе, что от них идет. Просто разбойнику случается бывать в хорошем расположении духа, когда у него нет охоты бросать тебя за борт в набежавшую волну... Выбери себе какое-нибудь бездоходное дело, Сенчис, — говорил дед. — Невинное бесполезное дело, чтобы никто от тебя не зависел и никто тебе не завидовал”.

Как видишь, дитя мое, я следую дедовским заветам. Писал ли я тебе, что за последние пару недель освоил дульциан? Это предок фагота. Невероятно красивый тембр: глубокий, страдальческий... сладостно-бесполезный...

Прости, что пишу чепуху. Уже третий час ночи, а сна нет как нет. И даже поиграть не могу — соседи позвонят в полицию. А я сегодня что-то не в себе. Я — в тебе, моя зеркальная девочка, я давно уже только в тебе...

Но — дед.

Каждое утро, проснувшись и натянув легендарные сапоги убитого итальянского солдата, он шел к киоску “Союзпечать” и покупал все центральные газеты, чтобы сравнивать и “читать между строк”.

Постой. Я ведь обещал тебе, но так и не рассказал историю этих сапог. Расскажу сейчас, а то опять забуду.

Но начинать надо не с сапог, а с ворованной пачки папирос. Видишь ли, в годы оккупации дед с обеими дочерьми попал в Жмеринское гетто, а я уже там родился. Человек, рожденный в гетто, просто по логике развития сюжета обречен колесить по всему миру, пугаясь заточения куда бы то ни было, хотя бы на день дольше, чем терпит его душа.

Выжили они чудом. Чудом, потому что юная тетя Фрида украла у немецкого офицера пачку папирос. То ли стащила со стола из пустой комнаты, проходя мимо комендатуры, то ли прямо вытянула из кармана — и такое могло быть, с нее бы сталось. Во времена моего детства она брала у деда "почитать" книгу и, не открыв страницы, пускала ее на растоп печи. "Зачитывала"... Словом, ее поймали с этой пачкой папирос, и всю семью забрали в подвал гестапо. Не дали взять только меня, двухмесячного и орущего, чтобы не потревожил спокойствия коменданта.

А дальше история полуфантастичная, но, как говорится, нет ничего фантастичнее жизни: дальше мама упросила охранника-румына отпустить ее, чтоб забрать ребенка — все равно, мол, никуда я не денусь, вернусь к отцу и сестре. И тот ее отпустил.

По пути она встретила соседку. И это поворот сюжета. Соседка в юности была цирковой артисткой, потом вышла замуж за старого армянина — тот был большим начальником в "Заготсырье". А в годы войны она почти открыто крутила роман с одним румынским офицером. Женщина была безумная, лихая, словом — извини меня — цирковая женщина, хоть и на покое.

Дело в том, что дома у нас, в сарае, в старой маминой рукавице были запрятаны кое-какие деньги, припасенные дедом на совсем уже кромешный день. Который, ты понимаешь, как раз и наступил.

И мама, встретив соседку-циркачку, упросила ее взять деньги и выкупить нас через этого самого румынского офицера. И что ты думаешь? Та взяла, и — понятия не имею, как, — но умолила румына, и тот выкупил всех нас. Такая история чудесного спасения, оперное либретто без подробностей. Не дай бог знать все эти подробности. Не дай бог знать все подробности наших жизней.

Кстати, соседка эта потом от греха подальше уехала в Киев, и много лет дед навещал ее — иногда вместе со мной.

Да, но — сапоги? Почему они убегают и убегают от меня, хотя стоит закрыть глаза — и я вижу прочную шнуровку, голенища на застежках. В детстве я часто смотрел на эти сапоги и думал: где тот итальянский солдат, который их носил? А сейчас я вспоминаю деда и думаю: где те сапоги того итальянского солдата, которые столько лет носил мой дед?

История короткая.

Жмеринка всегда была узловой станцией. Немцы пригоняли туда эшелоны с трупами убитых солдат и сгоняли на перрон обитателей гетто, чтобы те переодевали трупы в парадную форму и перекладывали в другие вагоны, которые шли на родину в Германию: солдаты вермахта должны отбывать в лучший мир при полном параде. И дед попал на эти работы. К тому времени он пережил в гетто голодную и холодную зиму, похоронил жену, отморозил ноги и еле шкандыбал на этих почти культях. Переодевая какого-то убитого немца в парадную форму, он стащил с него полевые сапоги и должен был кинуть их в кучу грязной и заскорузлой от крови обуви. Но это были еще вполне приличные сапоги. Дед подумал и натянул их. Это заметил ефрейтор, хотел немедленно деда расстрелять, но когда заставил разуться и увидел дедовы ноги, вдруг сжалился. Так, дал только прикладом по спине и подвел к трупам итальянских солдат. Вот, сказал, стаскивай с этих. С этих можно. С немца, мол, еврею — святотатство, а с итальянца сойдет.

Ах, какие это были сапоги, дитя мое. Тебя не смущает дедово мародерство? Меня — нет. Того итальянского парня они согреть уже не могли, а деду спасли ноги. И как потом до самого конца дед натягивал их по утрам — им сносу не было, не было сносу! — как шнуровал, застегивал голенища, и четко, почти по-солдатски, печатал шаг к — прости за нищий каламбур — ближайшему киоску "союзПЕЧАТЬ". Маленьким я раздумывал — может из-за этих "не наших" сапог у деда и "не наши" взгляды на жизнь?

Ах боже ты мой, уже четвертый час! А завтра в десять у нас репетиция с Мятлицким. Писал ли я тебе, что мы с Профессором затеяли программу с почтенным барочным оркестром Бостона? Это "Handel and Haydn Society", общество Генделя и Гайдна — уютно, правда? Барочный оркестр и хор. Музыканты играют на инструментах XVII и XVIII века. Оркестр слабый, что не мешает ему быть местной достопримечательностью. Он основан в 1815 году, при жизни Бетховена. Существует изысканный миф, будто они заказали старику "Бостонскую увертюру", но глухарь умер, не успев ее написать. Каждый год в начале декабря этот оркестр исполняет генделевского "Мессию" — как раз перед Кристмасом, и делает это аккуратно уже 200 лет подряд. Такое бостонское событие, на которое всякая приличная семья считает своим долгом сходить и сводить детей. Продолжается это занудство три часа, потом публика благосклонно хлопает и благостно расходится. Не все музыканты, что стояли у истоков оркестра, еще играют сегодня. Мы с Мятлицким — пришлые. И — живые.

Кстати, я теперь живу почти по соседству с ним. У меня единственный сосед — милый тишайший идиот. В отличие от многих, он не скандалит и не гонит мой фагот в преисподнюю, а наоборот — часами дожидается, когда я соизволю проснуться и дунуть.

Недоразумение у нас с ним только по одному поводу: когда мы сталкиваемся у почтовых ящиков, я не позволяю ему руки целовать.

Так Профессор: не перестаю восхищаться этим человеком. Подумать только — ему девяносто три года, и при том — какая ясность, какой юмор, какой блистательный острый ум!

Вчера после репетиции в "Symphony Hall" (считается, что этот зал обладает уникальной акустикой, — чепуха, акустика обычная) я подвозил его до дому, и мы разговорились о Крейслере.

В молодости Мятлицкий довольно долго играл с одним пианистом, который аккомпанировал великому Крейслеру. "И тот научил его кое-каким эстрадным трюкам, — сказал Профессор, — замедлениям, глиссандо, томным вибрато — короче, всему этому барахлу, что так любит и ценит публика. — Помолчал и добавил: — Хотя сам Крейслер срать хотел на публику, поверьте мне, Саймон. Да, он сочинял салонные пьесы, но исполнял их строго и просто, не отклоняясь от ритма".

Он прекрасно говорит по-русски, с легким акцентом. В детстве провел несколько лет в России, а родился в Варшаве. Застал революцию! Правда, ни черта не помнит, был слишком мал. Его отец — инженер, строитель мостов — работал в России по приглашению. После революции, разумеется, ему пришлось убраться в свою Варшаву: настало время разбойникам швырять в набежавшую волну всех, кто подвернется под руку.

Мечтаю познакомить тебя с его семейством. Семейство занятное: дочь Юлия, известная журналистка, обозреватель всех скандальных судебных процессов, чертовски популярна, часто мелькает в телевизоре; острая — в отца, — но тяжелая по характеру особа. Причем, как рассказывает Профессор, свой мерзкий характер демонстрировала с младых ногтей. Однажды во время триумфальных гастролей по Европе жена позвонила Мятлицкому и сказала: “Я больше не могу с ней! Не могу! Приезжай немедленно!” И он отменил два концерта, уплатив огромную неустойку, и приехал. В его присутствии дрянная девчонка ве́ла себя чуть лучше.

Она бездетна, и лет двадцать назад взяла на воспитание китайскую девочку. Знаешь ли ты, дитя мое, — и это последнее, чем я морочу сегодня твою усталую зеркальную голову, — что в Китае содержание престарелых родителей лежит на плечах сыновей?

Так что рождение дочери — это несчастье. Новорожденных девочек сплошь и рядом просто кладут на ближайшую обочину. Таким образом Юлия, мотаясь в Китае по своим журналистским делам, подобрала и удочерила одну из этих выкинутых на обочину девочек. Волнующая история, правда?

Все, все, спи...

Итак, жду тебя в Амстердаме шестнадцатого. Прямо в отеле: *“Хочете видеть красавицу?!”* По моим расчетам, ты будешь там уже к двенадцати. Ты ведь не возьмешь мотоцикл? Я заказал машину, и мы двинем через Германию в Прагу, а оттуда в Карловы Вары, где в местном оперном театре я играю только один концерт.

Помнишь, как лет семь назад — нищие скитальцы, уличные затейники, — сидя в ничтожной комнатке дешевого пансиона, мы смотрели в окно на медленно плывущий в тумане ущелья гранд-отель “Пупп”, мечтая хотя бы когда-нибудь... Так вот, моя зеркальная девочка: я заказал для нас две ночи в этом дворце Шехерезады — не пугайся, с приличной скидкой. Ты рада? А в Амстердаме, как обычно, мы будем в “AMS Lairesse” — знаю, что это не самое твое любимое, но подумай и согласись: концертный зал оттуда близко, а мне, бедняге, с утра на репетицию, а вечером на концерт, и так все три дня как заведенному.

К тому же там симпатичный японский садик, на который можно смотреть за завтраком. И такие удобные широкие кровати! Такие широкие кровати! Иди же ко мне скорей!

Я звонил Питеру. Мой фагот совсем готов, и я не могу нарадоваться и не могу дождаться минуты, когда возьму в руки свое будущее дитя: это копия инструмента Людвига Айхентопфа, восемнадцатый век. Сделать его мог только такой бесподобный мастер, как Питер де Кёнинг.

Но ты уже спишь... Я тихонько укрываю тебя и тоже иду вздремнуть. Знаешь — сквозь сон уже, чтобы ты не услышала, — о чем я мечтаю иногда? нет, довольно часто. Прости торжественного старого идиота: чтобы, когда случится заснуть в последний раз, ты была рядом со мной.

Спокойной ночи!»

14

На четвертом курсе ее руководитель Лазурин по обмену уехал на Кубу – там открыли цирковое училище. И Анну с сольным номером на трапеции выпускала бедовая старушка Елена Павловна Красовицкая. В бурной молодости она была наездницей, потом работала трапецию. Так и осталась одинокой — ни мужа, ни детей. Жила с сестрой где-то в цирковом кооперативе на Усиевича.

В учительской она не выпускала папиросы из зубов — сигарет не признавала: в качестве фильтра вставляла в гильзу ваточку.

В то время Красовицкой было далеко за шестьдесят, но лонжу держала крепко, Анна совершенно доверяла ее рукам.

И выпускной номер Анны получился забавным, «репризным»: в матроске с юбочкой, в лихо заломленном берете, под музыку Дунаевского, худенькая и легкая, Анна подскакивала к висящему кор-де-парелю и рывками — ноги вытянуты уголком — на одних руках поднималась вверх по канату до самой трапеции, как юнга по веревочной лесенке. Поднималась быстро, с шиком — руки уже тогда были сильными, — подбрасывая тело в такт музыке.

Отстегнув наверху лонжу, бралась за гриф трапеции и — два-три сильных маха всем телом — резко отпускала руки, чтобы, ноги согнув и повернувшись на 180 градусов, уже вслепую поймать гриф икрами и оборваться вниз.

Называлось это «пол-пируэта в пятки с виса». Она и заканчивала номер тем же полпируэтом и под задушевного Дунаевского уносилась с трапецией в длинный кач.

Оба они, и Анна, и Володька, сдали спецуху на «отлично». Теперь надо было уноситься в длинный кач по жизни, по циркам.

Невероятно юные, они жаждали настоящего манежа, холодящего риска, высоты, прожекторов, аплодисментов... Славы!

И были несколько растеряны.

* * *

После выпускных экзаменов Володьку взяли нижним акробатом в хороший выездной номер и немедленно услали в Пермь.

Анну же оформили в молодой коллектив «Цирк-Ревю» и посадили на «репетиционный период» в Измайлово. Там находилась репетиционная база. Называлась она громоздко и торжественно — «Всесоюзная дирекция по подготовке цирковых аттракционов и номеров». Предполагалось, что молодые артисты, оттачивая здесь свои номера, доводят мастерство до совершенства. Потекли одна за другой унылые недели... Времени на репетицию в манеже полагалось не густо — час в день. Да еще для экономии дирекция уплотняла график: совмещала несколько номеров.

Анна приходила, разминалась, вымахивала на трапеции свои дуги и пируэты, а внизу в это время свивалась в немых кренделях пара эквилибристов, да пара жонглеров перекидывалась булавами.

Целыми днями она болталась без дела и ошивалась в консерваторском общежитии у Ариши. Та бредила теперь колокольным инструментом под названием «карильон», переписывалась с неким французским карильонистом и планы на будущее строила фантастические, не иначе начитавшись каких-то романов. Знала про все европейские соборы, где установлены эти самые карильоны, и часами о них говорила.

Вечерами Анна сходила с ума от тоски в обществе двух совершенно спятивших на экономии электричества троцкистов Блувштейнов. Им, отсидевшим в советских лагерях лет по двадцать, было довольно и одной тусклой лампочки на кухне. Про себя Анна это называла «ностальгией по бараку».

— Барышня, — говорил ей утром на кухне Исай Борисович, — вы вчера до трех часов ночи свет палили. По какому случаю?

— Книжку читала, — вежливо отвечала Анна.

Он кривился в усмешке:

— Хотел бы я посмотреть, что за книжки читает цирковая публика!

— Пожалуйста, — кротко отвечала Анна и выносила из комнаты брошюру под названием «М-теория струн и решетчатая структура пространства-времени в петлевой квантовой космологии».

Исай Борисович таращил катаракты за толстыми линзами очков, кричал жене:

— Ирина Богдановна! Она издевается над нами!

Аришин ухажер, Эдик Мартиросян, аспирант с кафедры физики МГУ, иногда брал для Анны по составленному ею списку книги и журналы в университетской библиотеке.

Время от времени с центрального телеграфа она звонила отцу на работу. Разговоры эти были мучительны — не только потому, что ненавидела телефонные звонки, *считала их делом бессмысленным, пустым — обманкой; шуршащей оболочкой выхолощенного голоса...* Но даже сквозь шорохи и помехи слышна была его, отца, тоска. Она чувствовала, как жадно по голосу он пытается вызнать: здорова ли? Счастлива ли? Иногда прямо так и спрашивал:

— Нюта, ты счастлива?

Она звонко смеялась, и говорила убедительно:

— Ну, папа! Конечно!

Наступало молчание... шорох... дребезжание далекой чайной ложки в его стакане.

Отец вдруг говорил:

— А нашу обезьянку, Нюта, помнишь? Ее в Одессу перевели.

— Что?! — повышала голос Нюта. — В Одессу?

— Ну да... За неуживчивый характер.

И она понять не могла — *никогда ничего не могла по телефону понять, глохли, туманились зеркала!* — шутит отец или грустит.

О Машуте — после тех его неудержимых слез — они старались не говорить. Подробности о ней Анна знала из тайных, безграмотных, дико смешных, кабы не их смысл, писем Христины.

В то время Христина уже перебралась к ним жить. Ее «почти вдовец», за пьянство разжалованный из машинистов в проводники, однажды не вернулся из дальней поездки — то ли сгинул безвестно в остервенелых торгах с южными спекулянтами, с которых проводники драли за каждый ящик помидор и хурмы, то ли притулился в каком-нибудь Ереване или Алма-Ате к черноглазой одинокой толстухе...

Писала Христина точь-в-точь, как говорила, — на «суржике». Из этих корявых слов, из неуклюжих фраз вырастал ее голос: «Вот, отец опять ездил “на холеру”...»

Прыйшлося тут сыдеть сидьмя с Марькирилной и так страшенно оставаться з ею одною а ну как прифатит ее здесь без Натоль Макарыча? Так если с кучей таблеток она ще смирна снула но бувае накатить на ее она усэ як повыплевыват... и тогда з ей одной так страшно Нютынька не приведи Господи. Шо уси дзеркала вокруг разбыла, так то ладно дома мы уж усэ попряталы но она ж норовит и ув окнах стеклы бить особо когда вечером они блуковать начинають тут вжэ бежи уперед сэбэ крычи караул зашторивай усэ шо можна... А ув больнице отец усэ платить да платить она там жэ ж усе дзеркала поперебила они новы вешають если в ванных там, или на калидоре так она новы тэж бъеть беда бедой Нютынька Господи Божэ ж змылуйся хто б знав шо наша культурна Марькирилна с тоей своею музыкой станет прям як звер дикий...

* * *

К новому сезону они принялись бегать по отделам главка, искать воздушный номер или полет, куда бы их взяли обоих. Расстаться опять казалось немыслимым — что за жизнь в одиночье? За этот год Володька совсем иссох. А если оба при деле, можно кочевать из гастроли в гастроль безо всякой прописки, без привязки к городу... Утрамбовал все в благословенный старый кофер — и лети себе, куда ушлют.

Однако очень скоро выяснилось, что пристроиться в номер вдвоем — задача не из легких.

Где-то нужен был парень, где-то девушка. К тому же, брать в номер мужа и жену многие опасались — в цирковых интригах, подсиживаниях и бесконечных междоусобицах это всегда нежелательная коалиция. Все они были рабами на плантациях главка. Вернее, добровольными крепостными. И уйти от крепостника могли только в бесприютную голодную свободу — на улицу, в никуда.

Несколько раз им предлагали совсем бросовые номера. Они отказывались. И чиновники главка при виде этой самонадеянной парочки уже теряли терпение.

Так промотались все лето, совсем уже отчаялись. И 26 августа, в День советского цирка, в очередной раз потащились в художественный отдел.

Володька отговаривал, говорил, что идти бесполезно, что в этом логове шакалов с утра уже все гудят, праздник отмечают... Но Анна допила кефир, сполоснула бутылку под краном (стеклотара была дополнительной статьей дохода у троцкистов) и твердо сказала:

— Надень выходные брюки. Пойдем.

В главке действительно все были на одной ноге — кто уже ушел, кто «вот-вот» собирался. За столами и на столах сидели какие-то случайные люди, кто-то курил, кто-то анекдоты травил. Альбина Константиновна — колобок с изрытым оспинами лицом, та, что гоняла их все эти месяцы, как драных котов с дачной веранды, накладывала свежий слой губной помады на свои неприлично вывернутые губы. Накручивала диск телефонного аппарата и кричала кому-то в трубку:

— Владимир Иваны-ы-ыч! Снимай штаны на ны-ы-чь! — Видать, успела приложиться за ради праздника.

— А может, у вас на проволоке или на канате для нас что-нибудь найдется?

Почему Анна спросила про канат? Просто услышала некий мысленный текст, довольно внятный, что проговаривала про себя женщина за соседним столом — беременная, лица не видно, голову наклонила к листу, что-то старательно пишет...

Услышав заданный Анной вопрос, женщина подняла голову, внимательно посмотрела на них обоих. И, видать, они показались ей симпатичными: совсем молоденькие, а значит, не спившиеся, увлеченные.

— Ребята, — сказала она, — а хотите сами готовый номер взять? Канат с переходными лестницами?

У нее было такое славное, в веснушках, лицо, маленькие пухлые руки, которыми она то и дело всплескивала, словно искала в воздухе потерянный балансир.

И тут же в этой комнате все сошлось, сложилось, спелось, как это бывает только на узловых станциях судьбы. Вот рожать собралась на исходе карьеры, объясняла Люба. Ну в самом деле: когда-то же надо и на это решиться. Пенсию вот оформляю по стажу: много лет была руководителем номера, а теперь уж все, теперь пеленки и подгузники — вот наш реквизит.

— Ребята, — повторяла она возбужденно и руками всплескивала. — Возьмите, не пожалеете! У нас хороший номер был, семейный, удачливый, у нас за столько лет никто не разбился, так только, мелкие травмы...

И это ж надо, как вовремя девушка спросила про канат! Значит, есть у нее решимость, страсть к высоте... А так хочется кому-то серьезному, стоящему реквизит продать!

И Альбина Константиновна в преддверье праздника показала себя благосклонной, за разговором наблюдала с материнской улыбкой на пунцовых развратных губах, даже обещала «рассмотреть вопрос с денежной помощью на приобретение реквизита».

Так в один день — да что там день, буквально в минуту — они стали владельцами полностью экипированного собственного номера — с аппаратурой, костюмами, партнерами.

* * *

Аппаратура оказалась тяжеленная, невысокая — примитивная. Костюмы допотопные. Одну партнершу они сразу уволили за пьянство, вторая, Гульнара, лет тридцати двух, уже «поплывшая», ленивая, знала свои скромные трюки и ничего нового репетировать не желала. Эти же два новоявленных воздушных канатоходца бредили высотой, риском, новыми трюками — чтобы колосники вертелись! Чтоб вот именно — воздушные, воздушные! — высота, вздох, небо, легкость, бездонность...

Они рьяно принялись репетировать на том, что получили: канат — жанр традиционный и древний, как пирамида Хеопса. Трюки все известные, все наперечет: вот построились на мостике, *нижний* идет с балансиром к противоположному мосту, *верхние* сошли на «грядушки» — это подвесные лесенки, за которые можно держаться, стоя на перилах, на трюки строиться, просто эффектно сидеть — «позировать».

Есть и сложные трюки: там «драйку» пронести — колонну из трех артистов, там — «фирку» — из четырех. Но сколько может смотреть публика на эти грузчицкие подвиги? Все эти проноски, повторяла Анна, это скучно, уныло, было тыщу раз...

И вот так, мечтая о высоте и размахе, о неожиданных трюках, о зажмуренных глазах и вспотевших от напряжения ладонях зрителей, они все же выпустились через год на этой приземленной не дерзкой аппаратуре.

 Причем оба оказались как будто рождены для каната. Особенно Володька — пластика, баланс необыкновенные! Акулы жанра стали переманивать его в партнеры. Сам Волжанский приглашал.

Володька отказался. Они решили делать собственный аттракцион. Сами.

* * *

Все последние месяцы Анне почему-то вспоминался Жилянский садик, куда ее в раннем детстве водили гулять. Качели вспоминались, но не медленные раздумчивые лодки, которые, если б не пугливая Полина, можно было бы раскачать до устрашающей опрокидывающей высоты, а примитивная доска, закрепленная поперек железной трубы. Ребятишки усаживались по краям этой доски и, отталкиваясь ногами, то взлетали, то опускались к земле... Доска пружинила, прогибалась — усаживались-то, бывало, по двое, по трое с каждого краю — но никогда не ломалась. Не давала Анне покоя эта простая доска в Жилянском садике.

Однажды после репетиции они с Володькой сидели в буфете, жевали бутерброды с резиновым сыром. Анна молча глядела в окно, как рабочие во дворе цирка разгружают грузовик, полный строительных досок.

— Ну что ты, что? — спросил он. Всегда побаивался ее молчаливой задумчивости.

— Ничего, — отозвалась она. — Слушай, крутится в памяти одна штука, спасу нет. Сегодня вообще из головы не выходит. Конструкция простая, как... доска. Вон, что дядьки разгружают.

Он проследил за ее взглядом в окно. Там один грузчик уронил на плечо другому доску, и тот, судя по жестам и энергичной артикуляции, самозабвенно матерился.

— Ты про что?

— Думаю — как бы нам эту горизонталь... обвертикалить, что ли... обпоперечить?

— Что-что? Какую горизонталь?

— Да канат канатыч... Что бы с ним придумать? Неинтересно же повторять за другими.

— А ты, — усмехнулся он, — в космос собралась с него летать? Трюки-то все замшелые, как мир. Тысячи лет до тебя на канате кувыркались. Всё давным-давно придумали.

— Ну да, ну да... — согласилась она. Пустая качель-доска под огромным каштаном вздымалась и со стуком ударялась о землю. А когда на ней ребятишки сидели, они ногами пружинили и отталкивались, пружинили и отталкивались...

— Пойдем, покурим.

Во дворе припекало солнышко. Трое рабочих сгружали последние доски. Один стоял в кузове и подавал, двое принимали на плечи и со стуком сбрасывали у стены на землю. Обычные березовые шестиметровые доски. Для ремонта, наверное.

И тут у Анны мурашки побежали по спине: она вдруг увидела свой неповторимый странный номер: на большой высоте медленно вздымалась и опускалась над манежем доска поперек каната, — романтические качели в зачарованном «снегопаде» от зеркального шара... Доска на канате?! Что за бред! Номер смертельный, на две секунды — с продолжительными торжественными похоронами...

Она дождалась, пока рабочие разгрузятся и уедут, подошла к штабелям, внимательно их оглядела. Взобралась на один и попрыгала, примериваясь.

Сощурившись, Володька смотрел на нее, пытаясь угадать, к чему все это, что там еще в голове ее родилось неугомонной? Потом отшвырнул окурок и пошел помочь.

Они выбрали самую длинную доску, ту, что поровнее, без сучков, отволокли ее в манеж, положили поперек барьера.

Тут очень кстати Нинка подвернулась — сокурсница, подружка. Она как раз торчала тогда на репетиционном, готовила непыльный спокойный номер-эквилибр. Уселись Анна с Нинкой по краям доски, покачались, как две девчонки. Доска пружинила, прогибалась, но вес держала. Подозвали униформиста, и они Володькой уселись на ту же качель... А доска все держала вес. Не лопнула, милая. Не лопнула!

И уже через минуту они, возбужденно перебивая друг друга, на ходу соображали, как приспособить эту доску, как уравновесить ее поперек каната.

— Планочки прибить у центра тяжести, по обе стороны, — сказала Анна. — Сделать такой паз. Чтобы не искать на публике центр на ощупь, а сразу класть на канат.

Заспорили, стали сочинять номер в деталях...

Сначала попробовали Володька с Анной на низком канате — и забраковали. Не получалось поймать баланс, хрупкое равновесие, без которого ничего в их деле не произойдет.

Тогда жонглер Веня Тарасюк, что тихо кидал себе в сторонке свои шарики, подошел и, не прерывая перекатной дуги из руки в руку, сопровождая движение еле заметной дугой подбородка, сказал:

— Тут две гимнастки нужны, одинаковый вес...

Так Нинка попала в номер и стала их верной партнершей на годы.

Репетировали они азартно, целыми днями, как оглашенные. Канат поднимали все выше, все рискованней. Новоявленная качель-доска медленно вздымалась и опускалась над манежем, парила под колосниками... Это был тот самый вымечтанный опасный полет.

Первое же представление в Риге произвело настоящий фурор. Вызывали их на повторный выход пять раз, чего в цирке никогда не бывает. Директор Игорь Петрович, одышливый тучный человек, прибежал в гардеробную, руки им пожимал, повторял:

— Ну и ну! За всю мою в цирке жизнь я такого не видел!

И стали они качаться на своей доске-досточке, вверх-вниз, вверх-вниз — на сумасшедшей высоте, в пустоте, в завороженном кружении света. Безостановочно: по городам и весям, по циркам и шапито, по странам, по небесам...

15

— ...Женевьева? Я уже говорил вам, Роберт, — она отличная девушка. Настоящий друг. И все такое...

Анна всегда у нее останавливалась, когда бывала в Монреале. А в Монреале она могла жить неделями, особенно когда работа была, очередной заказ... И она любила Монреаль, а у Женевьевы чувствовала себя как дома — там на крыше была такая крошечная каморка, совсем отдельная, незаконно пристроенная. Из муниципалитета много лет слали грозные предупреждения на официальных бланках: разрушить, а не то... Но в этих делах, знаете, улита едет... надеюсь, на веку Женевьевы этот домик Карлсона еще постоит.

Так вот, попасть в него можно было, только если выйти из квартиры и с лестничной клетки по винтовой лесенке подняться к двери на чердак. А там уже другая дверка вела прямо в будочку на крыше. Я не шучу: настоящая будочка, метров восемь-девять, но раскладная кровать умещалась, и столик привинчен был к стене, под него задвигалась табуретка... Даже биосортир был за шторкой: полная автономия. Анна обожала это гнездо. Она так и называла его «гнездом».

К тому же — я уже говорил, — у нее была трогательная любовь со старым попугаем Женевьевы, с Говардом. Поверите, он покой терял, когда Анна появлялась. И на плечо его возьми, и гладь, и башку почесывай, а он глазки закатывает, блаженствует... Говорил таким гнусавым голосом старого картежного шулера: «Анна — ма-альчик... Дай поцелую!» А мальчик-то почему? Черт его знает, кто научил. Анна уверяла, что попугаи не птицы, а такие существа, вроде эльфов. Особенно жако — они ж хитрющие, умницы! И знаете, послушать его, как он в тему тебе отвечает, — поневоле поверишь...

Вот Говард Анну и спас... Представляете, как должна испугаться птица, какое испытать потрясение, чтобы напасть на хозяйку! Это же немыслимо! Такого не бывает! Попугаи всегда защищают хозяев, лучше собак! А тут вот такое... Представляю, как этим железным клювом он долбил ее в голову, в руки!.. А руки у Женевьевы будь здоров какие сильные. У форматоров руки слабыми не бывают. Я видел, как она пилой распиливала гипсовый торс... пилила равномерно, без передышки.

И вот поди же — попугай, да? Попка-дурак, да? Дрался, как рыцарь!.. У нее с того дня шрам остался — вот тут, у самого глаза... Будто слеза висит.

Нет, знаете... не хочу говорить о том несчастном случае! Поверьте, Женевьева и всегда была тощей, а после того, как Анна пропала... вообще в тень превратилась. С ней об Анне и говорить-то тяжело. Сразу в слезы. Она очень чувствительная, эта малышка. Ну, вы ведь допрашивали Женевьеву? Вы ее видели. Она сильный ясный человек — когда трезвая, само собой. Нет, я себе не противоречу. Женевьева — настоящая бретонка, они там все из гранита, как их земля. И ни в чем она не виновата... Ни в чем.

...Меньше всего мне хотелось бы говорить на эту тему, господин Керлер. Уж очень Анна не любила этого и слишком от этого страдала... Всегда мрачнела, если какой-нибудь кретин, случайно узнав от кого-то... или пронюхав что-то такое — понимаете, ей не всегда удавалось это скрыть, — так вот, когда такой интересующийся кретин начинал задавать игривые вопросы, какие обычно гадалкам задают, или, блин, хироманту... она могла и обложить как следует, по-нашему, по-цирковому, знаете... Могла быть ужасно, неожиданно, как теперь говорят, *немотивированно* резка.

Да понимаю я, понимаю, что вы для дела... Хотя чем это может делу помочь? Отпугнуть может кого угодно. Я ведь и сам не сразу узнал, хотя в то время, в ранней юности, она иногда еще играла своим даром, как в бирюльки. Ей нравилось человека огорошить и ничего не объяснять. Да и что тут объяснишь? Я, помню, сам оторопел — тогда, на кукурузном поле.

Наш сторож Панас Редько, дружок наш, покровитель, можно сказать... однажды вечером принялся своей семьей хвастать. И жинка у него «така ухватлива, така старательна! Тильки ув дом вхожу, крычу...» — и тут Анна как гаркнет у меня над ухом его голосом: «Наталья!».

Старик сначала обрадовался: «Точно, ухадала!..» А ей нет бы остановиться. Попугала и будет, да? Но — юность, радость, любовь наша... Она была как шампанское, когда его только откроешь. Остановиться не могла. Всех ему назвала — как сына зовут, как дочерей. Правда, с младшей немного ошиблась. Сказала «Лина», а та была Нина... Старик прямо помертвел на глазах. А Анна хохочет: «Что, Панас Егорович, думаете, только в старину ведьмы по небу летали? Вы сюда в полночь наведайтесь. Я вас с собой на шабаш возьму!»

И хохочет, как ненормальная.

Между прочим, шутки шутками, а ведь старик больше к нам не являлся. Правда, она на другой день уехала — внезапно. Ей про мать нехороший сон приснился... Но я сейчас о другом. О себе. Я всем этим чудесам в решете тоже сильно-то не обрадовался. Хотя был дурак дураком, да еще дураком влюбленным. Не понимал, но чуял, какая это беда — ее бесподобный дар.

Ну а потом, когда в училище стряслось несчастье с одной гимнасткой, а Анна вроде как предсказала ей, уберечь хотела... да не важно уж, как там было, — главное, все с ума посходили: стали шарахаться от нее, как от чумы, гадости за спиной говорить... Вот тогда я понял, что должен буду всю жизнь ее оберегать... от всякого зла. В том числе, и от нее самой.

...Как вам сказать... Это ведь не профессия. Не отрепетированный трюк. Это дар хрупкий, опасный... жутковатый. По команде не работает. Все зависело от слишком многого: ее настроения, самочувствия... От того, кто был рядом... К тому же, она и сама не все о себе знала. Иногда открывала что-то впервые. Например, была потрясена, когда однажды перед выходом... Короче, она потеряла расческу. Сидим в гардеробной, готовимся к выходу, гримируемся... А у нее грива тогда была несравненная, без расчески никак. Сидит она простоволосая, диадему отложила, тихо так, пристально смотрит на себя в зеркало, как будто взглядом его раздвигает... Господи, как я ненавидел эти ее посиделки перед зеркалом! Я тороплю — мол, что ты копаешься, скоро выход, размяться надо. Вдруг открывается дверь, входит коверный Ким Девяткин, и из кармана брюк у него прямо к ее ногам вываливается расческа — маленькая, грязная, с тремя поломанными зубцами.

Анна медленно так наклонилась, подняла. Говорит растерянно: «Спасибо, дядя Ким».

А он ей — чё спасибо? Эт не моя... обронил тут кто-то.

Поверите, я думал тогда, что ее на манеж нельзя выпускать, — у нас ведь работа на миллиметрах, равновесие нужно не только физическое, но и душевное. Нам через пять минут идти на канат, а она сидит, и ме-е-едленно по волосам этой расческой водит. И таким на себя в зеркале взглядом смотрит — описать не могу... Растерянным и... ненавидящим. Понимаете?

Такие дела... Бывало, привезут нас куда-то, расселят... Иногда случалось остановиться в пустой квартире друзей, пока кто-то из наших артистов на гастролях... Въехали, распаковались, приняли душ... тыр-пыр — забыла, растеряха, ножнички для ногтей. И вот она идет в чужой комнате к комоду в углу и в третьем ящике снизу под пачкой чужих писем берет ножнички.

Все, что у других плоское, она видела объемным. Вязание запуталось, цепочка там какая-нибудь — она видит нитку в клубке, мгновенно распутывает.

И без билета проходила... куда угодно. Мне объясняла так: лишь бы на теле не было ничего, что может оказаться аллергеном. Запах духов, например, блеск камня... Камни, говорила, вообще опасны. Особенно минералы. Я только потом уже, гораздо позже вспоминал, как на тех «мотоциклетных» каникулах мы воровали яблоки в одном богатом саду, недалеко от Пирогово, в Виннице. Там чокнутый старик-хозяин стрелял солью из ружья. Ходил-покрикивал и стрелял. Она меня оставила за забором, сама перелезла, срывала яблоки и кидала мне через забор. Почти не пряталась. Так вот, он по каким-то пацанам стрелял, орал, ружьем тряс... Ее не видел! Не ви-дел!

Я, знаете, не больно-то лез к ней с расспросами. Но иногда, особенно, если уставала или болела, она вдруг что-то рассказывала. Как будто случайно развяжется заветный мешочек, а из него тихо-тихо выкатится маленький блестящий камушек. Кристалл. Играет гранями, шевелится...

Однажды она загрипповала в Ташкенте посреди гастролей. Вернее, не загрипповала, а... там такой случай был ужасный. Ну, не ужасный, обычный цирковой беспредел. У нас животных столько погибало, больно вспомнить. Иногда мне даже снится что-нибудь из прошлой жизни — как плакали морские львы, когда их везли куда-то в клетках в страшную жару.

А как перевозят зверье в товарняках из города в город! С ними ведь кто едет? Пара служащих, хронически нажравшихся. Условия жуткие, особенно зимой. Бывали и смертные случаи, если сено загоралось, да и просто звери замерзали. Когда, например, ездили на гастроли в Америку, животных морем отправляли. Тоже удовольствие не самое большое. И опять же при них — пара служащих да чекист, чтоб эти гаврики в порту ненароком не заблудились... Нет, настоящие звери — это дрессировщики, а вовсе не животные.

Какой все-таки молодец Ги Лалиберте в «Цирке Дю Солей», что напрочь отказался от всех этих вековых затей разных дедушек Дуровых и прочих мучителей. Ему предрекали полный провал: цирк не бывает без животных! А он стал лучшим цирком в мире.

О чем я? Да, о случае в Ташкенте. Там один иллюзионист — бездарь, шушера, да и номер-то говно, — забыл после представления двух собачек из зарядки вытащить. И уехал гулять-выпивать. Собаки остались сдавленными в теснейшем желобе до утра. Естественно, задохнулись...

Что? Зарядка? Это такие иллюзионные ящики с секретом. До представления их «заряжают» — подготавливают к работе, а там уже только кнопки нажимай — все само собой вываливается, выбегает, вылетает... Еще, правда, «зарядкой» мы называем подготовку аппаратуры к представлению. Так и говорим — пошли, мол, ребята, на зарядку: ну, реквизит по мостам раскладываем, лонжи цепляем в нужные места, веера вешаем, балансы поднимаем, кладем в рожки на мостиках — это у нас, у канатоходцев. Чтобы все было готово к работе, все под рукой.

А тут — животные. Этот, знаете, миф о «гуманной дрессуре»... Да более жестокого обращения с животными, чем в советском цирке... такого никто и нигде не знал! Я всякого насмотрелся, могу порассказать. Когда дрессировщик с ассистентами выводят медведя из клетки на крепких поводках, растянутых в стороны, и уже издалека несется крик: «При-и-и-ми-и-и!» — все шарахаются куда подальше. Медведь — он, понимаете, самый опасный зверь, куда опаснее льва: никогда не показывает, что нападет. И если медведю удается бежать, тут уже все бегут, не оглядываясь, — забиться в любую щель.

Да... эти собачки. Я Анну такой не видел. Говорю вам, с детства я ее такой не видел! Как она бросилась на него! Как налетела! Молотила безжалостно, исступленно... Мы еле ее оттащили... И в этот день она свалилась с высоченной температурой. Я вечером к ней прилег — горит, мечется, быстро-быстро бормочет, что-то рассказывает. Я ей — двойную порцию аспирина, чай горячий с медом, всю ее водкой растер, чтоб аж горела. У нас гастроли, болеть-то не с руки. Назавтра в манеж, на канат, хоть ты тресни.

И вот тогда она, жалобно всхлипывая мне в подмышку, рассказала, как однажды в детстве отмутузила девчонку с их двора, воровку шелудивую, Зойкой звали. За то, что украла что-то там у Фиравельны, слепой Аришиной бабки, прямо у той из-под носа, на кухне. Короче, Анна отметелила воровку и сразу же сама свалилась прямо там же, у них на кухне — пришлось Арише бежать за ее отцом, тот Анну домой на руках унес.

Так она узнала, что ей нельзя на человека руку поднимать. Что рушатся какие-то зеркала в залобной части. Разлетаются в осколки... И очень медленно восстанавливаются.

Вот это бесполезный вопрос, как вы понимаете. Я знал каждый закоулочек ее тела, каждую родинку... За правым ушком была такая маленькая, круглая... я целовал, она хохотала от щекотки... Но в ее голову заглянуть я не мог. Не мог.

...А вы что думаете, мне легко было? Думаете, уютно лежать рядом с женщиной, которая слышит все, что ворочается в твоей черепушке? Хотя было и другое. Была еще уверенность, что тебя держат. Да просто: держат, в самом буквальном смысле. Я вам случай расскажу.

У нас в программе был один виртуозный трюк на наклонном канате. Канат очень длинный был, это позволяло делать значительный перепад высоты. Верхний канат шел под углом с 12 метров на 17 и даже выше...

Я шел с балансиром, останавливался, завязывал глаза черной повязкой, отстегивал лонжу и дальше вслепую шел. Ну, конечно, не совсем вслепую — видел световую точку, просил направлять пушку на мостик. И в какой-то момент на наклонном канате делал как бы обсечку. Нога соскальзывала, народ взвывал... а я шел дальше и триумфально всходил на мостик на огромной высоте. Так вот, в эти минуты Анна стояла на мостике и ни на секунду не сводила с меня глаз. Держала меня взглядом, я это чувствовал — физически, всем телом чувствовал. Словно дополнительный балансир возникал, внутри, в районе позвоночника... Но однажды, в Новосибирске...

Она всегда говорила, что не стоит делать такой крутой угол, а я, как упертый баран, твердил — надо круче, круче! И вот доигрался: то ли подошву сапог плохо металлической скребкой отдраил, то ли недостаточно канифолью натер... только нога уже скользнула по-настоящему, и в секунду я повис на сумасшедшей высоте.

Одной рукой в канат вцепился, другой держу тяжелый балансир — это ж алюминиевая труба со свинцовыми втулками по краям, килограмм 10—12, — я ж не могу его бросить: он в народ пойдет, поубивает кучу зрителей! Да еще повязка на глазах. И все же, чувствую — меня держат, держат... Ну, я локтем, плечом — не знаю как — сорвал с глаз повязку, бросил баланс в центр манежа и на руках добрался до мостика. Что тут в публике началось! А я на Анну — на противоположный мостик — смотрю и понимаю: надо номер повторять. Иначе нельзя, иначе кураж уйдет, а страшнее этого у канатоходца ничего быть не может. В тот момент мне, понимаете, только одного хотелось — вниз. До гардеробной доползти, лечь пластом, вымереть, как дохлая собака... Но вижу: лицо ее окаменело, и глаза эти неподвижные — зеленые огни... Пойдешь! — говорит мне молча. — Иди!

И я снова ступаю на канат... В публике кричат — не надо, не надо! Билетерша не вынесла, швырнула программки на пол, убежала в фойе... И такая наступила тишина, что воздух звенел, как в поле... Внизу, под моим наклонным, проходил еще один, туго натянутый трос. И если ты на него слетишь, тебя просто разрубит пополам... Такие дела... Но она держала меня, я знал, что она держала меня... и я прошел! Это была победа! Не моя — наша победа, понимаете?

Не возражаете, если я что-нибудь покрепче закажу? У меня сегодня вечер свободен, и хорошо бы мне сегодня заснуть.

— Месье! Месье? Месье, сан грам дэ уиски, силь ву пле.

Так вот... о чем это я? О том, что с ней было нелегко, и это еще мягко сказано. Она ведь, понимаете, никогда не говорила неправды. И с юмором у нее дело обстояло так себе. Лепила каждому, что думала в данный момент. Помилуйте, я тоже не великий дипломат, но все же с годами — живем-то с людьми — научился как-то язык придерживать. А она — нет! В общепринятом смысле, скажу вам прямо, она не была «найс», не была приятным или, как теперь говорят, *комфортным* человеком. Вот уж чего не было в нашей с ней жизни: комфорта. Причем во всех смыслах этого слова.

Хотя... знаете, я даже вообразить не в состоянии, как это бывает, когда ты слышишь мысли собеседника, знаешь, что думает о тебе сослуживец... друг! Каково ей это было? Ну а тому, кто знал об этом ее даре, — тому вообще с ней было нелегко общаться. И даже если, допустим, человек вовсе не желает тебе зла и вообще живет своими интересами, все же мало кому приятно, чтобы кто-то хозяйничал в его личных мозгах.

По поводу ее дара — из которого, между прочим, за всю жизнь она не извлекла ни грамма пользы! ни грамма!..

Нет, ошибаюсь. Однажды она против самой себя пошла. Но тогда выхода не было: в Киеве умирал ее отец, и она знала, чувствовала, что — умирал. И все би-

1 Месье! Месье? Месье, сто грамм виски, пожалуйста *(искаж. фр.)*.

лась и билась с какой-то мерзавкой-чиновницей из посольства Украины, которая не давала ей визы, — у Анны были свои нелады с законом в связи с цирковой историей в Атланте...

Так вот, когда она поняла, что отец на последних уже часах, она явилась к этой суке... и что-то с ней сделала. Вот уж не могу вам сказать точно, но поверьте, что эти ее морские глаза при желании могли в такой омут затащить и утопить любое сознание до полной отключки... И эта стерва из посольства все подписала и проштемпелевала, как цыпочка. Анна рассказывала мне об этом пару месяцев спустя, когда вернулась из Киева, похоронив отца, а я возвратился из Москвы, со съемок двух клипов. Так вот, *об этом обстоятельстве* она упомянула вскользь и с такой гримасой боли, что я уже с расспросами не наваливался.

Ну и чем дальше, тем больше ее сторонились... А под конец бывали дни, недели, даже месяцы, когда среди людей она чувствовала себя прокаженной.

Единственный, кому ничего не мешало в ней, был Сеня. Однажды он сказал мне: «Все, чем располагает кладовка под этой сивой паклей, — и постучал себя пальцем по макушке, — всего лишь любовь, товар залежалый, налогообложению не подлежит».

Я уже говорил вам: мы с ним встретились однажды, случайно, в Лас-Вегасе. Лет семь назад.

Я прилетел по контракту с «Цирком Дю Солей», тренировать двух новых ребят, которых вводили вторым составом в водное шоу, знаете, это знаменитое — «О». А он торчал там две недели на гастролях со своим оркестром.

И я увидел его в баре отеля «Белладжио». Он сидел за столиком один, улыбался сам себе и тихо квасил...

В то время я уже не боялся его встретить. Если уж я ее тогда не убил, а ведь убивал и знал, что убиваю, чтобы вслед сдохнуть самому... короче, говорю, если уж я ее тогда не прикончил, его-то... через столько лет... За что? В то время я уже понимал, что он просто был ею выбран. Как и я когда-то.

Ну, подошел я, мы выпили в баре, потом переместились к нему в номер и гудели там до утра. Я — что? Я, понимаете, смириться не мог. Не мог смириться, и не мо-гу-у! — что она меня выбросила, вышвырнула из своей жизни. Вернее, даже не вышвырнула, а забыла, как вот забывает пьяная непутевая мать своего ребенка на вокзале, а сама едет не знай куда, в какой-то случайной электричке, куда ее собутыльники поманили... Это у нее всю жизнь было. Точно так же она выкинула, забыла своих родителей. Ведь мать из-за нее рехнулась, натурально, — спятила! А отец — этот замечательный мужик, каким он неприкаянным был, жалким, когда приехал в Москву, — надеялся уговорить ее, забрать из училища. «Нюта, — умолял, — Нютонька, вернись ради Машуты! Спаси Машуту, доченька!» А она так... нет, это невозможно передать — как она смотрела на него... как бы издалека, задумчиво, словно видела его сквозь годы, понимаете? Как будто он один из толпы людей, снующих где-то далеко внизу. И спокойно отвечала: «Это ничему не поможет, папа. И ничего не изменит». Лицо такое... покорное... Словно принимает она свою участь. Вот, в деревнях бывают такие лица у женщин, которые троих детей одного за другим схоронили... Глаза только — ка-ак полоснут зеленым горестным льдом из-под век! Знаете, мне тогда, при этом объяснении так страшно стало, я даже из комнаты вышел. Закурил, спустился во двор... Пусть, думаю, разберутся без меня.

А сейчас, когда иной раз не сплю до утра, думаю: кто знает, кто вообще может знать — что она видела впереди, какую-такую свою повинность отбывала? И откуда силы брала волочить на себе этот груз: всю бесполезность будущего, весь никчемный ворох наших судеб...

Что до меня, я б куда угодно за ней поехал. Ты только скажи: в Киев так в Киев. На Север так на Север, в пустыню, в болото, на небо — куда скажешь...

Да что сейчас говорить!

Так о чем я? Пьянка та, с Сеней в Лас-Вегасе, в девяносто восьмом... Я хотел все-таки понять: почему она бросила меня, молодого, красивого, сильного, с которым годы пропахала, и все у нас с ней было — настоящая близость, и опасность, и травмы, и успех, и страшное сопряжение тел, страшное слияние наше, и в наслаждении, и в риске... бросила, вышвырнула из жизни — и так привязана к старому, седому, вечно небритому неприкаянному лабуху, который ничего ей не может дать, кроме редких встреч, сентиментальных писем и какой-то призрачной, якобы вечной любви?..

А он, понимаете, сколько ни пил, никогда не пьянел. Очень жилистым в выпивке оказался. Музыканты, они в этом не слабже цирковых. И речь у него такая становилась... изысканная, утонченная... И без мата. Как будто он аспирантам лекции читает... И вот тогда, в этом долбаном Лас-Вегасе, в американском шикарном искусственном городе посреди пустыни, мы всю ночь о ней проговорили.

Слышали бы вы его рассуждения!.. Удавиться было впору. Например, он уверял, что она — ангел. Смешно, конечно? Не в том смысле, что типа как с неба ангел, а, мол, природа ее родственна неким существам, которые в народном сознании фигурируют как ангелы-архангелы всякие... ну и прочая небесная братия. Что люди в них верят, потому что время от времени такие существа действительно появляются на земле среди людей... Например, Христос... Вы — верующий? Я вообще-то нет. Но, извините за простоту, она же многое умела из того, что тот... проделывал. Насчет воскрешения мертвых не знаю, не скажу. Правда, случая не было... Но самой мертвой прикинуться — запросто. Да так, что вы бы в похоронную контору бросились звонить, без всякого сомнения.

Ну, в общем, я что-то запутался. Начал с ангелов, закончил трупами. Со святыми упокой. Но, между прочим, этот трюк — он называется «живой мертвец» — в старой России показывали на базарах и ярмарках. Дада. Мы учили это по истории цирка, у Эльки, у Элины Яковлевны Подворской. Человек погружается в глубокий транс, понижает температуру тела, коченеет, дыхание замедляется до неразличимости... Для этого, само собой, надо волю иметь и способности определенные. Это знаете кто еще умел делать? Старик Лонго, факир. Он к нам в училище приходил уже древним старичком. Вот Лонго — тот многое умел: щеки спицами насквозь прокалывал, вводил шпагу в пищевод. Даже глазное яблоко вынимал и держал на ложечке у лица. Такие дела... И вот Анна, когда он показал нам эту штуку — «живого мертвеца», — много дней сама не своя ходила. Сидела, тренировалась... часами! И добилась, такая упорная! Раза два меня пугала по-настоящему, я от страха чуть не помер.

Эх, жаль, вы не слышали, как Сеня выступал красиво! Не помню дословно эту его речугу... И что там Спиноза говорил, и какой-нибудь Гегель, то да се... У него-то все одно из другого вытекало, и как бы само собой, и так естественно, убедительно. Есть, говорил он, люди, и таких навалом, которые всю жизнь тужатся стать деми... деми-ургами — я правильно произношу? А случается, что демиург изо всех сил хочет остаться только человеком. То есть понимаете, что это такое? Это же «я возвращаю ваш портрет» — самому Господу Богу!

Тут не захочешь, а поверишь, что десять лет с ангелом прожил. А как еще вспомнишь эти ее рассветные глаза, когда она откроет их... будто еще вглядывается в оставленный горизонт... еще догоняет улетающих *своих...* такая промытая небесная зелень! И вдруг изнутри они темнеют, темнеют, такой наливаются тоской... Я несколько раз подглядывал эти пробуждения. Неуютно, доложу вам, обнимать такую тоскующую душу... И надо бы отпустить, да только — как? Куда?

А Сене — ему вроде и горя было мало. Что, говорил, тебя в ней смущает — ее отстраненность, нездешность? Это, говорил, из-за широкого охвата зрения. Ну вот скажи — на какое расстояние видит муравей? А орел? Поэтому муравей несет в муравейник соринку. А орел парит в холодной вышине. Как ты думаешь, говорил, может орел любить муравья? Он может его только жалеть, потому что видит весь путь его до муравейника, где его раздавит бутса бодрого туриста с веселой песней на губах — солнышко лесное...

А я пьяный был, во все поверил. Поверил, что десять лет с ангелом прожил, что ее на землю спустили рядом со мною побыть, а потом отозвали — мол, ну и хва, а сейчас, сукин кот, иди-к ты один, поразмысли, что имел, что потерял... Порой, как это ни горько, думаю: может она так *через меня, через цирковую повозку, через всю эту маету бездомную* своего Сеню зарабатывала? Кто там, не помню, из библейских мужиков за свою единственную любовь семь лет да еще семь лет отпахал?

Я вот иногда, будто очнусь, думаю — господи, зачем вся эта кошмарная жизнь была: цирк, бродячая компания вечно пьяных попутчиков-партнеров, заработки риском и страхом... и в конце концов мое канадское одиночество... Зачем? Ведь это все она меня с панталыку сбила.

С другой стороны, как подумаешь — ну что бы я делал? Спился бы, как папаня... А она меня за уши вытащила, закрутила, дала в руки балансир и пустила по канату — идти над жизнью, над землей, над!.. всегда только — над!.. Всегда!

Во-о-от...

Потом Сеня пригорюнился так — я думал, он уже заснул. Но он вдруг голову поднял и внятно, грустно говорит: «Можно еще задать вопрос — кто из них счастливее. И тебе ответит холодная гулкая горечь бездонного неба».

Да... Да, вот это я хорошо запомнил: «холодная гулкая горечь бездонного неба».

16

В Киев они попали не сразу. Сначала изъездили вдоль и поперек Среднюю Азию, Урал, Дальний Восток... Наконец, главк не то чтобы сменил равнодушие на милость, но стал изредка прислушиваться к просьбам директоров разных цирков. А те все чаще просили «Воздушных канатоходцев Стрелецких».

И вот в феврале восемьдесят шестого они оказались в Киеве.

Город очень изменился. Пионерский парк, бывший Купеческий, сильно покалечили диким памятником дружбы Украины с Россией: на месте променада, что уводил гуляющих к дивному бельведеру с видом на Днепр, теперь высились гранитная группа бояр с Богданом Хмельницким и огромная металлическая арка. Сам променад и центральные площадки закатали в асфальт, сгубив массу зелени.

Но на Бессарабке по-прежнему длинными рядами стояли торговки-матрешки из ближних и дальних сел, в фартуках поверх зимних фуфаек, с головами, повязанными яркими украинскими платками. По-прежнему торговали медом, салом, квашеной капустой. И по-прежнему, нахваливая сало, мясники демонстрировали мягкую коричневую шкурку, палимую соломой, приговаривая: «Оцэ покуштуйте шкурку, бачите, яка вона м'якэнька».

Население коммуналок давно разбросали по новостройкам. Гиршовичи — Ариша писала об этом — получили трехкомнатную на Оболони. Боря давно женился на скрипачке оркестра Гостелерадио, дочку родил, грозился уехать «в нормальную страну», где настоящие музыканты не прозябают, а процветают... Его родители старели вместе с Соней, дочерью-покойной-сестры-Буси-благословенна-ее-память-чтоб-сгореть-всем-убийцам... Фиравельна тихо угасла пару лет назад — во сне, как праведница. Незаметно для себя перешла из временной тьмы в тьму вечную.

— А может быть, в свет? — задумчиво спрашивала Ариша, которая к тому времени чудо как расцвела, и не только потому, что удачно прооперировала косящий левый глаз в клинике Федорова и теперь с новой фотографии, которую тут же и прислала вечной своей подружке, смотрела обоими глазами победно и прямо. Она расцвела, как сказала бы Фиравельна, «вся вокруг»: поправилась, стильно стриглась и вообще приобрела западный благополучный вид; да и времени изрядно уже проводила то в Бельгии, в городе Малин, куда пригласили ее преподавать в международную школу карильона, то на гастролях. Очень редко они с Анной встречались в Москве, когда пересекались сложные гастрольные орбиты...

Ариша с мужем Мариком — тогда еще приходящим, вернее переходящим, как красное знамя, из семьи в семью — жили в двухкомнатной хрущевке на

Пресненском валу. Когда появлялась Анна, Марик изгонялся на весь день, чтобы не путался под ногами и не встревал в киевские разговоры (он вообще был не семи пядей во лбу).

Ариша отменяла учеников, какие-то встречи, телефон отключала.

Анна возникала на пороге и каждый раз ахала — Ариша все хорошела и хорошела.

— Я красивая? — как в детстве, жалобно требовала Ариша, и Анна, как в детстве, с жаром выдыхала:

— Ужасно!

И они проводили длинный, блаженно неспешный день: ставили в печь грибной фирменный пирог Фиравельны, рецепт которого та в юности вынесла из чешской колонии, крутились на кухне, курили, сначала горячо обсуждая все на свете, друг друга перебивая, потом валялись на диване, вяло договаривая. Засыпали... просыпались...

— Знаешь, кто еще легко умер? — сказала в одну из таких встреч Ариша. — Старик Фающенко. Ты не поверишь: пошел после сеанса в ванную кисти мыть, упал и умер. Натурщица выбегает, обкрученная какой-то простыней, сиська набок свисает... И главное, он так не хотел выезжать из своей комнаты! Говорил, что устроит сидячую забастовку перед горисполкомом, руками размахивал... Ну вот, устроил вечную забастовку. Пирожок его каракулевый помнишь? А картины соседи разобрали. Даже майор Петя — он уже такой старичок, и пить бросил — взял потихоньку от Любови Казимировны одну обнаженную. Та нашла, устроила скандал, вынесла на улицу и выбросила. Дворник подобрал. А я выбрала два портрета на картонках... Они не закончены, но в них что-то есть такое... Постой, сейчас покажу.

Она вынесла из кладовки две небольшие картонки без рам. Расставила на стульях.

— Никак не соберусь в рамы взять, — сказала Ариша. — Жизнь такая безумная.

— А кто это? — спросила Анна, внимательно разглядывая оба портрета — старика и мальчика. Старик написан был в охристой гамме, фон не закончен. Зато хорошо получилось выразительное лицо с крупным волевым носом, сильным подбородком и спокойными глазами. Мальчик тоже был не закончен — вместо рубашки несколько широких синих мазков. Вообще мальчик был так написан, словно присел на минутку и сейчас опять куда-то сорвется. Физиономия славная, чубчик торчит на бритой голове, серые глаза лукаво скошены вбок, губы чуть улыбаются.

— Понятия не имею, кто, — сказала Ариша, плюхаясь на диван рядом с Анной. И они замолчали обе, разглядывая портреты. — Сзади стариковской картонки почему-то написано «Арнауткин». Может, фамилия? Вот кто мог бы сказать — Панна Иванна покойная, она всех помнила.

— Мальчик... — задумчиво проговорила Анна. — Я его знаю.

Ариша расхохоталась и обняла ее, притянула к себе, чмокнула в щеку.

— Опомнись! — сказала. — Он уже не мальчик, а дедушка... Там год написан на обороте — пятьдесят второй.

* * *

Отец пришел на представление в первый же вечер, хотя она только собиралась с духом — позвонить и пригласить. Трогательно купил самый дорогой билет, сел во втором ряду, напротив форганга. И, выбежав после привычного «Воздушные канатоходцы Стрелецкие!!!», Анна сразу его увидела: стекла очков отсвечивали под прожекторами, да и сердце в ту сторону потянуло. Он сидел с неподвижным, официальным «докторским» лицом — значит, ужасно волновался.

Она вскинула руки, замерев в комплименте, несколько мгновений пережидая гром аплодисментов, каким публика всегда встречала ослепительный их выход. И затем уже бросала мимолетный взгляд в сторону, где поблескивали очки. Значит, зрение упало, если не снимает их совсем...

И она знала, что ему нравится, очень нравится их номер, ведь это действительно классная работа, а отец всегда понимал толк в таких вещах, всегда был любителем риска и мужества, и красоты «усилья тела», всегда уважал и даже поклонялся любому физическому достижению, мастерству.

После представления она попросила униформиста Славу сбегать, привести отца в гардеробную. Специально не переодевалась — пусть увидит ее в гриме, в костюме, вблизи. И когда вошел, все такой же внушительный, чуть сутулясь в тесноватой гардеробной, загроможденной коферами, — даже застыл на пороге, не решаясь приблизиться к дочери.

— Ох, какая ты... — проговорил отец, и она, зажмурившись, бросилась к нему, и они крепко обнялись, как в детстве. — На «копки-баранки» тебя уж не возьмешь, — сказал он.

И затем говорили быстро, одновременно, счастливо! Он зачем-то перебирал все ее трюки — наверное, хотел показать, что отметил, и оценил, и восхищен... Володька —все же такой деликатный человек — вышел и оставил их вдвоем... А они все перебивали друг друга, и вспоминали, и наговориться не могли...

Но — ни слова о Машуте, ни единого слова. Пока наконец Анна не проговорила:

— Папа... знаешь... я бы хотела повидать ее.

Он запнулся, улыбка сошла с лица. Задумался — видно, подыскивал слова. Потом вспомнил, что Нюта ведь... что с ней не надо слова подыскивать...

С трудом проговорил:

— Понимаешь, дочура... Она сейчас дома, после длительного лечения... — И вдруг, сам на себя разозлившись, хлопнул по колену. — Знаешь, что? Приходи! Знаешь — приходи! Я... подготовлю, постараюсь... Она сейчас в ремиссии... Да, в самом деле!

И когда решился, опять повеселел, стал рассказывать про госпиталь: его никак не отпускают на пенсию, никак!

— А зачем тебе пенсия? — удивилась она. — Ты совсем еще молодцом, пап!

Явился Володька, принес из буфета кофе и конфет. И они долго еще сидели втроем, пока отец не спохватился, не охнул, на часы глянув:

— Вот это да! — сказал. — Вот время-то бежит! А я вроде только зашел минуту назад... Там с Машутой Христина сидит, добрая душа: так хотела прийти на представление и отпустила меня первым.

— Ничего, — отозвалась Анна, — посмотрит еще.

Уходя, отец достал из кармана пальто какой-то белый больничный конверт, из которого вытащил конверт поменьше, и уже в руке у него она мгновенно узнала этот почерк.

Лишь один человек на свете мог написать ей письмо *этим* почерком! Кинулась, выхватила конверт! И пока отец торопливо объяснял, что вот, года три назад пришло на их адрес, и он спрятал, чтобы Машута не... и сам, старый дурень, забыл, — Анна уже читала, жадно бегая глазами по строчкам, вбирая в себя это изящное кружение смысла, прекрасную зеркальную вязь, что необъяснимо отражала бег ее собственной руки, вплетаясь малейшими изгибами, в точности укладываясь в пустоты, врисовываясь в вензеля душевного разбега...

«Ангел мой Нюта! — писал Элиэзер, и каждое слово отзывалось в ней сладкой тоской по себе самой, по самой себе — той, что так странно отражал этот физически непохожий, но сокровенно парный, зеркальный ее душе человек. — Не знаю, прочтешь ли ты это письмо. Надеюсь, когда-нибудь прочтешь...»

И после того, как ушел отец, она вновь и вновь, уже спокойнее перечитывала письмо, отпивая мелкими глотками из третьей по счету чашки кофе. Молчала странно, глубоко... раза два вытерла глаза сгибом локтя...

И разгримированный уже, переодетый Володька, сидя в кресле, терпеливо листал прошлогодний номер журнала «Эстрада и цирк», ожидая, пока она придет в себя и расскажет про этого чудилу, который — ну надо же! — объявился, как черт из табакерки. Интересно, чем он там занят, на что живет?..

* * *

Назавтра, в свой выходной, Анна с букетом пурпурных астр и большой коробкой конфет поднималась на третий этаж по лестнице, знакомой даже на ощупь.

Подъезд не так давно красили. «Аня-дура», в отчаянии вырезанное в седьмом классе на перилах неким Володькой Стрелецким, было закрашено коричневой масляной краской, но рукой прощупывалось.

И пока поднималась, она все яснее видела свой обратный отсюда отчаянный бег. Но все уже понимая, всем сердцем пыталась остановить лавину. Постояла у самой двери, потопталась... Раза два, повернувшись, спускалась на несколько ступеней и поднималась вновь. Только увидеть, сказала себе. Решилась, сильно выдохнула, как перед канатом. И позвонила.

Открыл отец — одетый, как на выход, напряженно-торжественный. Шагнул к ней наружу, притворив за собой дверь, и сказал вполголоса:

— Постой здесь минутку... Я надеюсь... Я поработал и... надеюсь!

Вошел, и Анна услышала его бодро-дурацкий, всегда неумело бодрый голос, каким в детстве он изображал деда Мороза: «А кто это к Нюточке пришел, кто принес подарки-подарунки?!»

— Машута! Машенька... Знаешь, кто к нам пришел?

Молчание. Или просто тихий донельзя голос. Зато Христина ахнула, восторженно гаркнула:

— Так шо? Неужто Нютка наша зъявилася?!

Все напортила, «ведмидиха»! Тишина зависла, напряглась... А отец продолжал бодро:

— Да, наша Нюта приехала, Машенька... Навестить тебя приехала твоя доченька...

Увы, тоже не артист, не дипломат... Бедняга.

Анна резко толкнула дверь, вошла, стянула и бросила на стул куртку.

Сквозь открытую дверь она увидела в кресле Машу. Та страшно изменилась: поседела, ссохлась, и в то же время как-то... отяжелела. Потом, перебирая в памяти мгновения этой встречи, Анна поняла, откуда впечатление тяжести: одутловатое, неподвижное лицо и сонное движение когда-то быстрых глубоких глаз.

Она подошла, присела перед Машутой на корточки, погладила вялую руку и мягко проговорила:

— Ма... я так хотела тебя увидеть.

Машута беспомощно оглянулась на мужа. Отец ласково улыбнулся — столько страдания в этой улыбке было:

— Ты что, Нюту не узнаешь, детка?

И тогда Маша проговорила не своим, бесцветным треснутым голосом:

— Но это не она.

И вдруг поднялась. И Анна поднялась. Она видела, как медленно меняется лицо Машуты, как нарастает возбуждение, ползут по щекам красные пятна.

— Толя! — Маша повернулась к мужу. — Ты такой наивный, ей-богу... Я так и знала, что тебя обманут. Это же не она!

— Та хто же?! — крикнула Христина. — От новости! — И отец за спиной показал ей раздраженно — молчи, ради бога, дура набитая.

— Машута... — начал он терпеливо. — Мы же с тобой договорились... Мы все обсудили... Ты обещала мне...

— Я обещала касательно Нюты!— с силой воскликнула Маша. — Но это не она, я же вижу! Нюты, может, давно уже нет! Это та, проклятая, проклятая! Из зеркала!

Анна отпрянула, попятилась...

Отец шагнул и крепко обнял дочь за плечи.

— Маша, Маша! — умоляюще воскликнул он. — Ради бога! Опомнись, это же Нюта, наша девочка! Она сейчас замечательная артистка! Если б ты видела, как люди ей хлопают, сколько радости, сколько восторга...

Господи, ну зачем он... неужели не видит, как прочно сидит безумие в этих одутловатых чертах.

— Ма... — проговорила она в отчаянии... и впервые в жизни: — Мама!

Машута вдруг оживилась, в глазах возникла острая ненасытная мысль:

— Вот видишь! — торжествующе сказала она мужу. — Видишь? Нюта никогда не говорила мне «мама». Это не Нюта, это ее проклятое отражение! Она и Нюту уничтожила, сожрала, теперь за мной пришла! Толя!.. Толя, скорее, разбей ее! Разбей ее!

Она уже кричала, брызгая слюной. Христина схватила ее сзади за локти, пытаясь совладать с дрожащими, кричащими руками. И отец кинулся к больной, крепко обнимая извивающееся тело.

Анна бросилась в прихожую, схватила куртку, шапку, сверзилась по лестнице вниз и так, с курткой в руках, бежала почти всю Жилянскую.

Наконец, пошла медленнее... медленнее... Остановилась, натянула куртку, долго не попадая в рукав, нахлобучила шапку и глубоко вдохнула морозную гарь привокзального района своего детства.

Глухое пасмурное небо зимнего дня было неумолимо заперто на все запоры.

Не отзывалось взгляду ни малейшим движением.

* * *

Вот с кем действительно повезло, так это с Нинкой, партнершей, разбитной соседкой по общаге. Такая мастеровитая баба оказалась — всякий раз заново изумляешься. И глаз у нее как-то так устроен, что из любой хламной кучи на прилавке любого сельмага, из картонных коробок с поломанными калейдоскопами выудит нужный шпенделек, стеклянные бусы, обрывки цепочек — и уже знает, куда пристроить, к какому лифчику, на какой лонжевой поясок, чтобы под пушками сверкало драгоценным камнем! Костюмы — деталь в номере немаловажная.

Вообще-то костюмы шили в цирковом пошивочном комбинате. Но чтобы получить разрешение на пошив, нужно было все ноги избегать по кабинетам главка. Тут мозоли наработаешь скорее, чем на тренировках.

Ну, и материю так просто не выцыганишь, она тоже разная для «белой» и «черной» кости. В цирке всюду блат нужен.

А тут Нинка. Все костюмы придумывает сама и сама же шьет. Какой окантовкой плащи отделала! Ездила куда-то в Подмосковье на птицефабрику, где ей за пятерик нагребли огромный облачный мешок белых куриных перьев.

Потом в цирковой гостинице они с Анной два дня их сортировали, отбирали пуховые... Сидели голые, облепленные пухом, в облаках легчайшего снега — чихали, ругались, проклинали жизнь, то и дело вскакивали и неслись под душ... Затем все вымыли, высушили феном... Анна придумала вклеивать перышки, легкие, как дыхание, в полоску лейкопластыря, и крутить ее вокруг карандаша. Получились пышные маленькие боа, которые Нина затем притачала по всему краю плаща.

И такие белые плюмажи над головами вознеслись на гибких металлических пластинках — и тоже из курочки. Колыхались-волновались, едва артистка склоняла голову к плечу... Знали бы давно съеденные несушки, какая блестящая сценическая карьера уготована их перышкам!

* * *

Премьера в городе — это всегда прерывистое дыхание, дрожащие руки; но всегда — и взрывной спазм радости под ложечкой, заводная невесомость тела. Свет ярче, музыка звонче, аплодисменты накрывают тебя с головой, как гигантская волна в сильный шторм...

Перед выходом разминаешься в закулисной части у форганга. Там обязательно висит большое зеркало. И — ритуал! — перед выходом на манеж каждый должен в него посмотреться со всех сторон, принять две-три позы, ведь через минуту тебя именно таким увидят сотни взыскательных глаз.

Анна не любила эти зеркала. Мусорными они были, взбаламученными. В глубине их клубилась фальшивая жизнь, оборотневые лица. Эти цирковые зеркала у форганга поглотили и переварили столько лжи, подлости, сплетен, предательства, лести; в них отражалось столько париков и накладных носов, фраков и смокингов, крахмальных жабо, вееров, мишуры, блесток, игры дешевых стекляшек... столько напудренных щек, наклеенных мушек, наведенных бровей, ярко-красных пиявистых губ — что отражали они уже кое-кого и кое-как и все были плоскими, истощенными и сухими.

Они требовали чрезвычайной осторожности: не разбить бы ненароком, взмахнув рукой или ногой. Очень плохая примета — посмотреться в осколок. Увидел свое отражение в осколке — беги, бери бюллетень.

И все же в них было главное: тот последний миг перед выходом к многоголовой, многоглазой орущей пасти: к публике. Публика! Бог, кесарь, судья, палач — Публика! Такой она тебя увидит? Такой она оценит тебя?

Господи-пощади-господи-спаси-и-помилуй!

Премьера в городе! С утра тебя колотит мандраж. А к началу представления ты и вовсе не чуешь тела. Протрешь ладони одеколоном, чтоб не потели, или чуть магнезией припудришь — и пошла! Стоишь *на аппарате* — ноги слабеют, в груди комок. Это нормально. И вот подходит твоя очередь: глубокий вдох, выдох. С силой сжать-разжать кулаки раза три-четыре. Внутренний приказ: воля! И на трюк уже выходишь спокойной и собранной. Разве что вокруг ничего не видишь, мир смазан, размыт, равнодушно плещется вдали...

И восторженный гул едва колышется, не долетая до сердца.

Но когда трюк уже отработан, ежедневно прокручен-привычен, когда своим телом владеешь, как опытный чтец-декламатор — голосом, тогда ты уже не выключаешься, уже видишь отдельные лица: там девочка с залепленным стеклышком очков, там усатый дядька, не снявший кепки. И слышишь все звуки, все привычные *звуки цирка* — чуть приглушенно, правда...

А номер отработала — и первые полчаса словно летаешь. Потом уже, конечно, усталость накатывает. Особенно по воскресеньям, после третьего представления... В гостиницу плетешься, волоча ноги, кое-как грим смыв. Огромный выброс энергии иссушает все жизненные соки. Опустошение... Шелестящая тишина мышц...

Ну, а восстанавливают организм — кто как. Кто из койки не вылезает до завтрашнего вечера, кто — за бутылку, как за спасательный круг, пока не упадет. Кто, вот как Володька, просто спит сурок-сурком, а проснувшись, лупит себе яичницу из двенадцати яиц. Подзакусит, как ямщик в трактире, и вновь — как огурчик.

* * *

Привычка Анны вылетать из гардеробной к форгангу чуть ли не в последнюю минуту всегда бесила Володьку — он, наоборот, время чувствовал сверхъестественно точно. Иногда спросишь его, который час, а он, и не глядя на руку, ответит с точностью до двух минут. Всегда раздражался, когда Анна «витала в облаках». Ну вот чего она там возится до последнего момента, когда ребята уже размялись и уже слышно, как клоунское трио Сокольничего завершает свою «Калитку»?

Если бывали свободны, они всегда выходили посмотреть эту репризу. Под музыку известного томного романса выбегала троица — верста коломенская Егор, исполнявший молодую вихлявую цыганку, сам коротышка Сокольничий в гриме и костюме старого цыгана с курчавой ассирийской бородой, и Витек, молодой цыган-гитарист. Романс исполняли втроем: вначале распевно, враскачку, надрывно... постепенно увеличивали темп, начинали приплясывать... И вскоре уже плясали на разрыв души и пяток, ломая в раже бутафорские скамейку и калитку.

Главное же, исполняли все с такими упоенными, вдохновенными, истовыми рожами! Публика валилась со стульев, слезы вытирала...

— Все, пошли! — бросил Володька и вышел. Их гардеробная была в двух шагах от форганга.

Анна закончила вычищать сапожки металлическим скребком, надела их, влезла еще в тапочки, накинула поверх костюма халат и вышла к форгангу. Там, перед красным бархатным занавесом, разогретые, сбросив колодки и халаты, ребята ждали, когда объявят номер.

Когда стоишь за форгангом и знаешь, что через мгновение твой выход, тебя словно рубильником переключают на другой энергетический уровень.

Все. Слышно, как с грохотом доламывают свою калитку раздолбаи Сокольничего.

В эту минуту из разных концов коридорной полутьмы возникли два музыканта. Один с футляром в руке — видно, отыграл положенное и направлялся в буфет. Другой, наоборот, шел из буфета, издалека крикнул, что сосиски сегодня вполне приличные, и поторопись, а то все сожрут, троглодиты... На что первый, приблизившись...

Почему так заметалось сердце? Что — отец? Почему — отец? Какой такой день рождения?.. *Он как папа...*

— Воз-душ-ные кана-то-ход-цы... — Это инспектор манежа Григорий Львович своим сорванным басом. — ...Стрелецкие!!!

Вступила фонограмма их номера: плавные речные перекаты, романтическое море разливанное... Лучи — на форганг, мальчики-ассистенты распахивают занавес, и Анна с Ниной сквозь шеренги униформистов плавно ступают первыми, ребята — за ними.

Инспектор почтительно склоняет голову, пропуская группу артистов. Все как обычно — торжественный выезд в народ августейшей семьи...

...На другое утро после репетиции она поднялась к музыкантам. Пульс колотился в висках, накатываясь волной, оглушая и вновь замирая до самой сердечной тиши.

И увидела, мгновенно опознала его со спины.

Он укладывал в футляр свой инструмент — что-то из духовых, она всегда в них путалась — движениями бережными и почти бездумными, как мать укладывает в люльку младенца. Изящные, сильные кисти...

Да, это был тот самый человек, их когдатошний гость, только седой уже весь и очень коротко стриженный. Так выглядел Машутин отец на фотографиях, на поселении в Казахстане.

Он повернулся к ударнику и обронил два-три слова.

Тот рассмеялся. Было в этом музыканте что-то детское, лукавое, *наперекорное* судьбе. Как в ней самой.

...И ведь я знаю его и раньше всегда знала...

Он был мальчик... ее мальчик, с которым они должны были бегать повсюду рука в руке... Так вот кто был назначен, вот кого она должна была вы́ходить-налетать-накрутить-заслужить... Вот кто всю жизнь должен был рядом идти, но — какая-то ошибка в расчетах — до сего дня проскальзывал мимо. И возник вдруг — так больно — почти на излете орбит...

Тут музыкант обернулся, еще удерживая ироничную улыбку: впалые седые виски, двухдневная щетина, сеточка морщин в уголках серых глаз.

Оба слегка отпрянули, смешались. Вот и разлететься бы в разные стороны: не было — и не надо.

Нет, Ты мною не развлечешься! Хочешь — ломай, топчи, шею сверни, вздерни на дыбу — только не это!

Он отразился в матово-белых, ранних осенних зеркалах... Мягко и сумрачно пел в снежной буре духовой инструмент.

И поздно уже стало.

Поздно.

* * *

Когда она вернулась от Сени в цирковую гостиницу, Володька лежал на кровати и смотрел футбольный матч

 «Спартак» (Москва) — «Динамо» (Киев) по транзисторному телевизору, поставив его себе на живот.

За бродячие эти годы какими-то вещами они обросли. Володька был человеком вещным, ценил уют — даже в поездках. И для этого «уюта» они возили с собой в багаже настольную лампу, будильник, покрывала, скатерть, кое-что из посуды, холодильник «Морозко» и даже стиральную машину «Малютка». И Анна не расставалась с грудой своих книг, не читаемых нормальными людьми. От долгих странствий они истрепывались и распадались — Анна время от времени переплетала их, бинтовала широкими пластырями.

— Где ты бродишь? — спросил он вполне автоматически. Отвечать не требовалось, тем более, что мячом наконец завладели киевляне («...мяч у Приходько! Тот бьет вперед на выход Сидорову, Сидоров отправляет мяч в центр, его подхватывает Безбородый, начинает продвигаться к воротам, обходит одного защитника, второго...»)

— Володя, — сказала она, стоя в дверях. — Я ухожу.

— Куда еще? — раздраженно спросил он, не отрывая взгляд от экрана. — Ты ж только явилась! Чего тебе неймется? Я здесь жду ее, ни хрена не жрамши...

Она молчала. И по мере того, как накапливалось это молчание на фоне торопливого бормотания спортивного комментатора, Володьке становилось все неуютнее и даже холоднее, хотя вечер был очень теплым. Он вдруг резко повернул к Анне голову.

Она продолжала стоять, как случайный посетитель, как посторонняя женщина, заглянувшая на минутку, только сообщить ему, что...

Почему и как он сразу все понял? Он и много лет спустя не мог ответить на этот вопрос. Вернее, подозревал, что она все сразу рассказала, — *иным путем*. Просто понял все и увидел *все* — мгновенно. Может, потому, что она, как в тот день, когда он сорвался с каната, держала его взглядом. Держала изо всех сил.

...Он смел с живота телевизор. Сел на кровати.

— Ты... что... — проговорил, разом обессилев. — Анна... Анька?! Ты что-о-о?!

— Я совсем ухожу, Володя, совсем. — Смотрела пристально, тревожно, прямо: держала из последних сил. — Ты вместо меня возьмешь в номер кого-нибудь... Посидите на репетиционном. Все образуется, Володя...

И не удержала.

Он встал. Снизу живота поднималась заморозка, разливалась в груди, студила сердце. Горло вымерзло так, что слова не вымолвить.

Он шагнул к ней, хотел сказать жалобно, нежно: нет моя дорогая моя любимая моя единственная опомнись нет ты не сделаешь этого нет ты не совершишь этот ужас этот кошмар темный морок... без тебя мне вообще ничего... ни этот блядский цирк ни жизнь... ни одного дня любимая... любимая... любимая... любимая... — и летел с такой высоты вниз, что не разбиться насмерть было невозможно.

...Он бил ее страшно уже минут пять, когда случайно в номер заглянула неугомонная Нинка. Увидев кровищу на полу, на стенах и ничком лежащую под стеной, вполне мертвую на вид Анну, завизжала, как безумная.

Набежали ребята, Володьку скрутили, кто-то вызвал милицию, «скорую»...

...и потом еще часа полтора все возбужденно толклись в вестибюле гостиницы, обсуждая случившееся.

 Происшествие было неожиданным и необъяснимым. Ведь самая дружная пара! Ведь они ж не разлей вода были! Такие классные ребята, и талантливые... И ведь их уже на заслуженных представили, да?

— А чё, ребят, чё — налево она сбегала? Подумаешь! Убивать-то за это...

— Во дура! Эт тебя, Дуська, блядь, убивать за такое каждый день — руки сотрутся. А у этих любовь была! Вон Гамлет Офелию за что порешил?

— Да не Офелию, дубина ты стоеросовая, а Джульетту!

Володьку жалко, сказал кто-то из мужиков, надо бы письмо коллективное или что там, заявление написать, куда — в милицию, в суд?

Вернувшись часа через три из приемного покоя больницы, зареванная Нинка чуть ли не до утра отмывала комнату от крови. Что будет с их номером, с ассистентами, куда девать аппаратуру — Володьку же точно посадят, — куда денется Анна, если ее починят, как следует, и куда денется она сама, Нинка — все эти несчастные вопросы крутились в ее голове, как белье в центрифуге стиральной машины «Малютка».

Ползая с тряпкой по полу, она отодвигала и придвигала кровати, стулья, тумбочки...

За одной тумбочкой валялись на полу два распечатанных письма. Одно какое-то безумное, написанное оборотным почерком, который только Анька могла читать. Наверное, от того типа заграничного. Письмо большое, каллиграфическое, на шести страницах. И даже номера страниц повернуты наоборот. Ну надо же! Чего только в природе не бывает. Только на какой-то схеме несколько слов были написаны латинскими буквами в правильном направлении. Нинка даже прочитала над стрелочкой: «Блуа».

Второе письмо — от Анькиной подруги, этой органистки, вернее, колокольницы... или колоколистки?.. И Нинка принялась жадно читать в надежде, что, может, из этого письма хоть что-нибудь выяснится.

Ничего не выяснилось. Обычное скучное письмо. К тому же старое, как потом обнаружила Нинка, — аж за восемьдесят четвертый год. Колоколистка писала, что в Бельгии ее отлично принимали, что перед концертом была встреча с бургомистром, дегустация сыров и прочих вкусностей, а потом уже концерт. И что она сильно нервничала, потому что надо перед концертом подняться на башню, разогреться, настроиться... а у них тут прием. Но потом все было прекрасно. Некоторые зрители поднимались, чтобы посмотреть работу карильонистки, а внизу поставили большой экран для зрителей — в кабине была установлена камера.

И теперь она прямо из Бельгии приглашена на серию концертов во Францию: в Лион, Дижон, Мерибель.

«А еще, Нюточка, — писала колокольщица, — скоропостижно от инсульта умерла моя тетя Ида, средняя дочь твоей любимой Фиравельны. Я как раз была у родителей в Киеве. Никто не знал, как бабуле сказать. Но она что-то почувствовала. В день похорон прилетел из Москвы старший сын и вместе с моей мамой решили ее подготовить. Только они вошли, бабушка подняла голову и спросила: "Идуся умерла?" Они начали рыдать, я тоже, а она — ни слезинки. Медленно поднялась, подошла к комоду, нащупала там черный гипюровый шарф, повязала его, и мы поехали. А у дома уже толпа народу, соседи, сослуживцы — тетя Ида ведь двадцать лет на "Арсенале" бухгалтером проработала, и ее так уважали... Все как увидели, что ведут слепую мать, — завыли... а бабушка — кремень! Завели ее в дом, она руки вытянула, нащупывая дорогу к гробу. Ее посадили у гроба, она руками водила по Идусиному лицу и только шептала что-то, но не плакала. А вокруг стон, греческая трагедия, только, когда гроб надо было выносить, ее руки с трудом от дочери оторвали. На кладбище, конечно, ее не взяли, оставили со мной. Она попросила меня подвести ее к окну. Не могу забыть, как она стояла у окна, когда гроб вынесли. Спросила, в какую сторону смотреть, и стояла — *смотрела...* не глазами, конечно... Сердцем.

А через пару дней после похорон упала и сломала руку. И одно к одному — что-то неправильно срослось, надо было опять ломать и снова составлять. Представляешь, какая боль немыслимая? Я с ней поехала в больницу. И такой врач душевный попался, человеческий, хоть и совсем молодой. Вправляет и говорит: “Больно, мамаша?” Она головой покачала: “Разве это боль? Я дочку на днях похоронила — это боль”. У врача вытянулось лицо, и он склонился и руку ей поцеловал...»

Словом, ничего вразумительного Нинка из письма не вычитала и оба бросила в Анькин рюкзачок.

Когда в последний раз вытирала пол отжатой насухо тряпкой, в номер постучала дежурная по этажу.

— Слышь, — сказала дежурная, — чё делать-то? Этой-то вашей телеграмма из Киева, Нестеренко Анне... В Киев ее вызывают.

— Какой Киев?! — всхлипнула Нинка. — У нее два ребра сломаны, правая ключица... и заместо лица — бифштекс. Любимый муж постарался... Давай сюда.

Забрала бланк телеграммы, развернула, вчиталась.

Во денек выдался!

В телеграмме хромыми веселыми буковками, как титры в мультике, вот что было склеено:

«Машута скончалась тчк срочно вылетай зпт похороны завтра».

17

«...У нее была любимая гармошка — так, артистический трофей: когда-то в молодости, на гастролях то ли в Гамбурге, то ли в Берлине к ней на манеж выбежала маленькая китайская девочка и, сияя, даже повизгивая от избытка чувств, сунула в руки свою губную гармошку. Анна берегла ее всю жизнь, считала этот подарок наивысшим признанием.

Гармошка, впрочем, была истинно немецкой. На обтянутой синим сафьяном коробочке — продолговатой, чуть изогнутой недопеченным кренделем — золотом выведено: “Unsere Lieblinge M. Hohner”. В двух медальонах по бокам красовались белозубые красотки. Брюнетка в крупных бусах и слегка смазанная блондинка типа Марлен Дитрих — возможно, это она и была.

И я смеха ради научил Анну играть “Лили Марлен” и даже подыгрывал на фаготе. Она прикладывала гармошку к губам и, дунув для примерки, начинала — глаза вытаращены, носогубные складки сарафаном:

— Есть ли что ба-наль-ней смер-ти на вой-не
И сентимен-таль-ней встре-чи при луне...

Тогда легко, чтобы не задавить ее, вступал я со своим фаготом:

— Есть ли что круг-лей тво-их ко-лен...

Это был своеобразный дуэт, доложу я вам, особенно если учесть, что исполнители обычно не трудились даже накинуть халат на голое тело...

К музыке она была фатально неспособна — и это при абсолютной талантливости организма: фантастической координации и быстром ярком, многовариантном уме.

...Лет пять назад я затащил ее в Рюдесхайм, куда, если бывал в Германии с концертами, повадился ездить на прогулку. И наша совместная Лили Марлен гуляла там нагишом, вольно соединяясь над деревьями с ресторанным трио, с консервным дребезжанием стариковской шарманки, вполне органично вплетаясь в распивочные песни вечерних компаний, улетая куда-то вверх, к виноградникам, над которыми смутно белели фахверковые домики вышней окраины городка.

И она была счастлива, я это видел.

Единственный только раз у нее почему-то испортилось настроение.

Гуляя, мы набрели в тумане на канатную дорогу и вдруг решительно купили билеты, побежали и уселись в железную люльку.

Затея была довольно идиотской, если учесть, что весь городок в этот день был погружен в обложной зефирный туман, который хотелось потрогать рукою и даже откусить.

Так вот, остальные люльки — и те, что следовали за нашей, и те, что плыли навстречу, неожиданно выныривая из молочной тишины тумана, — были сиротливо пусты: само собой, экономные и разумные немцы — а туристов в это время года, вероятно, и быть не могло — посчитали бессмысленным тратить деньги на подобные развлечения.

Так мы восходили вслепую неизвестно куда, и железные пустые люльки одна за другой выплывали из волглого тумана, как миниатюрные летучие голландцы. Мы притихли, шепотом перебрасываясь редкими фразами.

Я обнял ее; мне показалось, что это и есть образ нашей с ней жизни: когда видна лишь рука да металлический трос, да мимолетная встречная лодка проплывет, совершенно пустая...

И вдруг к нам вынырнула очередная люлька, в которой, оглушенный тишиной, восседал лупоглазый толстяк-альбинос, в замшевой куртке и в рыжей тирольской шляпе с черным перышком. Мы разом ахнули — уж больно нереален был он сам, белесый, в белесом тумане. И эта ржавая тиролька, нахлобученная нелепо, как с размаху, чужой рукой, будто его, беспамятного, сейчас за кулисами кто-то одел на скорую руку, плюхнул в люльку канатной дороги, да и дал стрекача. Неподвижный, он проплыл мимо нас, и перышко не шелохнулось на тирольке.

Анна побледнела так, что это было заметно даже в тумане.

— Кто он? — резко спросила она. — Что ему надо? Куда он едет?

Я расхохотался и обнял ее крепче.

— Детка, — сказал я. — Ты не допускаешь мысли, что он такой же идиот, как и мы, да еще одинокий идиот, и ему совсем некуда деваться, вот он и?..

— Нет! — повторяла она в смятении. — Нет, не то... Он слишком похож на... И черное перышко, издевательское — ты видел? Он не просто так...

И я подтрунивал над нею, уверяя, что это такой деревенский немецкий дьявол, мелкий пакостник, разносчик гриппа, решил прогуляться по окрестностям, столкнулся с нами и перепугался.

С трудом я ее рассеял. Мы пообедали в глубоком беленом средневековом подвале, где стены пропитались запертым здесь веками винным и пивным духом, а по пути в отель еще и заглянули в две-три лавки, попробовали “айсвайн” — знаменитое здешнее вино. И я в конце концов набрался так, что в лифте, на виду у двух почтенных фрау, принялся озабоченно ощупывать Анну — все ли, мол, на месте? — и громко спрашивать по-немецки, не будет ли она против, если я сегодня стану к ней приставать?

...А вечером у меня прихватило сердце, да так крепко, что я онемел. Вот, думаю, и сбывается твоя мечта — отдать концы в ее объятиях.

Но она была абсолютно спокойна. Растирала мне грудь ладонями, сильными широкими кругами. Согревала, повторяя:

— Не бойся, ты не умрешь сейчас. Ты, Сеня, умрешь не так...

И я ей поверил и действительно скоро пришел в себя. Лежал, посасывая валидол и глядя, как на фоне освещенного ресторанными огнями окна она расчесывается, переодевается к ночи. С каким изнеможением скользит сорочка по ее тонкой обнаженной спине...

— А как я умру? — спросил я.

Она улыбнулась, сняла с расчески волос, дунула... И, глядя на меня из зеркала, проговорила:

— Ты, Сеня, в сильный снегопад уйдешь. Под музыку...

Я растерялся от ее откровенности. И — расхохотался:

— Не слишком ли романтично, дитя мое? — перегнулся через кровать, поймал ее руку и поцеловал.

...Она была немногословна, даже на удивление. Иногда за весь день произносила несколько фраз, и, признаться, особо изысканным ее язык назвать было трудно, — полагаю, сказалось многолетнее цирковое окружение и брак с этим хорошим, в сущности, парнем. Но простым, как рубанок.

Порой мне казалось, что ее ничему никогда не учили, что она сама брала от окружающих лишь то, что ей было необходимо, — как птица на лету ловит мошку. Или просто явилась в этот мир с небольшим, но прочным запасом только ей нужных сведений, который в нее вложили где-то там, не знаю где...

Бывали случаи, когда я просто в оторопь впадал. Помню, в наш первый совместный приезд к Профессору мы ожидали хозяина в гостиной его дома в Ньютонвилле, похаживая от одной дарственной фотографии на стене к другой. Остановились перед той, где молодой смеющийся Профессор и вполне еще молодой Исаак Стерн стояли в обнимку в гондоле, на фоне купола Санта Марии де Салюте. Затем я подвел ее к небольшому коричневатому снимку, внизу которого было размашисто написано: "Моему дорогому другу...", и сказал:

— А это, свет мой, зеркальце, — Гершвин...

Она подняла на меня совершенно серьезные глаза и спросила:

— А Бетховен здесь есть?

И, я уверен, не шутила.

Откровенно говоря, все эти милые дамские банальности о родстве душ или как там — о духовной близости? — не имели ничего общего с той сладкой тревогой, что бурно плескалась в мое сердце, когда ее мальчиковая фигурка возникала в толпе пассажиров самолета или когда с балкона очередного гостиничного номера я уже с утра высматривал ее мотоцикл. И он появлялся!.. Плавный занос бедра, когда она с него соскакивала, — похожий на занос смычка над альтом...

Эта сладостная тревога была совсем непохожа на тревогу телесную, что охватывала меня всякий раз, когда я *покидал* ее. То — другое, и я не намерен сейчас даже перед самим собой обозначать *то* никакими словами.

В ней всегда поражала чистота реакции, беспримесное разделение мира на добро и зло, как будто она была первым человеком, еще не тронутым омерзительной и трагической историей человеческой морали.

Иногда она становилась косноязычной настолько, что казалась мне иностранкой, наспех выучившей мой язык, чтобы говорить со мною. Тем паче, что много раз я наблюдал, как она принималась изъясняться на разных иностранных наречиях: с медленным разгоном, сперва нащупывая кончиком языка звуки, по нёбу катая незнакомые сочленения слогов... отдельные слова... потом склеивая их во фразы... а минут через десять уже болтая с кем-нибудь на совсем новом языке. И хотя я ко всему с ней привык и ничто вроде не могло меня повергнуть в шок, я все же выпал в осадок в Париже, в галерее Оранжери, где покинул ее на пять минут, а вернувшись из туалета, застал чинно беседующей с пожилой японской парой... на японском! Те не знали ни английского, ни французского. Какого черта, спрашивается, тогда путешествовать?

Я взял ее под руку и оттащил.

— Ты что, прямо так говорила с ними по-японски?! — спросил я. И она ответила:

— Да нет, конечно... я же его не знаю. А, знаю одно слово: "Кама-сутра"!

Несколько раз она поразила меня выводами, сформулированными чеканно, как математическое доказательство. И всегда обескураживала своей памятью: я говорю не об убийственной ее *компьютерной базе данных*, хранившей бесчисленное количество цифр, предметов, имен и лиц, — *эту* память она держала при себе, никогда меня ею не пугая, — я говорю о другой, человеческой, пристальной памяти. Бывало, вдруг она говорила:

— Давай сегодня пойдем в ту харчевню напротив вокзала — помнишь, в апреле девяносто пятого мы там болтали со старичком пианистом — он уже умер, конечно... Помнишь, как быстро и неровно он играл такой воробьиный пугливый фокстротик — у него на правом мизинце не хватало фаланги?

Однажды в Иерусалиме, за столиком кафе, глядя на многодетную семейку религиозных евреев, она вдруг проговорила с детской откровенностью:

— А знаешь, я ведь отлично помню маму...

И когда увидела мое недоумение, торопливо сказала:

— Нет, не Машуту, а мою маму! Она где-то работала так, что иногда уходила на ночные дежурства. А я, такая маленькая, оставалась одна. И чтобы я не боялась, она говорила: "Я недалеко, недолго, тут вот в зеркало уйду, посижу там и вернусь". У нас, понимаешь, круглое зеркало в коридоре висело, как раз напротив двери. Мама разворачивала меня лицом к нему, и я видела, как она в него уходит и закрывает дверь. Поэтому, когда ее не было дома, я точно знала, что она — в зеркале. Иногда часами стояла перед ним, звала: "Мамочка, ну хватит, выходи уже!" И много раз так и бывало: в конце концов там, внутри зеркала, отпиралась дверь, в которой появлялась мама...

Так, совершенно случайно, из ее обмолвки я узнал, что она не была родной дочерью той чудесной любящей паре, в чей дом судьба привела меня — на счастье? на несчастье? на муку мою сладостную — много лет назад...

И больше не упомянула об этом ни разу.

Боюсь предположить, но не эти ли детские зеркальные приключения, а также ее подавленная леворукость, перевоплощенная — как царевна-лебедь из лягушки — в фантастическую, виртуозную двоерукость, дали столь мощные всходы: ее пожизненную завороженность стеклом, покрытым амальгамой?

Ее аскетизм в одежде и вообще во всем, что относится к обаятельному миру человеческих привязанностей, милых сердцу вещей и вещиц, ставил в тупик даже меня, вечного скитальца. Весь ее скарб умещался в небольшом рюкзачке: кое-что из белья, пара джинсов, носки... Разумеется, довольно часто она получала приглашения на какие-то приемы — положение обязывало. Тогда она заходила в какой-нибудь магазин и за двадцать минут покупала платье, туфли, сумочку — все достаточно дорогое, она отлично зарабатывала, — чтобы затем где-то кому-то оставить.

Мне это было досадно. Несколько раз я затаскивал ее в дизайнерские бутики, заставляя примерять на ее грациозную фигурку то одно, то другое вечернее платье. В одно, темно-зеленое, с благородной серебристой искрой, я буквально влюбился. Оттененные цветом платья, ее глаза приобрели такой глубокий оттенок лазури... взгляда нельзя было отвести!

— Умоляю, — повторял я, не стесняясь продавщицы, которая глядела на нас, не понимая, что происходит, — настолько эта сцена не укладывалась в ее представление о мире, о мужчинах и женщинах. — Умоляю, купим это платье! Ты будешь в нем блистать!

Она усмехнулась и сказала:

— Я уже блистала в свете прожекторов.

Ее будто тяготили вещи, привязанность — через вещи — к чему бы то ни было. Ни колечка, ни цепочки на шею, ни единой памятной мелочи. Вечная мотоциклистка — куртка, перчатки, шлем; она казалась человеком, ежеминутно готовым отбыть. Куда? Бог весть. Отбыть, как отбывают в дальнюю дорогу: на каторгу, например. Или в небеса.

В ее разработки аттракционов, иллюзионов и фокусов — а она ведь со временем стала одним из немногих специалистов в этой области, — я никогда не вникал. А если б и вникал! Что мог бы я понять во всех этих чертежах и почеркушках, да еще накаляканных ее безумным почерком?

Кстати, когда я впервые увидел в ее блокноте страницу, исписанную этими петлями и штрихами — линия стремительного полета стрижа, — я вдруг вспомнил неграмотную Генкину бабушку Капитолину Тимофеевну. Вспомнил четвертушки листов из школьных тетрадей, которые перед смертью она выпрашивала у внуков и изрисовывала карандашом, такими же витыми полуразвязанными шнурками. Внуки, само собой, подбирали и выбрасывали эти листочки — не хранить же каракули неграмотной бабки?

Вот оно что, подумал я тогда, вот какая странная

неграмотность была у покойной Капитолины Тимофеевны... Вот почему, проверяя математику у Генки в тетради, она таскала его за волосья, приговаривая: "Так сколько в остатке при делении, сволочь, сколько?!" А к изложениям и сочинениям даже не прикасалась. Значит, и над нею тяготело изысканное проклятье этого дьявольского почерка.

Несколько раз я видел спектакли — да, эффектно; особенно когда в Чикаго, в "Аудиториум-Театре", она поставила ошеломительный номер — "Огненное кольцо". Кажется, на него до сих пор публика валом валит.

Она пыталась объяснить мне технические детали, я делал вид, что внимательно слушаю, кивал... Само собой, ничего не понял. Что-то с тонированными зеркалами, изготовленными в форме тонкого обруча... Бог с ними, с техническими деталями, а номер выглядел так.

В совершенно темном зале на сцене появлялась танцовщица с одинокой свечой в руке, и минуты две слабый огонек мелькал, прерывисто бился и зависал там и сям под элегическую музыку. Затем она взбегала на черный помост, где стоял уже этот чудной *аппарат* — так, по-цирковому, называла свои сооружения Анна.

В это время со всех трех сторон вокруг нее медленно опускались зеркала, замыкая ее в ловушку. И когда к устью зеркала-конуса танцовщица подносила свечу, все зеркальное кольцо, дополнительно отразившись в окружных зеркалах, вспыхивало яростным огнем! Она быстро вращала свечой, и по кольцу бежали огненные волны, превращаясь в бешеную пляску огня. И так она металась на помосте — тонкая фигурка в огненном кольце, то есть в свете единственной свечи, хитро отраженной в зеркалах, — билась среди зеркал, не в силах выбраться из горящего круга.

Это была исступленная борьба не на жизнь, а на смерть. Ошалевшее пламя плясало вокруг танцовщицы, переплавляя ее отчаяние в языческое торжество, даже безумие, которое нарастало и нарастало, и в какой-то момент становилось непереносимым: сдавливало голову, било по глазам. Хотелось завопить — довольно, довольно, пощади!..

В конце концов зеркала поднимались и уплывали вверх, музыка стихала... И в кромешной тьме, в тишине, что оглушала более, чем музыка, на черном помосте жизни оставалась одинокая женщина с тусклым огоньком измученной души в собственной руке.

Но я, в сущности, не люблю всех этих зрелищ.

Не люблю фокусов, голоногого и голозадого кордебалета... Бог с ним, я давно покончил с Цирком.

Хотя однажды испытал настоящее потрясение: я побывал с ней на том свете.

Это было во Франкфурте — уже после того, как она решила снять замечательную мансарду на Швайцерштрассе, в районе Заксенхаузен. Она опять работала для знаменитого варьете "Тигерпалас" и несколько дней с утра до вечера пропадала на заводике где-то в Рюссельсхайме — там изготовляли аттракцион по ее чертежам.

Мне было жаль пропащих этих дней — пяти дней, наперечет каждый. Я выцарапал их в оркестре, чтобы провести с ней Рождество, которое нигде не празднуют так весело и вкусно, как в Германии.

Повсюду уже крутилась праздничная карусель: на Рёмере установили громадную елку, высотой со здание ратуши. Из окна мансарды она видна была почти целиком и с наступлением сумерек мерцала теплыми огоньками, рождая во мне совершенно детский, смешанный с грустью, восторг. Торговые палатки-теремки запрудили главную площадь и центральные улицы, толпы народу спешили предаться рождественским утехам. Из каждой будочки неслись волшебные ароматы: прыскали жареные сосиски всех мастей и размеров, благоухали жареные миндаль, фундук, арахис.

И надо всем этим витал пряный шоколадный дух: выбирай любой фрукт — клубнику, банан, киви, чернослив, — у тебя на глазах это макнут в горячий шоколад и выдадут тебе гигантской конфетой. А чтоб не всухую, так на то гастрономические теремки перемежаются с питейными: палатки с глинтвейном, горячим яблочным вином, пивом, рейнскими винами. И — смотря по погоде, смотря, чего хочется озябшей душе, — народ прикладывался кто к глинтвейну, кто к терпкому рейнскому, а кто к особому баварскому пиву с чудесным названием “Синий козел”, которое тут варят специально к Рождеству.

В сборных деревянных теремках уже торговали всевозможными поделками из камня, дерева, кожи, керамики. Тихо крутились, свисая на нитках, блескучие елочные украшения. Из лавочки, торгующей ароматическими свечами, изливались запахи лаванды, жасмина, гвоздики и мяты, будто мостик перебросили к лавочке напротив: там торговали резными фигурками ароматического мыла с теми же запахами. Под “Jingle Bells” на карусели крутились ребятишки... И не протолкнуться было на этом празднике жизни.

Я старался улизнуть в тихие улочки. Сворачивал со Швайцерштрассе на Музейную набережную, шел мимо деликатно подсвеченных, пряничных, старинных особняков, любовался анфиладой огоньков на мостах... И по Железному мосту переходил на другой берег, где продолжался кулинарный шабаш: на огромных сковородах шипели королевские креветки, в печах отдувались эльзасские пироги. И лучший глинтвейн я выпивал на набережной, в скромной лавочке с романтическим названием “Хижина глинтвейна”. Сидел там, смотрел на мост...

О снеге во Франкфурте можно только мечтать. Его нет и в помине. Каждый год все гадают, будет ли “белое Рождество”.

Я сидел в облюбованной мною хижине, вспоминал московские и ленинградские снежные зимы... Своего педагога Дмитрия Федоровича Еремина. Толстый благодушный человек, первый фаготист у Мравинского, он усаживался в кресло Ауэра — в 24-й аудитории преподавал легендарный Леопольд Ауэр, — в кожаное, с высокими подлокотниками, глубокое и мягкое кресло. Утопал в нем и засыпал. Не просыпался, как бы студенты ни играли. В концерте Вебера есть одна бесконечная нота в каденции — я тянул ее, пока дыхания хватало; он так и не просыпался, все похрапывал, уютно вздыхая.

Я сидел в глинтвейновой хижине на берегу Майна, вспоминал своих консерваторских девочек, сахарно-снежную пыль на лыжне в Комарово, первый глоток сваренного на даче у сокурсницы горячего вина, благоухающего корицей и гвоздикой, — тем, что было найдено из приправ на полочке.

Теперь я знал, что этот напиток и называется глинтвейном...

Словом, я ужасно скучал без нее.

Однажды вечером она возвратилась усталая, отказалась от ужина — а я-то собирался вытащить ее в какой-нибудь приличный ресторан.

— Покажу тебе... завтра... — бормотнула она и уснула мгновенно, как ребенок. Она вообще быстро засыпала.

А назавтра повезла меня на этот заводик.

Мы спустились по металлической сварной лестнице куда-то в цеха, прошли три огромных подвальных помещения, мимо рабочих, каждого из которых она знала по имени. Какой-то Гельмут завел нас за щитовую складную ширму, где на металлическом кубе установили тот самый *аттракцион*: огромную многогранную коробку, сидевшую на вертикальной оси. И в каждой грани имелось овальное отверстие.

— Вот сюда, — сказала она. — Подойди к любому, лицо приблизь... плотнее... подбородок немного вытяни... так...

Я прижался лицом к отверстию в одной грани, Анна в другой — и я увидел.

Внутри простирался бесконечный лес колонн, и на каждой виднелось овальное зеркальное окошко, в котором я видел лицо — свое или Анны, в непонятной последовательности; и наши лица, чередуясь, тасуясь, кивая друг другу, уходили в бесконечную даль — границ у этого внутреннего пространства попросту не было.

Поначалу я изумился, восхитился... мне показалось это забавным и изобретательным... Потом ощутил, что не могу оторваться... отойти не могу... Все глядел, как множатся в зеркальной пустыне наши одинокие лица, в полнейшей невозможности приблизиться друг к другу, слиться в поцелуе, в судьбе...

Мне стало страшно. Мучительная тоска сжала сердце: эта бесконечная пустынная равнина с расставленными по ней, уходящими в бескрайнюю даль, словно бы танцующими колоннами — и наши лица, молча, неотрывно глядящие на меня из обморочной дали... Вот так, подумал я вдруг, может выглядеть "тот свет": твоя душа и душа самого близкого тебе человека, заключенные в зеркальных столбах. И вы можете лишь безмолвно — и бесконечно! — смотреть на свои тысячекратно повторенные, недостижимые отражения...

Чтобы стряхнуть наваждение, хоть слово произнести, я спросил, глядя на ее лицо в зеркальном ореоле:

— А стены коробки чем скреплены — болтами?

— Байонетные затворы, — ответило ее непостижимое зеркальное лицо. — Ну и подпружиненные фиксаторы. Все сооружение можно собрать и разобрать за десять минут.

А по пути назад она спрашивала:

— Ну как, тебе понравилось? Понравилось? — И была оживлена необычайно.

Я же хотел сказать ей: дитя мое, мое дорогое дитя, что творится в твоей голове, если ты извлекаешь оттуда подобные райские утехи?

Ночью мне приснился этот бесконечный лес танцующих колонн. Я проснулся в холодном поту и разбудил ее.

— Ты это сама придумала? — спросил я.

— Что? — недоуменно пробормотала она.

— Этот зеркальный ужас в коробочке?

— Нет... это Гудэн.

— Кто?

— Один фокусник французский... Робер Гудэн, жил в девятнадцатом веке в Блуа... Франция... Что с тобой? Который час? Дай сигарету...

Потом соизволила объяснить: Элиэзер (о, этот таинственный проклятый Элиэзер из ее детства, с которым она переписывалась зеркальным почерком, — хотел бы я на него взглянуть!) через знакомых киевлян в библиотеке Конгресса отыскал описания кое-каких изобретений Гудэна и разгадал их секрет. А она решила попробовать воплотить это здесь, в огромном аттракционе “Волшебные зеркала”, но усложнила задачу, увеличила количество граней... Ну и так далее.

— Понятно, — сказал я, откинувшись на подушку.

Кстати, той ночью, поскольку уже не спалось, она рассказала мне совершенно невероятную — какие только в жизни бывают — историю спасения этого Элиэзера и его рокового близнеца.

Их недоношенными родила испуганная мать прямо в квартире, на руки своей старой украинской няньке. В ту ночь немцы обклеили весь город листовками, теми самыми, на серой оберточной бумаге: “Всем жидам города Киева...”. Когда детей обмыли и мать простонала их имена — по дедам, — нянька сказала: “Кынь мэни цых дохликив, Рива, ты йих не довэзэшь”.

Тогда думали не о смерти — о долгом переезде. И наутро муж на спине поволок роженицу к указанному месту сбора.

Когда старухе, и очень скоро, стало ясно, что никто не вернется, она вывезла детей в деревню к свояченице. И что придумала, старая: запеленала эти два крошечных сморщенных стручка туго, как одного ребенка, лишь две головы торчали. И так преодолела все патрули и все заграды: “От, — плакала, — внучка, дывиться, народыла урода с двома headовамы... А я до сэла йду, в нас там бабка живэ, знахарка, вона якусь травку мае, то вид нэи одна голова ота била та й видвалыться...”

Все рассчитала почище любого психолога. Никто смотреть на ребенка-урода не мог, все в ужасе отворачивались, руками махали — мол, иди, иди со своим уродом, скройся с глаз... И в деревне она их подняла, выходила, а потом, после войны и до ее смерти они жили втроем в маленькой комнатке в коммуналке, на Подоле. Бабой Лизой ее звали. Такая вот баба Лиза. Оставим в стороне рассуждения о самоотверженности простого человека — бог с ним, с простым человеком, он всяким бывает... Главное — имена она им не сменила. С такими именами — как детям жилось в советском антисемитском Киеве?

Не сменила! Говорила: их мать нарекла, кто я такая, чтобы с ней, покойницей, спорить?

А у братьев потом эта нянькина присказка превратилась в семейную поговорку. "Не надейся, — говорил тот, альбинос, — не отвалится". И, как рассказывала Анна, эта белая его голова не только не отвалилась, а еще и командовала братом за милую душу.

После той ночи, неожиданно расцвеченной — в отличие от других наших ночей — разговорным жанром, я больше не предпринимал попыток разобраться в устройстве ее головы. Мне это было без надобности.

Вру! Однажды надобность возникла, и я решился потревожить ее. Уж очень хотелось помочь Профессору в его беде. Старик просто извел себя с этой "кражей века". И в самом деле — все-таки увели, да еще с такой элегантной простотой увели подлинного Страдивари! Несколько раз Мятлицкий повторял, что знает, знает, кто украл... Может, и догадывался. Тогда зачем бы ему столь взволнованно соглашаться на помощь Анны?»

Часть четвертая

...зеркала отказывались вернуть тебе твое лицо, то ли из жадности, то ли из бессилия, а когда пытались, то твои черты возвращались не полностью.

Иосиф Бродский.
Набережная неисцелимых

18

Она свернула на рю Ибервиль и проехала несколько блоков. На светофоре — в этом месте он всегда бывал особенно тягучим — проюлила мимо «пежо», под номерной табличкой которого, как у любой квебекской машины, было написано угрюмое «Je me souviens» — «Я помню». Нахально выползла на зебру и оглянулась — пусти, дружище, ладно? Он недовольно кивнул.

Вот оно, явное преимущество мотоцикла, да еще такого высокоскоростного буйвола, как этот малыш, «Kawasaki ZZ-R1200», весом в четверть тонны. Модель новая, и минут двадцать у Анны ушло на то, чтобы объездить мотоцикл, как коня, до привычного чувства произрастания бедер и поясницы из седла. И хорошо, что дала себя уговорить тому пареньку в ренте и сняла именно эту модель. Парень был прав: даже в плотном трафике мот достаточно маневрен и может влезть в любую щель, которую способен раздвинуть боками. И посадка удобная, и седло ровное, и на длинных перегонах легко менять позу. А на крейсерском ходу машина стабильна.

Справа, в одном из однотипных двухэтажных домов вдоль дороги, был выдвинут на сваях большой балкон, весь заставленный кадками. В кудрявой решетке ограды вились кудрявые гроздья маленьких зеленых помидоров, посреди которых восседал и щурился от солнца дядька в шортах, вывалив поверху брюхо, зеленое, как помидор.

Она любила Монреаль — легкий светлый город, церковный-цирковой город Монреаль. Его сбегающие винтом кокетливые наружные лестницы — словно женщина чуть отгибает подол юбки, демонстрируя изгиб бедра; его балкончики, узорные решетки, светло-серый камень соборов и церквей, остроухий плющ, поработивший колонны похожих на замки вилл в английском районе Вест-Маунт, сказочно-грозную громаду госпиталя «Ройяль-Виктория», шлем купола собора Сан-Жозеф, и это ненавязчивое переплетение французской легкости с английской учтивостью...

Зажегся зеленый. Она повернула на Вторую авеню, пропустила два желтых школьных автобуса, в которых наверняка везли артистов, и въехала на просторную стоянку перед огромным репетиционным и административным корпусом «Цирка Дю Солей».

Поставив мотоцикл недалеко от крытой и выгороженной личной стоянки Ги, сняла шлем и перчатки, запихнула в боковой кофр. Ну-с, рюкзачок на плечо, тряпичную бандану — платок, что надевала на шею во время езды, — в карман куртки. Она готова к переговорам.

На постаменте перед входом в здание водружен гигантский металлический башмак с вываленным языком и распущенными шнурками. По слухам — копия некоего растоптанного башмака из прошлой жизни Ги Лалиберте, отца небесного, великого человека, некогда уличного дракона, изрыгателя огня, ныне — полновластного владыки самой мощной в мире цирковой империи. В одном только Лас-Вегасе крутилось пять постоянных шоу в разных отелях и казино.

Внизу, в просторном холле под скошенным куполом сидели на «ресепшн» улыбчивая мулатка Люси, крошечная китаянка Шан-Шан, с великоватым для нее именем-двустволкой, и Эстер — церемонная дама в очках.

При виде Анны все три обнажили зубы разной степени белизны.

Через стеклянную стену она видела, что столовая полна народу: эти месяцы в «Дю Солей» всегда самые горячие — время «формэйшн», когда отобранные кастингом спортсмены и цирковые со всего мира съезжаются на просмотры, репетиции и заключение договоров.

Столы все обсижены, к кассе приличная очередь — артисты в тренировочных костюмах, кое-кто из администрации, две переводчицы, массажист Ронен... Хорошо бы что-то перехватить до встречи с Филиппом, подумала она.

С постановочным директором будущего шоу — огромного нового проекта в неожиданном для «Дю Солей» направлении (основой замысла должна стать коробочка, коробка, гигантский короб) — Анна встречалась несколько раз в течение года — не столь успешно, как хотелось бы. Филипп колебался, повторял, что надо продумать вопрос страховки и безопасности — зеркала, Энн, штука такая... тонкая штука, — и усмехался собственному каламбуру. Она возражала, предлагала варианты защиты с тончайшими страховочными сетками, которые из зала видны не будут, пыталась убедить, но... Увы, это правда: придуманное ею оформление — и это бывало неизменной ложкой дегтя во всех переговорах — стоило немалых денег.

Кроме того, она знала, что творческая группа создателей шоу рассматривает еще несколько вариантов. Все это было рутиной, но на сей раз тянулось слишком долго.

В подобных случаях она предпочитала выждать. В конце концов, всегда наступает момент, подходит время, когда баржа — тяжело груженная баржа совместной работы — тихо трогается по течению реки...

Взяв кофе с клубничными вафлями, она села за отдельный столик, обнаруженный в углу, рядом с неожиданным здесь домашним фикусом. И сразу к ней подсел — тут не занято? — молодой гимнаст. Вольтижер, определила она по сложению, по мускулам. Оказался «Серега с Украины» и невыносимо разговорчив. Хорошо, что молод: пока она выпила кофе, он успел рассказать ей всю свою жизнь, от школьной футбольной команды в городе Днепропетровске до юношеской сборной Украины по гимнастике...

Женевьева говорила, что в этом году «Цирк Дю Солей» набрал еще больше «русских». То есть и армян, и азербайджанцев, и украинцев. Сейчас их здесь процентов, пожалуй, семьдесят. «Русские» — как всегда и всюду — брались за то, за что не брались другие.

— А вы тоже здесь работаете? — спросил Серега.

— Иногда, — ответила она.

Времени до встречи оставалось еще достаточно. Она прошлась знакомыми тропинками: минут десять посидела в библиотеке за компьютером, листая Интернет, заглянула к массажистам, даже покрутила педали «велосипеда»... Потом забрела в репетиционный зал.

Сейчас там тренировались двое: воздушный гимнаст на трапеции, русский, тоже не знакомый Анне, и еще один на турнике — Жером из национальной сборной Франции. Недавно он порвал ахиллы и сейчас осторожно входил в норму — нога еще забинтована. Оба гимнаста репетировали в «шевьерах», кожаных шнурованных сапожках без подошв — «дюсолеевское» изобретение.

С русским репетировал тренер по акробатике Роман Петрович, немолодой, но рысисто-поджарый, с большим серебряным крестом на распахнутой груди. Он держал лонжу, терпеливо посматривая на гимнаста, который нехотя раскачивался, словно размышляя, что бы сделать дальше... Вялый длинный кач, обрыв в носки... и снова длинный кач... Видно было самое начало работы, еще до артистической части, до постановки хореографии.

Анна присела на длинную приземистую скамью, какие всегда стояли и стоят во всех спортивных залах.

В этой самой высокой в мире студии можно было разместить шапито. Высоко под потолком шла подвеска, балкон на уровне второго этажа опоясывал по периметру весь зал.

И многое здесь помещалось: в дальнем углу у стены сдвинуты две гигантские батутные кровати, толстые синие маты на полу, слева от входа и вдоль всей стены — две глубокие ямы безопасности, закиданные желтыми кубами поролона. Справа — корейская рамка висит, по виду — огромный металлический стакан, в народе именуемый «геморройкой». В нем тренируются ловиторы, нижние, — ловят и перекидывают вольтижеров.

Здесь все было по правде, все — за пределами человеческих возможностей.

Медленно, словно нехотя, летел над полом русский гимнаст... Роман Петрович оглянулся, увидел Анну, кивнул и стал на лебедках подтягивать трапецию повыше.

Пора было идти на встречу с Филиппом.

* * *

Женевьева колдовала над гипсовым торсом. Склонилась над столом, щуплой спиною к Анне. Забавная фигурка: стрекозьи ножки, трогательно торчащие из шортов, кожаный фартук, завязанный сзади бантиком.

Анна помедлила в дверях. В этой комнатке повсюду на полках были расставлены разномастные стеклянные банки, заполненные гипсовыми ушами. И стена слева от двери обклеена гипсовыми ушными раковинами. Смешная коллекция, причуда Женевьевы: много лет она собирала отходы производства — уши с гипсовых голов, не нужные ни костюмерам, ни гримерам, ни изготовителям париков. Разные уши артистов — лопоухие и плотно прижатые к черепу, маленькие и большие, крупномочковые, и уши-клинья, и завитки-пельмешки, и продолговатые изысканные раковины — разные, разные уши, гипсовые футлярчики для вместилища всех на свете слов...

Две смежные стенки в комнате были зеркальными, и поверх склоненной спины Женевьевы Анна видела себя в этих оторопелых ставнях-близнецах, что уже ослепли от бесчувственных гипсовых видений.

Она тихо свистнула. Женевьева оглянулась, пискнула, подняла большие пластиковые очки на лоб, подбежала и сильно обняла ее за шею локтями: обе руки до локтей забелены гипсовой пылью.

— Ты дома была? — спросила она. — Я тебе оставила обед на кухне.

— Не успела... дороги очень загружены... и на Двадцать пятой перевернулся трейлер. Скоро заканчиваешь?

— Минут через сорок. Дождись меня, ладно? Знаешь, Говард сегодня так волновался. Он тебя чувствует, как сумасшедший. Правда, я сказала ему утром: «Анна приезжает!» И он клюв раскрыл, перья встопорщил: «Анна-мальчик! Дай поцелую!»

— Мой старый дружок...

— С ума сойти. Слушай... Мне тут осталось сделать головы двум испанцам. Поможешь? Такие классные ребята, канатоходцы, силачи. Приехали на «формейшн».

— Ну, конечно, конечно...

Все новые контрактники проходили здесь процедуру, для них таинственную и малоприятную: по аналогии с посмертными масками, форматоры снимали целиком их гипсовые головы, которые оставались храниться в запасниках цирка даже по истечении контракта.

Ряды этих безмолвных голов с бельмами закрытых глаз, с плотно запечатанными ртами и сквозными носовыми отверстиями, стояли на длинных полках в хранилище — тут, неподалеку от мастерской Женевьевы.

Анна довольно часто заглядывала в это длинное тесное помещение, медленно, чуть не боком пробираясь меж деревянных стеллажей.

По гипсовой голове можно было определить характер и национальность артиста. Русские отличались напряжением в бровях и особой сжатостью челюстей.

...Артисты по-разному относились к этой противоестественной процедуре. Были и такие, кто переносил ее тяжело: на протяжении получаса надо было сидеть недвижно, безглазо и безгласно, в гипсовом панцире, запечатавшем каждую пору лица, дыша через две дырочки, милосердно проделанные Женевьевой черенком кисти в гипсовом носу...

Однажды Анна видела, как итальянский клоун, не выдержав краткой меловой смерти, вскочил с кресла и, мыча и качая гипсовой головой Минотавра, стал вслепую крушить все вокруг.

* * *

С Женевьевой Анна познакомилась лет восемь назад на грандиозном приеме, из тех, какие иногда устраивает Ги, с двусмысленными утехами, вроде выезжающей на огромном, как больничная каталка, сервировочном столе обнаженной девушки, усыпанной с головы до ног крошечными порциями суши — угощайтесь.

Анна попала на банкет по приглашению Джорджа, одного знакомого из кастинга — изысканного гея, любовника чуть ли не министра культуры. Он видел ее шоу в Берлине — «Призраки в зеркалах», то самое, с зеркальными перекличками, когда фигура, пойманная двумя остроумно расставленными зеркалами, передавалась следующей паре зеркал и медленно таяла в перспективе, уходила, туманилась, хотя сам артист стоял на месте, прощально помахивая вслед своей удалявшейся шляпе.

Джордж сам разыскал ее и воодушевленно предложил познакомить с артистическим директором спектакля «Драллион», впоследствии знаменитого, как и все, что выходило в «Дю Солей», а в то время еще только обсуждаемого... Джордж был уверен, что ее «зеркальные идеи» должны понравиться творческой группе.

Однако знакомства в этом веселом и малопристойном сообществе, больше похожем на вертеп, тогда не получилось. Анна собралась уже уходить и под несущийся откуда-то вопль самого Ги: «Вы что, забыли кто ваш папаша?!» — пустилась разыскивать выход из череды кудрявых и стриженных японских садов, бумажных домиков, стеклянных водопадов...

Тут ее нагнал смущенный Джордж, да не один, а с какой-то забавной маленькой женщиной — острый профиль, детская впалая грудь, стрекозьи ножки. Анна, сказал он, запыхавшись, Анна, ты извини, что так вышло, мы обязательно воплотим нашу идею в жизнь... просто сейчас все они перепились, как свиньи, и хотят только веселиться... А пока, я подумал, тебе ведь негде остановиться? Так вот, Женевьева предлагает...

Женевьева неожиданно сильно пожала Анне руку. Она оказалась форматором в «Цирке Дю Солей», и рада познакомиться, очень рада, правда, и готова предоставить Анне «убежище от этого кошмарного мира».

Они еще посидели в баре, выпили сидра, который подавали здесь в глиняных «болях», напоминавших Анне узбекскую пиалу. Джордж куда-то делся. А Женевьева была оживлена, рассказывала о своем детстве в Бретани, просто разговор зашел — сидр там национальный напиток, как ром и кальвадос, которые привезли пираты...

А малышка сегодня пробовала не только сидр, подумала Анна. Интересно, растет ли марихуана в Бретани?

Они надолго застряли в этом баре, где подавали морскую живность, в том числе устрицы — Huitres de Belon, — как раз то, что Анна терпеть не могла. Женевьева уплетала их одну за другой, тараща глаза, веером шевелящихся от наслаждения пальцев приглашая угощаться:

— Ты не любишь?! Нет?! Не верю!

Когда-нибудь, сказала она, я накормлю тебя настоящими бретонскими куличами Le guatre guarts, «Четыре четверти», — в них поровну муки, масла, яиц и сахара; и обязательно приготовлю куличи Le Far Breton, как их готовила бабушка. Она пекла их в таком жару, в таком жару... что верхняя корочка становилась черной!

Потом они сели в старый маленький «рено-клио» и поехали в Плато.

— Это район такой, — щебетала пьяная птичка, — забавный, богемный. Много всякого прелестного отребья... Я лет восемь свою квартирку снимала, а недавно хозяйка ушла в лучший мир, и дети — они тоже из Бретани — задешево мне продали. Ох, ты увидишь эту берлогу, смотри, не упади!

То, что Женевьева необычайно взволнована, Анна поняла уже в баре, но вокруг все гремело, играло-пело, и повышенный ее тонус Анна приписывала алкоголю и стремлению побороть, как сказала Женевьева, «окружающую среду»... Здесь, в машине, она вдруг увидела настоящую причину болезненного стремления очаровать, укутать себя робкой надеждой... и у нее сжалось сердце. Она решила немедленно покинуть трогательную крошку, снять где-то номер. В конце-концов, в Монреале нет недостатка в...

— Женевьев, — проговорила она мягко. — Я, пожалуй, тут где-нибудь выйду... Прости, дело в том, что я...

— Не беспокойся! — живо отозвалась та, не поворачиваясь к Анне. Птичий профиль в мелькающих бликах неоновых реклам. — Не думай, я сразу поняла, что ты не наша... Это безумно жалко, но что поделаешь. Просто... на тебя так хочется смотреть... Ты похожа на мальчика, на «Давида» Вероккио... Я рада тебя принять. У меня там смешной кубрик на крыше... Тебя никто не побеспокоит.

В тот первый день знакомства они просидели на кухне до утра. Горбун-жако Говард при виде гостьи пришел в сильнейшее и нежнейшее волнение, долбил прутья клетки, кричал по-французски: «Берегите попугая!», перебивал каждое слово хозяйки томным выдохом: «У-ужас! У-у-ужас!», мгновенно выучил имя Анны и повторял его на все лады, припевал даже... Словом, по всем приметам, инвалид влюбился...

Женевьева сказала, смеясь:

— Мы оба в тебя влюбились с первого взгляда.

И лишь под утро, навьюченная пледом и охапкой постельного белья, Анна поднялась на крышу, в комнатку, которую сразу назвала «гнездом» и которая с той ночи стала ее домом, когда б ни пришлось оказаться в Монреале.

...Появились испанцы — два смуглых чернявых крепыша, объяснявшихся жестами. Оба портеры, «нижние», мельком определила Анна. Могучие ребята.

Как обычно, из оживленной их перепалки на испанском она вскоре стала вылавливать смысл отдельных слов, а минут через пять уже понимала довольно многое. Во всем, что касается освоения чужой словесной ткани, она использовала принцип бинокля. Вглядывалась в движения губ, мысленно приближая бурлящую субстанцию, как бы наводя резкость. И точно как в бинокле, поток слов прояснялся до узнаваемых очертаний, пока не проступала ясно вся *фигура языка*.

Но знала: как только пареньки уйдут, они унесут с собой и эту *силуэтную ясность слов*. И затем ни одна испанская книга не пробудит в ее зеркалах ни капли смысла; лишь звучащее слово...

Пока Женевьева, приветливо чирикая по-французски, замешивала в ванночке гипсовую массу, испанцы переговаривались между собой — разумеется, о двух этих женщинах. Один сказал: старушки ничего себе. Ты бы не отказался с этой рыжеватой, а, Франсиско? И Франсиско ответил ему в том смысле, что рыжая не так молода, как кажется, но еще вполне, еще вполне. Фигурка обалденная. Да только, сдается мне, эта парочка обслужит себя сама, без нашей помощи...

— Прошу вас, кто первый? — пригласила Женевьева. Указала на крутящееся кресло, выдвинутое на середину комнаты специально для экзекуции. Парни переглянулись и тот, кого второй называл Франсиско, с комическим испугом вытаращив глаза, уселся.

Несколько мгновений, пока Анна смачивала ленты бинтов над умывальником, а Женевьева надевала на голову испанцу резиновую, плотно облегающую шапочку, мазала вазелином брови, ресницы, шею и грудь, парни перешучивались. Еще не поняли, что будет дальше.

— Поехали, — кивнула Женевьева, выливая гипсовую массу на затылок, шею, плечи испанца. И в четыре руки они с Анной сноровисто ватой обложили его голову, стали плотно ее сверху бинтовать.

Смуглое лицо сидящего *портера* еще держало остывающую улыбку в уголках живых полных губ, а вот его приятель разом посерьезнел.

— Эй! — крикнул он. — А как Франсиско будет дышать?!

— Все будет хорошо, — сказала ему по-испански Анна. — Скажи ему не бояться. Полчаса. Мужчины!

— Что, они беспокоятся? — выкладывая мокрые планшетки бинтов из ванночки, спросила Женевьева. —

Сами виноваты. Если б говорили по-французски или по-английски, я бы все объяснила.

Она показала гимнасту черенок кисти, поднесла к собственному острому носику:

— Будет дышать! Не волноваться!

Стала осторожно прочищать от крошек отверстия в ноздрях испанца.

Она привыкла к странному умению Анны понимать любой прохожий язык. Хотя первое объяснение на тему этих *странностей* было болезненным.

— Представь, эта сучка Тина, декоратор из художественного отдела, — что она говорит? — усмехаясь, сказала Женевьева дней через пять после того, как Анна поселилась в «гнезде». Они уже обговорили массу тем, обсудили Бретань, Россию, загадочный большой город Киев, разницу между легкими и тяжелыми мотоциклами... Женевьева уже выплакала перед Анной свою первую любовь к актрисе, приехавшей к ним в городок из Леона, той актрисе, с которой и застал Женевьеву ее старший брат, после чего с семьей были навсегда порваны все отношения; выплакала и вторую любовь, к студентке факультета славистики, длинноногой взбалмошной итальяночке, — словом, когда Женевьеве казалось, что она знает Анну много лет...

— ...Так она говорит сегодня, сучка Тина: «Ты что, пустила к себе жить эту женщину? Она же ведьма!»

Они сидели в «гостиной».

Вообще-то квартира Женевьевы была выкроена из обрезков двух других, приличных и удобных квартир, что располагались справа и слева, и представляла собой две конурки, связанные коридором. Была еще треугольная, фантастически неудобная кухонька и туалет-душевая, где можно было мыться, только держа руки по швам.

Но одна из конурок, метров в двенадцать, была очаровательна: с полукруглой стеной, в которой дополнительным карманом оттопыривался в улицу стеклянный эркер, весь уставленный горшками герани. И вид из окна открывался благостный, совершенно диккенсовский — на угол тихой улицы со старым домом из седого камня, покрытым коростой темно-зеленого плюща.

Анна вертела в руках испорченную волынку. Она пробовала дуть в нее, как дула в свою губную гармошку, но старый бурдюк одышливо вздыхал в безуспешных попытках взбодрить опавшее вымя. Разумней всего было бы выкинуть этот хлам, но Женевьева считала волынку лучшим инструментом в мире, поскольку на ней играют в Бретани.

— Я ей в ответ: что за глупости мелет твой язык?! — Пустившись пересказывать сцену или диалог, Женевьева всегда заново переживала всю историю, заново разыгрывала действие, поочередно перевоплощаясь в персонажей. И сейчас щеки ее полыхали возмущенным жаром: — «Что плохого тебе сделала Анна?» — «Ничего, — говорит. И так подловато ухмыляется. — Просто она ведьма!»

Анна отложила волынку и сказала:

— Если ты хочешь серьезно проверить инструмент, я отвезу его к Сене, а тот уж найдет мастера.

И подняла глаза на оседлавшую стул Женевьеву. Та уже настроилась обсудить как следует «сучку Тину» и вероятно ожидала от Анны ответного возмущения.

Но Анна молчала.

— Вы что, поссорились?

— Я не знакома с ней. Сталкивалась раза три в коридорах.

— Так какого черта она!.. Почему?!

Анна обреченно улыбнулась, развела руками и мягко произнесла:

— Потому, что я — ведьма.

Говард долбанул клювом прутья клетки и выдохнул:

— У-ужас!

Женевьева расхохоталась, но вдруг оборвала себя. С минуту смотрела на Анну.

— Что это значит? — усмехаясь, пробормотала она. — Ты умеешь колдовать?

— Нет, — пожала плечами Анна.

— Ты... лечить умеешь?

— Не знаю... Не пробовала.

— А что же ты умеешь? — Женевьева глядела на свою новую подругу с недоуменной опаской.

— Как тебе сказать... — неохотно проговорила Анна, глядя в окно. Хозяин идиллического дома напротив, перегнувшись через широкий подоконник, садовыми ножницами подравнивал те побеги плюща, что нахально вылезли из общего гофрированного покрова. — Просто я... кое-что вижу.

— Что? — Женевьева поморщилась. — В каком смысле — видишь?

— Ну... иногда вижу такое кино. Могу прокрутить его вперед, могу — назад...

— Врешь, — по-детски выдохнула Женевьева. — Разыгрываешь! А меня, мою семью... можешь увидеть?

Анна вздохнула, заскучала... Всюду одно и то же. И эта милая маленькая Женевьева, — она ведь ни в чем не виновата. И так напряжена! — неприятно ей, бедняге.

— Могу. Бабушка твоя сильно хромала, да? Брат, старший... проклял тебя, а сам много лет любил чужую жену... А у тебя платье было любимое, фланелевое, темно-синее, в редкий белый горох. И воротничок белый... И в десять лет ты украла у бабушки из кошелька десять франков, чтобы купить билет на представление в цирк-шапито, и это не дает тебе покоя до сих пор. — Остановись, подумала она с привычной тоской, но все же закончила: — Иногда... мысли твои вижу. Но это потому, что ты внятно, определенно мыслишь. Почти как вслух говоришь: фразами.

Женевьева вскочила со стула, ошеломленная. Растерянно разводила руками, будто пыталась их свести и не могла. Заметалась по комнатке.

— Нет! — наконец, проговорила она. — Мысли?! Ну нет! Как это возможно? Выходит, любой человек перед тобой... словно голый?! Даже хуже! Что такое наше тело по сравнению с нашими мыслями?! — Она остановилась перед Анной, недоверчиво, натянуто улыбаясь: — Ты шутишь... Ну... о чем, скажи... о чем я думаю сейчас?

Вот ты и доигралась со своей никчемной правдой, сказала себе Анна. Вслух спокойно проговорила:

— Ты думаешь, что на самом деле влипла в нехорошую историю, и... как бы теперь попристойней меня выдворить, и... целый вагон матерных ругательств.

Женевьева отшатнулась, как будто ее ударили, залилась пунцовым, закрыла лицо ладонями.

— Прости! — глухо бормотнула она.

...Когда с рюкзаком Анна спускалась по винтовой лесенке из «гнезда», Женевьева рывком распахнула дверь квартиры и, загородив дорогу, с силой проговорила:

— Никуда не пойдешь! Не пущу! Будь они все прокляты, лицемерные твари! Вот тебе все мои мысли!

* * *

...Вскоре испанец с гипсовым кочаном римской головы застыл в кресле. И уже минуты через две по его мускулистым плечам, по груди, животу побежали заметные волны дрожи. Несколько мгновений пленный Франсиско крепко сжимал подлокотники старого кожаного кресла, затем судорожно растопырил пятерни, как бы силясь нащупать в кромешной, закупоренной тьме хоть что-то живое...

Его приятель с молчаливым ужасом взирал на друга, столь стремительно превращенного из человека в чудовище с гипсовой головой. Да... Процедурка вообще-то на удивление фантастична — и безжалостна, подумала Анна. Как будто тебя замуровывают в стенку, начиная с головы. И тебя уже мало волнует, где торчит твоя задница и чем она занята... Но что поделаешь, в работе это действительно удобно: теперь — в каком бы из дальних филиалов цирка ни работали артисты — их точные размеры всегда будут под рукой у художников, портных, костюмеров, изготовителей париков.

Вдруг закованный в гипс испанец истошно замычал — и такая мука звучала в глухом носоглоточном вопле. Анна опустила ладонь на мощную кисть испанского канатоходца, так похожую на Володькину руку, крепко сжала... И он, как ребенок, благодарно и судорожно схватил ее руку, и мял, и сжимал, и не отпускал до конца, пока Женевьева не разъяла затвердевшую форму надвое и не стала смывать с его бледного лица, с шеи, с могучих плеч грязь, вазелин и гипсовую крошку...

...Ночью ей снились бесконечные ряды гипсовых голов, что отражались в зеркалах и кивали оттуда, пытались заигрывать, галантно заговаривать с ней на разных языках — в отличие от тех, настоящих, что неподвижно и осудительно застыли на полках в отупелом безмолвии. И правильно, думала она во сне, в Зеркалье все предметы оживают.

И снова разгоняла мотоцикл до предельной скорости, отрывалась и летела вверх, вверх, пока не прорывала тонкую зеркальную пленку неба, радужную, как бензиновая рябь на весенней луже.

А когда проснулась — в шестом часу утра, — опять думала о Машуте.

В последние годы она думала о ней все чаще. Странно: гораздо больше думала, чем об отце, которого продолжала любить горячо и преданно, как в детстве; которого похоронила честь по чести и оплакала по-людски, хотя обезумевшая Христина и собралась не открыть ей дверь и «нэ пидпустыть до домовыны!»

Действительно, когда, прилетев на рассвете Анна позвонила в квартиру, Христина была уже одета, а может быть, и вовсе не ложилась и, увидев морозную, в клубах пара, свою воспитанницу, завопила почему-то не на своем вечном суржике, а по-украински:

— Дывиться, люды добри! Подывиться на цю курву з цырку!

В квартире они были одни, если, конечно, не считать отца, лежавшего в гостиной в гробу с каким-то неприступным, непривычным для Анны лицом.

— Сука, сука трэклята! Ридну маты ховати не прыихала, а за спадщыною зъявылася!

Анна подошла к ней и молча обняла локтем за шею, привалила к себе.

— Ну!.. Хватит... — сказала измученно. — Заткнись. С какой стати ты вдруг перешла на «ридну мову»?

И Христина послушно оборвала театральный визг, повисла на Анне всей тушей.

— Нюта, мать твою-у-у! — завыла в голос по-настоящему страшно. — Мать твою-у-у-у!..

— Вот так-то лучше, — пробормотала Анна.

Мельком подумала, что ей еще придется ответить за то, что она сделала в посольстве Украины. Вспомнила тусклые, расширенные зрачки сотрудницы отдела виз — как там ее величали? консулом? — и свою холодную ярость, ничем не оборимую, потому что в эти минуты отец умирал. «Хорошо... Явитесь за паспортом завтра к девяти». — «Нет... — ровно, без выражения, удерживая ту *между зеркалами*, — вы это сделаете немедленно... в срочном порядке... Достаньте печать... Она во втором ящике стола...»

Впервые подумала о том, что ведь Христина любила отца. Недаром после смерти Машуты перебралась в эту квартиру и до последнего дня обстирывала «доктора Нестеренку» со всей деревенской истовостью, которую пронесла и сохранила в суматошной жизни большого города.

На следующий день после похорон на линованной бумаге из вечной стопки на папином столе, аккуратным *оборотнем*, столь подходящим к случаю, Анна написала на имя Христины завещание. И для верности еще какую-то дарственную «на спадщыну», то есть *наследство*. Неделю угробила на идиотские оформления у нотариуса и адвоката.

И Христина разом превратилась в старуху. Глупую одинокую старуху с нареванным красным лицом, сиднем сидящую в хоромах.

То и дело она кричала через комнаты, как в детстве:

— Ню-у-у-та-а-а!

И когда Анна появлялась в дверях, со своим тихим:

— Ну что ты орешь? — говорила:

— А вот уйдэшь, и никого нэ буде, шоб позваты.

Про отца она рассказывала безостановочно — что ел, что пил, кто навещал его за месяцы болезни, и как душевно в госпитале отнеслись, и как красиво же, Нютычка, отца похоронили, правда? А цветов сколько, а какие слова говорили! — вероятно, эти многажды повторяемые заклинания были ей необходимы и целебны.

Анна же не чаяла вырваться из вязкого, насквозь пропахшего безумием и бедой, своего — да уже и не своего, и давно уже не своего — дома.

— А плакав-то пэрэд смэртю як! — говорила-пела себе Христина, раскачиваясь на диване. В разговоре она теперь переходила с суржика на украинский, и вновь суржиком выпевала. — Бидный, як плакав!

— О Машуте? — угрюмо спросила Анна.

— Не. — Та удивленно подняла белесые брови. — О тибе... Таки слезоньки катились, катились... И усе повторяв: «Христина, сколько ж ей было дано! Сколько дано!..» Я прям охолодела вся! Та шо ж это, думаю, — плаче, як за покойныцей...

И вдруг спохватывалась, вспоминая, что стала владелицей такого непомерного богатства.

— Дзэркало с кладовой достану, — приговаривала-лечила саму себя. — Одне дзэркало зараз сколько стоить! Оно ж усе пылью заросло.

— Потом, — попросила Анна. — Потом, когда уеду.

* * *

...Одевшись, она присела к откидному столику и часа два поработала на компьютере Женевьевы, который всегда забирала сюда на время своих приездов.

На дисплее чередой всплывали персонажи «Цирка Дю Солей».

Фотография была бескорыстной страстью Женевьевы. Этот мир, не слишком приветивший малышку в реальном времени, пропущенный сквозь видоискатель фотокамеры, преображался. Он становился значительным, трогательным, блистательным и щемяще мимолетным. Особо удачные ее снимки шли на открытки «Цирка Дю Солей», в буклеты, в альбомы, висели в кабинетах у начальства.

Вот остро закрученные, сине-желтые полосатые купола шапито, как вихрящиеся под ветром барханы. Белые прожектора на вышках, смятые ветром флаги. И даже еле слышная музыка чудится.

А вот фотография «хауструппы» из «Аллегрии»: ребята скучились после спектакля, все еще возбужденные, в гриме, в костюмах. Еще вздымаются в учащенном дыхании накладные выпуклые груди.

В свете прожекторов видны мельчайшие детали изысканного грима с вкраплением цветных стекол, золотых и серебряных блесток. И боязно и смешно рассматривать маски монстров и карл: оторопелые, зловещие, печальные, гротескные черты из сказок, воплощенные искусными художниками.

Костюмы невероятные, фантастические; каждый — шедевр дизайнера и продуман до последней блестки, усаженной между бровями. Каждый расписан, как венецианское стекло, — радужными разводами. Любая деталь костюма — лосины, сапожки с загнутыми носами, умопомрачительные пряжки, застежки, пуговицы, эполеты — неповторима и стоит бешеных денег. У того — султан из перьев, у того — высокий труба-цилиндр, у этого вздыбленный парик, словно из ночного кошмара. И вместе эта небольшая компания артистов будто вывалилась из дивного и веселого, и пугающего сна...

А вот крупный план: печальный клоун, знаменитый Леня Катков: белые оладьи губ, красный мячик на носу, черная слеза с оттяжкой под левым глазом. И бровь над ней гораздо выше другой, словно удивленный грустный парашютик опускается...

«Девушка-змея». Она из Китая, и равных ей в жанре нет. Огненные павлиньи глазки́ и зеленоватые змеиные чешуйки по всему телу. Ни единой складки, смотрится как кожа на теле. Снята в момент, когда ягодицами уселась самой себе на затылок. Загадочно-замкнутое лицо, подбородком упертое в пол; закинутые ноги вытянуты бревнышками.

И вот она же: путаница тела, немыслимый клубок конечностей... Хомут ноги, надетый на шею.

А это новое: серебристо-белая акробатка на батутном кресте. Схвачена охотником-объективом в мгновение сальто: руки раскинуты, лицо смазано, сохранен лишь огромный глаз и изумленная бровь...

...Когда Анна спустилась, Женевьева уже стояла над сковородой, переворачивая ножом свои фирменные Galettes bretonnes — блинчики из гречневой муки с яйцом.

Христина всю жизнь готовит их на завтрак и даже не подозревает, что это чуть ли не основное блюдо бретонской кухни.

Во всем Женевьева оставалась бретонкой. И католичкой, несмотря ни на что. Над ее тахтой висело распятие, и каждое утро, едва глаза продрав, она вначале проговаривала молитву убедительным жарким шепотом, а потом уже наливала первую бодрящую рюмочку виски или коньяка.

Ежегодно она уезжала на август в Бретань, бродила там с фотоаппаратом с утра до вечера, нанималась — охота за типажами! — на плевые работенки, выдавая себя за студентку и фотографируя как одержимая. Всякий раз привозила целую выставку новых снимков, полностью заменяя экспозицию на стенах.

Те, что висели сейчас, Анна знала наизусть. Вот трое рыбаков в неожиданных розовых блузах на фоне розовых же рассветных волн. Вытаскивают сети: ритм сопряженного усилия сливается с ровным колыханием воды. Похоже на современный стильный балет — невидимый прожектор восходящего солнца будто сцену озаряет...

А вот другая фотография. По берегу в сумерках бредут две женщины в черных платьях и очень странных головных уборах — высоких, белых, как поварские колпаки. И на втором плане, повторяя их путь, по гребню холма уходит и тает в мелкой осенней мороси вереница сгорбленных менгиров — неотесанных, грубых столбов. Далеко-далеко еле виден маяк на выступе скалы. И даже йодом пахнет от мерзлых водорослей, оставшихся на берегу после прилива.

В «гостиной» висели еще несколько фотографий бурного, очень бурного моря. Одна лишь бушующая вода с обрывками пены на вздутых, как напряженные мышцы, волнах...

Говард молча и важно разгуливал поверх клетки: по утрам он бывал немногословен. Но при виде Анны встрепенулся, немедленно перелетел к ней на плечо, ущипнул за мочку и сварливым голосом интимно осведомился:

— Анна-мальчик? Дай поцелую?

— Ну, целуй, — разрешила Анна, почесывая ему горбик.

В видео-плейер была вставлена кассета спектакля «Аллегрия» — Женевьева не могла и часу прожить без любимого цирка. Белая Певица на экране, один из символов империи «Цирка Дю Солей» (сувенирная куколка с ее чертами, в белом платье, продавалась в лавке административного корпуса вместе с фирменными майками, чашками и прочим барахлом), тянула мелодию своим глубоким зыблющим голосом волынки.

— Ты знаешь, — кивнула на экран Женевьева, — что это была моя идея? Я сказала Ги и ребятам: волынка, настоящая утробная занудь волынки, вот что должно оттенять зрелище — оно ведь всегда у нас дико напряженное... Музыка в спектаклях, говорила я, должна быть кельтской, эротической и оригинальной.

— У тебя там новые фотографии, — сказала Анна. — В компьютере. Кое-кого я не знаю.

— Да! Там два новых китайца. «Огненное колесо» — ты видела? Виртуозы! Потрясающий темп. И еще... — Она вдохнула и после коротенькой паузы выдохнула: — Необыкновенная русская гимнастка... Она такая нежная, Анна... Знаешь, гимнастки обычно грубоваты, а эта... Ее зовут Э-ле-на — я правильно говорю по-русски?.. Правда, это прекраснее, чем просто Хелен? В этом какая-то бесконечность, не ограниченная согласными...

Ба-а! Похоже, новая привязанность, подумала Анна, поглядывая на острое личико Женевьевы.

...Тонкорукая, голенастая ученица деревенской католической школы — длинная шейка в вороте черного шерстяного платья. Она сидит на представлении цирка — ошарашена, потрясена! Худые, красные, в цыпках руки безостановочно расправляют на коленях подол. Блестящие черные глаза пожирают гимнастку в допотопном розовом трико — звезду этой жалкой безвестной труппы, что отважилась добраться в их глушь на побережье... Название цирка? Похоже, итальянское, почти неразличимое на мокром от дождя брезенте шапито.

— Я послезавтра уеду, — сказала Анна, доедая блинчик.

На экране огромный Монгол с точно таким же и абсолютно так же загримированным Монголенком —

красные яблочки румянца на выбеленном лице — синхронно и в немыслимом темпе проделывали один трюк за другим. Горящие головни взлетали и расшивали воздух фантастическими узорами; огненные хвосты свивались в вензеля и виньетки... Ай, браво! Что ни говори, высочайший класс.

— Уже послезавтра? — удивилась Женевьева, и Анна поняла, что да, свершилось: ее подруга серьезно увлеклась. Иначе б не говорила так спокойно о скором отъезде Анны.

— Мне нужно ехать в Бостон, к Сене. Там такое ужасное дело: у его старого друга украли очень ценную скрипку.

— О боже, — вздохнула Женевьева. — Всюду свои страсти.

Это точно, мысленно согласилась Анна.

— А ты еще встретишься с Филиппом?

— Не сейчас. Честно говоря, я раздражена после вчерашнего. Филипп — человек умный, дальновидный... но абсолютно беспринципный. К тому же, у него есть тайный интерес. Он протежирует своего человека и надеется уломать Ги. Словом... надо отпустить ситуацию. Пусть пока крутится и зреет. Я люблю в дело включаться, когда без меня уже невозможно. Плесни-ка мне еще кофе. Спасибо! И каплю молока... Я, знаешь, придумала одну штуку с освещением... Можно добиться невероятного эффекта. Такого еще не делали: берем вертящиеся призмы, световой сканер и четыре зеркала, так? И одно я ставлю за прозрачным занавесом...

...На самом деле она была недовольна собой и тем, с какой горячностью расписывала вчера Филиппу преимущества ее проекта: гигантская зеркальная шкатулка с откидными стенками, на колесах. Мгновенно перемещается, раскладывается, собирается — куча возможностей для совершенно парадоксальных мизансцен! Зачем надо было так раскрываться перед этим лукавым человеком, спрашивала она себя? Так *бесполезно* раскрываться...

Филипп, говорила она, я действительно очень заинтересована в вашей площадке. В таком масштабе я еще не работала. Вообрази, что будет на сцене и в зале, когда ваша «хауструппа» — в сущности, несколько человек — появится в моих зеркалах! Задние ряды мы увеличим... Несметные полчища сказочных существ! Только представь, как они напирают отовсюду; куда не поверни голову — они везде! Даже на потолке! Жители целой сновиденной планеты! Исполинский мираж! Иная, зеркальная вселенная!

Филипп сидел, улыбаясь, кивая, положив одну ногу на острое колено другой, чуть подрагивая носком мокасина. Свою каштановую, с проседью, бородку любовно разравнивал двумя пальцами.

...Из дому они выходили вместе. Недовольного Говарда водворили в клетку и, пока спускались по лестнице, слышали его возмущенный крик:

— Берегите попуга-а-а-я!

* * *

Перед отъездом она, как обычно, пригласила Женевьеву пообедать в одном из тех баров на улице Сан-Катрин, где собираются геи.

Вечерами там играла музыка в стиле «рейв» — под нее танцевали молодые мужчины, по ходу танца разоблачаясь: снимая майки, рубашки, демонстрируя красивые тела.

Женевьева почему-то любила эти жесткие и громкие тусовки. Анна же, измученная цирковыми литаврами, давно не переносила любого повышенного звука — разве что вопли Говарда ее не раздражали.

Но днем здесь можно было просто пообедать, и недурно.

— Ты не возражаешь, если к нам присоединится Элена? — осторожно спросила Женевьева утром.

Анна улыбнулась, сказала:

— С какой бы стати мне возражать?

— А я, — радостно подхватила малышка, — буду сидеть, и слушать, как вы говорите по-русски!

Элена оказалась холодноватой блондинкой с высоко подбритыми бровями, от чего с лица ее не сходило некоторое изумление, слегка брезгливое. Как будто минуту назад она узнала что-то крайне для себя неприятное... Все же именно брови дирижируют общим выражением лица, подумала Анна. Ну что ж, если Женевьева от нее без ума, если та будет способна ответить толикой чувства... И правда: пора бедной малышке хоть на некоторое время кем-нибудь разбавить компанию Говарда.

Под умиленным взглядом Женевьевы они вяло поговорили по-русски — обмен мнениями о здешних цирковых порядках и попытки нащупать общих знакомых, попытки безуспешные — Элена попала в «Цирк Дю Солей» из спорта, а не из цирка. Затем перешли на такой же картонный английский, который новая пассия Женевьевы знала в пределах школьной программы. Интересно, как они общаются на этом убогом языке? Впрочем, язык тут неважен...

Минут через сорок — как раз подали рыбу — Элена удалилась в туалет, и Женевьева, перегнувшись через стол, взволнованно спросила, касаясь рукой локтя Анны:

— Тебе она понравилась? Правда, она очень изысканная?

— Очень, — подтвердила Анна, вспомнив, как называли таких баб в их цирковом обиходе: «пизда на цыпочках».

— Мне кажется, она... немного ревнует меня к тебе! — хихикнув, сообщила малышка.

Анна заскучала — это часто бывало в последние месяцы. Безотрадная, не мышечная, а душевная смертная слабость обволакивала ее; она про себя называла это *скукой — «вдруг навалится, ангел мой, Нюта, шершавая сука-скука...»* — хотя давно стоило бы назвать как-то иначе...

Все чаще ее охватывало внезапное желание немедленно оказаться в другом месте. В каком? Не важно. Скорее сесть на мотоцикл — и унестись... И нестись... пока не застонут, как в молодости, загнанные мышцы, не запросят покоя...

Вот и сейчас ей вдруг захотелось подняться, выйти на воздух, оседлать своего коня... Она даже нащупала в кармане бандану.

Нет, надо завершить обед, рассчитаться и по-человечески проститься с Женевьевой.

Она оглядела пустой по дневному времени бар, скользнула безразличным взглядом по стене напротив, где между двумя дикими красно-синими плакатами с полуголыми парнями висело больное зеркало в белесой коросте. В зеркале отражалась дверь дамской комнаты. Вот она приоткрылась...

В следующее мгновение, растянутое, как орущий от дикой боли рот, она увидела в проеме двери повешенную Элену, что болталась в лонжевой петле и смотрела на Анну стеклянными багровыми глазами на изумленном мертвом лице...

Анна поперхнулась, закашлялась... Откинулась к спинке стула и застонала.

— Что?! — всполошилась Женевьева. — Что с тобой?

— Ни-че-о... — еле ворочая языком, пробормотала та, укрыв лицо ладонями. — Спазм сосудов... может, погода... мигрень...

К столику уже приближалась Элена со свежей помадой на гладких тонких губах.

Вскоре она извинилась и ушла, несмотря на явное огорчение Женевьевы.

Звенящая головная боль, что обрушилась на Анну с увиденной в зеркале картиной, все билась в заглазных колодцах и, по опыту, могла продолжаться бог знает сколько.

Она попросила у официанта счет, помедлила...

Через окно она видела свой мотоцикл на открытой стоянке. Сейчас, сказала она себе, проститься, расцеловаться и — выйти... И забыть обо всем...

Нет, Ты не впутаешь меня!.. Проклятье!!! Ты мною не развлечешься!..

Поднимись, сказала она себе, и иди... Ты — прохожий, который случайно увидел не предназначенную для его глаз интимнейшую картину...

— Женевьев... — проговорила она с трудом, не поднимаясь. — Послушай меня... Послушай меня, ради бога, и не спрашивай ни о чем. Только поверь мне, и все. Не стоит сильно привязываться к этой девушке.

И подняла на подругу покрасневшие глаза.

Женевьева удивленно и обиженно уставилась на Анну.

— Почему ты так говоришь?! — пролепетала она. — Это странно и... обидно!

Анна поняла, что никогда не сможет ей сказать. Никогда.

— Умоляю... Умоляю тебя! — с нажимом повторила она, схватив руки Женевьевы. — Не привязывайся к ней!

— Но почему?! — оскорбленно крикнула та, вырывая руки. Ее растерянное лицо побледнело, губы дергались, словно ощупывая и сдерживая слова, которые готовы были сорваться безвозвратно.

Анна молчала, опустив веки. Боль выгрызала в *зеркалах* каверны особо тонкими, инквизиторскими сверлами...

Женевьева заговорила, шумно вдыхая, перебивая саму себя резкой жестикуляцией:

— Ты!.. Ты много лет была для меня!.. Но я живой человек, понимаешь, живой, может быть, жалкий, даже преступный, как говорят мои братья... но я тоже хочу тепла! — Ее беспомощные руки будто пытались остановить поток слов, и бессильно падали на стол, и снова взлетали к самому лицу. Умнейшие талантливые руки, более значительные, чем маленькое, с острым профилем лицо нелепой птицы. — Я живая! Ты ничего не могла мне... то есть, прости, я не то хотела, мы подруги, да... но и ты должна меня понять... И это очень эгоистично, если ты!.. Может, тебя волнует — в бытовом смысле?.. Тогда не беспокойся, твоя комната всегда останется...

Принесли счет. Анна вложила купюры между плоских кожаных створок, насыпала поверх монеты чаевых. Поднялась, сняла со спинки стула и надела свою кожаную «косуху», повязала на шею бандану...

Женевьева сидела за столом с несчастным лицом, уже сама себя проклиная за то, что наговорила столько лишнего.

Анна склонилась и, обеими руками опершись о ее худенькие плечи, поцеловала взлохмаченную, как хохолок попугая, макушку. Проговорила:

— Да, комната... Комната — это большое удобство.

Вышла на улицу и еще минуты две по привычке осматривала мотоцикл. Потом села, надела шлем, проверяя — пальцы сами собой бегали по застежкам, — все ли надежно.

Боль плескалась внутри глаз, шевелилась во лбу, накатывала в виски бесконечным прибоем...

Даже через окно видно было, как подавлена Женевьева.

Ее одинокая, чуть ссутуленная фигурка за столом оставалась неподвижна и — Анна убрала подножку и тронулась с места — через мгновение унеслась вбок и за спину вместе с кафе, бензоколонкой, вместе с богемным забавным районом Плато, уволакивая за собою весь цирковой, церковный город Монреаль.

* * *

— Нет, детка, дай я сам поведу... В этом городе особо чокнутые развязки, и полностью отсутствует дорожная разметка. А ты, как обычно, рванешь, снося деревья по обочинам. Знаешь, есть гениальный здешний путеводитель, разделенный на главки: «Как делать покупки в Бостоне», «Как посещать рестораны в Бостоне»... Так вот, раздел «Как водить машину в Бостоне» содержит единственную фразу: «В Бостоне лучше не водить»...

— Расскажи о Мятлицком, — попросила Анна.

— Я писал тебе: у Мятлицкого горе. Пропал его Страдивари. Причем замечательный Страдивари.

— Ну, само собой, — отозвалась она.

— Нет, не само собой! — возразил Сеня.

Он встретил ее утром в аэропорту, уговорил не брать мотоцикл и в связи с этим (ненавидел ее мотоциклы, идиотский байкерский прикид — кожаную куртку, и шлем, и кошмарные перчатки) — пребывал в отличном расположении духа.

— Отнюдь не само собой! За свою жизнь тот настрогал порядка двух тысяч инструментов. И неудачные не уничтожал, не переделывал, а оставлял, какими вышли. Кроме того, никогда не знаешь — принадлежит инструмент авторству самого Мастера или вышел из рук учеников.

— Вот те на... — рассеянно заметила Анна. Но Сеня знал, что каждое его слово мгновенно откладывается на какие-то непостижимые для него полочки, откуда и достается по первому зову в любое время, в полной сохранности, включая интонацию, с которой было произнесено.

— Лучшие скрипки — это Гварнери, — продолжал он. — Тот за свою жизнь сделал их немного, и каждая на вес даже не золота, а бриллиантов... Видишь, что вытворяет этот идиот? Он даже не показывает, что намерен повернуть! Говорю тебе, это полный беспредел. Почти как в России. Да, прости. Страдивари Мятлицкого. Он как раз был замечательным, и вот его украли.

— Каким образом?

— Увели скрипку из артистической. Там две смежные комнаты, и из второй есть дверь в коридор. Пока Профессор выслушивал комплименты после концерта, инструмент просто вынесли. Детка... — Он виновато глянул на нее. — Прости, что потревожил. Но я подумал, вдруг тебе удастся...

— Увидим, — оборвала она. — И смотри на дорогу. Расскажи еще о нем. Ты к нему привязан.

— Да, — сказал Сеня. — Знаешь, он мне дорог. Я ведь закоренелый и вечный сирота. А он кое в чем напоминает деда. Какой-то естественной, врожденной значительностью... Это трудно объяснить... Я тебе и писал, и рассказывал. Родился Мятлицкий в Варшаве, но в детстве жил в России и хорошо говорит по-русски, даже настаивает, чтобы я с ним говорил по-русски: «тренировать мышцу». С ума сойти! Человеку девяносто три года! Вот на таких людях держится мир... «Тренировать мышцу», да... Так вот, в середине двадцатых шестнадцатилетний Анджей Мятлицкий поехал в Германию и поступил в класс знаменитого Карла Флеша. И поскольку уже тогда был изрядным виртуозом, очень скоро маэстро назначил его своим ассистентом. Во всяком случае, когда к Флешу однажды явилась маленькая девочка, восьмилетняя Ида Хенделл — а Флеш в свой класс детей не брал, — Мятлицкий, сжалившись, стал с ней заниматься сам... Она выступает до сих пор, скрывая возраст, всюду появляется со своим пуделько, который путается у всех под ногами и по вздорности характера может сравниться только с хозяйкой. Мятлицкий — единственный, кто помнит, сколько ей лет...

...Минут пятнадцать они ехали благочинными тишайшими улицами. Судя по могучим платанам и липам, район этот был старым и респектабельным уже лет сто назад. От дороги поднимался безупречный ворс зеленых косогоров и при каждом — роскошная усадьба. Каждый особняк на свой лад — с витражными вставками в окнах, с резными колоннами, с просторными деревянными террасами, на которых утренний ветерок пошевеливал пустые сети гамаков и легкие кресла-качалки. Оглушительный птичий гомон стоял здесь, совсем как в лесу.

Наконец, остановились у одного из домов: тот же гамак, та же качалка, на которой невозмутимая белка рассматривает какую-то добычу в цепких лапках.

— Тишина... — сказал Сеня, оглядываясь и захлопывая дверцу. — Мы приехали минут на десять раньше. Может, профессор еще не готов? Ну, пойдем...

— А это удобно?

— Пошли, я здесь привычен, как приходящая домработница... Однажды выступал неподалеку, не смог завести свой тарантас, дошел сюда пешком, довольно искусно проник в дом — было уже поздно, не хотел будить старика, — улегся на софе в гостиной и отлично переночевал. А утром меня невозмутимо покормили.

Шуганули белку, поднялись по деревянным ступеням, которые не мешало бы заново покрасить. Сеня толкнул дверь — она оказалась незапертой, — и они вошли в небольшой холл, заставленный очень старой потертой мебелью. Рогатая круглая вешалка была точно такой, какие в Аннином детстве стояли в приемной любого киевского учреждения.

В широком проеме распахнутой на обе створки двери видна была часть просторной гостиной с камином, заставленной резными и инкрустированными столиками, креслами, секретерами, козетками, застланной множеством разностильных и разномастных ковров и ковриков и по стенам увешанной картинами, рисунками и фотографиями. На стиль здесь плевали, и правильно делали.

— Профессор, ау! — крикнул Сеня. — Анджей Владиславыч!

Никто не отозвался, хотя слышно было, как где-то шумит вода.

— Неудобно, — сказала Анна. — И как это дверь открыта...

— Ну, в этом районе может быть открыта даже черепная коробка — никто ничего не украдет.

— А как же Гварнери? Он с ним моется?

Сеня расхохотался, хотя Анна почти не шутила. Он,

бывало, так странно воспринимал многие ее вопросы — неизвестно чему улыбался, даже хохотал.

— Дай кое-что покажу, — сказал Сеня, приобнял ее за плечи и стал водить вдоль стен, то и дело натыкаясь на столики и секретеры, чуть не опрокидывая с них канделябры, шкатулки, серебряные кубки. Ему хотелось показать Анне множество фотографий, на которых Мятлицкий был запечатлен с таким количеством знаменитостей, что рябило в глазах.

Старые — коричневатые, зеленоватые — и новые, цветные: портретные, постановочные, случайные... Мимоходом сделанные на лестницах и в фойе концертных залов, с оркестром на сцене и в артистических комнатах, среди букетов. Летние, беспечно щелкнутые фото на кораблях — в шезлонгах и с сигарой в зубах; за рулем авто столь музейного вида — еще с клаксоном, — что не верилось глазам; в ресторанах и барах, за столиками на террасах парижских, мадридских, лондонских кафе; в холлах помпезных отелей, среди золоченного высокомерия огромных зеркал, в барочных креслах с львиноголовыми ручками, в студиях звукозаписи... И на трапах допотопных самолетов, и даже у открытого люка вертолета, уже готовый внутрь нырнуть, элегантный, в длинном сером пальто и мягкой фетровой шляпе, стоял, пригнувшись, с футляром в руке, виртуоз Анджей Мятлицкий...

— Девяносто три года, — заметил Сеня. — Было время запечатлеться...

Послышались медленные шаги, и на лестнице показались неторопливо сходящие ноги в домашних тапочках и пижамных брюках. Появился халат, свободно схваченный на животе пояском... майка под халатом... нарисовался профессор Мятлицкий целиком.

М-да... ожидая гостей, можно было надеть и что-нибудь поприличнее халата.

Но старый ссохшийся сгорбленный человек с седой всклокоченной гривой явно чувствовал себя и удобно, и превосходно.

— О, — проговорил он, сразу направляясь и обращаясь к Анне, протягивая ей руку. — Саймон, вы рассказывали о ней и даже хвастали ею, но не предупредили, что она такая...

— Какая? — уточнила Анна серьезно. Ей Мятлицкий сразу понравился.

— Глаза вот такие, милейшая, — не на каждый день! Такие глаза каждый день не носят!

Словом, старик оказался еще и галантным кавалером.

Выяснилось, что скоро должна появиться Юлия, дочь Мятлицкого, — она тоже хотела познакомиться с Анной, — а также внучка («О, вы увидите, какая красотка, я ее обожаю!»).

Да, вспомнила Анна, Сеня писал об истории усыновления китайской девочки.

— Но пока нам не возбраняется выпить кофе? — спросил Сеня.

— Конечно нет, если вам не лень его приготовить, — мгновенно отозвался профессор.

— Я так и знал, что обречен прислуживать всей компании...

Анна сразу расслабилась. Ей давно не было так уютно, как в этом доме, заставленном любимыми вещами, закруженном и согретом длинной, длинной жизнью...

Сеня ушел на кухню — она тут же располагалась, на первом этаже за гостиной — и словно в пинг-понг играл, продолжал оттуда перекидываться с Профессором колкостями, вполне домашними. Наконец, появился с подносом: чашки, сахарница, какие-то печенья в вазочке.

— Слушайте, Саймон! — воскликнул довольный Мятлицкий. — Я подозревал, что на моей кухне вы ориентируетесь лучше меня, но вам удалось невозможное: где вы нашли это супервредное вкуснейшее печенье — Юлия прячет его уже две недели!

— Я просто потянулся к верхней полке.

— Бросайте ваш фагот — ей-богу, в должности моей домработницы вы заработаете куда больше. А потом я устрою вам пенсию. Я же бессмертен, как старый попугай.

При упоминании о попугае Анна стала рассказывать о Говарде. Профессор смеялся, переспрашивал, вскрикивал:

— Как? Как? «Берегите попугая»? Очень остроумно...

Здесь было хорошо... хорошо... Легкий, заботливый к своим обитателям, улыбчивый дом. Зеркал нет — это неправильно! Над камином должно висеть большое квадратное зеркало, отводить и поглощать...

Анна поднялась, сама того не заметив, стала бродить по гостиной... Хорошо... хорошо...

Какая-то тревога и даже страх, связанные с обитателями этого дома, существовали не здесь, а извне. И тревога, и страх были отлакированы, как изящно вырезанные красноватые деки новой китайской скрипки.

— ...Нет, в Варшаве мы жили на улице Медовой, 10. По-польски звучит на legato — «Миодова»... — говорил Мятлицкий. — Дом, так называемая «каменица» — солидный, с квадратным внутренним мощеным двором... А цвет фасада — охра, так любили в Варшаве... Я все отлично помню — видите, Саймон, как добротно прежде мастерили людей? Не за страх, а за совесть. Я и Россию помню отлично. После революции отец перебрался в Самару, а затем в Саратов... И там я продолжал учиться у профессора Зискинда. Был таким маленьким вундеркиндом-виртуозом... А время-то, представьте, — голод, холод... Жена учителя была модисткой женской обуви. И она сшила мне сапожки — но на женской колодке. С каблучком. Так что в возрасте восьми лет я ходил в сапожках на каблучках.

— Опасная шутка, сказали бы нынешние психологи, — заметил Сеня. — Вам сливок добавить?

— Да... каплю! не плещите от всей души!.. Шутка опасная, но ничего плохого со мной не произошло, что может подтвердить нескончаемый список моих возлюбленных... Анна, — сказал ей в спину Профессор, — еще каких-нибудь лет десять назад вы бы от меня не спаслись!

— А я бы и не особо старалась, — любезно отозвалась Анна, и Сеня умиленно подумал, как она всегда точно соответствует собеседнику, словно отражая его и сама отражаясь с ним в невидимых зеркалах.

— А вот это, — вдруг сказала она, указывая на одну из фотографий, — цирковая гардеробная! Вот, латунная заклепка на уголке кофера.

На фотографии молодой Мятлицкий стоял рядом с улыбчивым кудрявым молодым человеком.

— Правильно! — отозвался Профессор. — Варшавский цирк, двадцатые годы.

— А кто это?

Мятлицкий прищурился, помедлил.

— Вам вряд ли что-то скажет это имя... Впрочем, в России его должны еще помнить. А в довоенной Европе знала каждая собака... Но вот когда нас сняли рядом... я был уже известен, много выступал, а он, хотя и производил потрясающее впечатление, был мало кому знаком. Трупом работал... В цирке.

— Кем-кем? — засмеялся Сеня.

— Трупом, — охотно улыбаясь, повторил Профессор. — Умирал на публике, совершенно коченел, каждый сам мог потрогать. Я тоже вышел, потрогал... Потом он оживал...

— Только вы забыли назвать его имя.

— Да? Что вы говорите! Это и называется — старость. А вот он мое имя знал, уже когда я вошел в его артистическую. Он сидел, грим снимал. Бросил на меня взгляд в зеркале и сказал: «А вот и Джидек явился!» Я потерял дар речи.

— Ну, вас он мог знать и по афишам.

— Но он сказал — «Джидек». Так мое имя, «Анджей», переделывали только дома, сестры... А вот и Джидек явился! — голосом моей мамы... Это был легендарный Вольф Мессинг, который предсказал конец Гитлера и потому вынужден был бежать в Советский Союз, где погиб.

— Почему погиб? — возразил Сеня. — Он выступал в каких-то клубах до самой старости.

— Выс-ту-пал?! — презрительно воскликнул Мятлицкий. — Человек, который видел будущее, свободно читал мысли собеседника и... и бог знает на что еще был способен... он — выс-ту-пал? Вот я и говорю: погиб!

На улице хлопнула дверца машины, кто-то взбежал по ступеням, и властный женский голос крикнул по-английски:

— Папа! У тебя опять открыт гараж!

— Вот и Юлия, и с порога она должна дать мне указания по правильной жизни! — Профессор тоже перешел на английский, и дочь — высокая, худая, с отцовскими чертами некрасивого, угловатого и большеносого лица, немедленно подхватила, на ходу снимая плащ, вешая его на старинную круглую вешалку:

— А если не дать тебе указаний, ты станешь делать, что заблагорассудится.

— В мои несчастные девяносто три года, — добавил отец.

— В твои прекрасные девяносто три года!

Анна переглянулась с Сеней, и тот молча улыбнулся. Испытанный дуэт с годами обкатанной программой выступал на публике так слаженно, что никаких репетиций не требовалось: они начинали с любого места партитуры.

Юлия вошла, Анна была представлена, внимательно и придирчиво осмотрена и оценена почти явно, без всякого стеснения. Разве что скинуть обувь ее не попросили и не проверили, наподобие школьных дежурных, чистоту ногтей. Нет, эта хлесткая, с молниеносной реакцией женщина не излучала ни тревоги, ни страха. Она принадлежала этому дому, выросла в нем, любила отца и все, что с ним связано.

— А где Эдна? — спросил профессор.

— Эдна почему-то упрямилась, уверяла, что ужасно занята. Но я настояла, она придет. Попозже... Ну, вы тут совершенно проголодались без меня? Я привезла кучу деликатесов...

Она унесла сумку на кухню, отец пошел следом — присмотреть, их голоса продолжали звучать весело и резко, то взвиваясь, то слегка утихая... Раза два они одновременно и совершенно одинаково рассмеялись. И над этими семейными, в одной тональности, голосами напряженно подрагивая, зависло имя — *Эдна*.

...За обедом отец с дочерью продолжали общаться друг с другом и гостями чутким дуэтом. Один начинал фразу, другой подхватывал. Видно было, что эти двое обожали друг друга, хотя беспрестанно друг друга поддевали.

— Она вся в меня, начиная с костяного носа крупной птицы и невероятной выносливости в любой работе...

— И кончая ужасным характером, — подхватывала дочь.

— О да, характер у нее с детства милейший. Помню, когда ей было лет семь, мать вознамерилась устроить ее в особо престижную школу. Очень дорогую и очень престижную! Там даже требовалось пройти собеседование. Ну, с утра ее нарядили: завили кудри, надели белое пальтишко, белые ботиночки...

— И большой красный бант, так идущий к моим каштановым кудрям...

— Да. И большой красный бант. Но за все так называемое собеседование...

— ...когда надо было очаровывать послушанием трех селедок с законченным сроком годности...

— ...короче, все собеседование девчонка просидела, надувшись, и не выдавила ни слова! На обратном пути я спросил: «Что ж ты молчала, Юлия, когда тебе задавали вопросы?» Она важно ответила: «Я была нерасположена»... На это я промолчал, но когда...

— ...но когда мы проходили мимо ближайшей огромной лужи, он внезапно толкнул меня прямо в середину этой вонючей жижи! И я сидела там, очумевшая, по уши в грязи!

— Да-да!.. «Что ты сделал?! — возопила она из лужи. — Почему?!»

Рассказывая, Профессор вопил по-настоящему, округлив голубые глаза в глубоких морщинах, явно получая свежее удовольствие от давнего происшествия. В то же время, он не отнимал реплик у Юлии — тех реплик, которые, согласно партитуре, должны были принадлежать только ей. Вот и сейчас, проорав, умолк, а Юлия закончила:

— Отец пожал плечами и царственно ответил: «Я был расположен...»

Между тем, гнетущая тяжесть в залобном пространстве все усиливалась.

Пульсирующее кольцами зло истекало из имени *Эдна*.

Юлия позвонила опаздывающей дочери — та уже была в дороге.

Анна подняла на Сеню глаза. Он сидел в кресле напротив, почти все время молчал, посматривая на нее с тихой тревогой, и когда Профессор и Юлия с ожесточенным воодушевлением заспорили, надо или не надо поливать в зимние месяцы кактус на веранде («Что ты забеспокоилась — летом! — о зимнем самочувствии этого говенного кактуса?» — «Говенного?! Отличная аттестация редкого растения, которое я привезла тебе из Гватемалы, можно сказать, на собственной груди!!!» — «О, прости, я должен был помнить, что только твоя жестоковыйная грудь в состоянии перенести кошмарные колючки, о которые я дважды занозил свои драгоценные пальцы!») — Сеня украдкой послал ей одними губами умоляющий поцелуй, словно заранее прося прощения — за что?

Профессор успел еще рассказать очередную сплетню о старой жирной Филлис Лейн, которая не встает с кресла, но бесконечно колесит по странам и континентам, повсюду давая мастер-классы. Стучит клюкой, орет, выстукивая ритм. У нее столько учеников, что страны и города полностью смешались в ее голове. Говорят, недавно в поезде рядом с нею оказалась девушка со скрипичным футляром в руках.

— О! — сказала Филлис. — Вы тоже со скрипкой. Кто ваш учитель?

— Вы, мадам, — ответила юная ученица.

С Филлис Лейн перешли на скрипки вообще, Юлия вскользь упомянула о пропаже. Наконец, было произнесено имя *Страдивари.* Смех умолк, Профессор помрачнел...

— Я был бы невероятно признателен вам, Анна... — проговорил он. — Семен Александрович как-то упомянул... Я знаю, что вы категорически отказываетесь выступать в роли оракула... но поверьте, мое отчаяние...

— Я понимаю, — перебила его Анна. — Я попробую.

Она хотела попросить, чтобы на минуту ее оставили в покое. Зло приближалось, обретало все более определенные очертания, ломилось в затылок с такой ядовитой силой, что хотелось немедленно уйти. Анна боялась вглядеться в бликующий свод зеркал и удостовериться. А дальше? Как это все им, беднягам, выговорить?..

В последние месяцы ей становилось все труднее управлять своевольной зеркальной силой внутри лба. Все чаще отшатывалась от жгучих, как пощечины, ослепляющих всплесков, словно ее *наказывали за непослушание.*

В холле прозвенел звонок. Профессор с Юлией в один голос гаркнули, что открыто, господи, что ты, не знаешь... Хлопнула дверь, послышался чей-то мелодичный голосок, который, словно булочка, начинен был острым вонючим страхом испуганного скунса...

И вдруг в комнату вошла огромная скрипка!

Первая, поразившая Анну, мысль была: неким фантастическим образом девушка проглотила скрипку, и та разрослась внутри, и трепетала, и рвалась наружу.

И вдруг она все увидела: щуплая фигура... пошлые усики, характерный разрез глаз — латинос? — он мелькнул в коридоре, торопливо принял из рук Эдны обнаженную скрипку, завернул в куртку и бросился к служебному выходу концертного зала, мимо сонного черного охранника...

И сейчас оставалось только разломать этот светлый дом, расстроить бесконечно любящий дуэт отца и дочери, внести еще большее зло в жизнь подкидыша — хрупкой и невероятно женственной, подобранной у дороги молодой китаянки, чьи глаза затоплены страхом, а матка уже содержит крошечного малька-зародыша...

Анна прикрыла глаза, и все умолкли. В напольных старинных часах в углу гостиной невесомо пали одна за другой несколько медных секунд.

Два подкидыша в этой комнате молча глядели друг на друга... И ни в чем не виновная рыбка в еще крошечной, но уже напряженной матке вила и вила дальше сиротливую блудную нить...

Нет!

Нет, Ты не развлечешься мною!

— Не вижу! — хрипло и отрывисто произнесла Анна. — Простите... Ничего не вижу.

— ...Сейчас работы навалом: кино низкопробное, трюки на трюках. Так что я нарасхват. Уже не исполняю, но ставлю много... Нет, спортивный или цирковой опыт тут ничего не дает. Напротив: надо серьезно переучиваться. Например, если у тебя трюк — падение с высоты, со скалы или из окна пятого, скажем, этажа — это неуправляемый полет. И если этот трюк ты делаешь по всем правилам гимнастики, считай, ты уже инвалид или даже покойник.

Кроме того, на съемках бывают такие ситуации — мало не покажется. И к спорту они отношения не имеют. Вот у меня была картина — «Лейтенант». Начиналась с кадров: горящий танк на поле боя, из него выпрыгивает горящий красноармеец. Снимали на военном полигоне под Питером. Ну, там какие реалии: старый ленфильмовский танк Т-34. Сзади на броне противни с напалмом, промасленными подожженными тряпками.

А танк, говорю, старый, стенки дырявые. Система охлаждения заправлена соляркой, чтобы вода не замерзала. Представляете, да? В башне, значит, два каскадера, а сам я внизу, на рычагах. И они пинают меня ногами то в левую, то в правую руку, подсказывая направление — куда ехать, танк же горит, ни черта не видать. И он так неспешно переваливается на ямах и колдобинах... Короче, напалм пролился внутрь моторного отсека, прогорели шланги, загорелась солярка.

Тут команда — стоп! Я останавливаюсь и глушу двигатель. И что? Когда двигатель остановился, пламя ринулось в кабину. А я, значит, внутри отдыхаю, получаю удовольствие. Да?.. Ну, люк танка, между прочим, весит килограмм двадцать пять, не меньше. Так вот, наблюдатели рассказывали, что в ту минуту, когда танк загорелся, люк откинулся, как пушинка, и я торпедой вылетел вперед головой... А танк сгорел дотла. Такие пироги...

Ну, смена-то профессии у меня была вынужденной. И не потому, что я, такой проницательный, угадал развал советского цирка. Настоящий-то развал пришелся на начало девяностых. Мы перестали быть крепостными, сами могли контракт заключить, оговорить ставку. Те, кто собой что-то представлял, послали главк и всех его упырей подальше и разбежались кто куда. Наши ребята где только не работают. Много русских сейчас в Китае — там цирк любят, почитают академическим искусством. В Шанхае дают контракт, вид на жительство, квартиры... То, что осталось в России, — это жалкое отребье: склоки, убийства, ничтожество... Раньше знаете, сколько было номеров полета? Сорок! А сейчас — три-четыре... Вон недавно рухнула очередная крыша очередного цирка в Новосибирске. Никого не убила, потому что много лет цирк не работает: судится.

Правда, у нас всегда была и есть отличная цирковая школа. В Россию и сейчас приезжают зимой итальянские уличники, люди гениальные — учиться и греться...

...Да нет, цирк уже давно был гнилым стоячим болотом: взятки, сукины приспособленцы всех мастей, настоящий криминал во всех отделах главка...

Но дело не в этом. Понимаете, когда с нами это стряслось — с ней и со мной... Когда нас с ней оторвало друг от друга...

...Между прочим, вот загадка: знаете, куда она уползла после больницы — отлеживаться? Она ведь вся была покалечена вот этими вот руками... кулачищами этими...

Не к отцу! Не к Арише — та уже перебралась в Бельгию, преподавала в знаменитой академии карильона, в Малине, и в Россию заглядывала только на конкурс какой-нибудь... Она приползла к троцкистам Блувштейнам! Тем самым, что крыли нас большевистским матом, ходили по пятам, свет за нами выключали, проклинали «богемную балаганную шоблу» и обвиняли в воровстве спичек... Ирина Богдановна к тому времени уже с цветущим Альцгеймером блох на себе давила в кошмарном доме для престарелых где-то на Щелковском; а вот Исай Борисыч еще ходил с палочкой за кефиром, за булочкой мягонькой... Так вот, представьте, она из больницы приползла к нему и три месяца у него отлеживалась, как в норе... Сеня, идиот брошенный, какие-то телеграммы слал из Ленинграда, приезжал оттуда на выходные и рыскал повсюду, искал ее — еще не понимал, что появляется она, когда сама захочет. Ну а троцкист Блувштейн в это время кормил ее чуть не из ложечки.

Он позже сам мне рассказывал: «Звонят условным: два коротких, один длинный. Открываю — Анна, как с того света: бледная, вся скрюченная, к стенке привалилась... И таким незнакомым голосом: “Исай Борисыч... мне идти некуда”...»

Во-о-от... А я, своим путем, когда через полгода вышел из тюремного санатория и понял, что не могу больше видеть манеж, — меня аж током пробивало, когда троллейбус на Цветной заворачивал, — я кантовался у приятеля, целыми днями валялся на тахте и смотрел краденую голливудскую муть. И однажды меня как ошпарило: я понял, что надо делать. Надо открыть школу каскадеров! Наших российских каскадеров! В то время у нас несколько групп уже работали. Но бесправие русских каскадеров было бесподобным! Никакой страховки, в стаж работа не засчитывалась. Ребята устраивались где придется — кто дворником, кто вахтером... Надо было как-то менять ситуацию.

Уговорил я еще пару конных жонглеров, Серегу и Петьку Нестроевых, — те уже от цирковых наших сиротских дел волком выли. Арендовали мы спортивный зал в одной школе на «Водном стадионе» да на ипподроме на «Беговой», договорились о тренировках... и дали в газету объявление о наборе группы. Тогда хозрасчет повсюду расцветал. И к нам повалил народ! Кто-то из спорта приходил, кто-то прямо с улицы. Вот парадокс: в эту профессию, где необходима крепкая нервная система, довольно часто идут люди закомплексованные, кто жаждет самоутвердиться.

Ну, отобрали мы человек пятнадцать ребят, четырех девушек и стали их гонять в хвост и в гриву: мото-техника, единоборства, высотные, подводные дела, пиротехника... И люди неожиданные попадались, и ситуации смешные бывали. А меня тогда эта история просто на ноги поставила. Понимаете, некогда было стонать и оплакивать свою порубленную жизнь. И так у нас дело пошло-поехало.

Кое-кто из ребят довольно быстро попал в какие-то картины. Я тоже снимался вовсю...

И однажды у нас появилась Анна...

Вроде как по объявлению, но я в это не верю. Думаю, пришла спасти меня от самого себя. Вылечить и отпустить. То-то совсем не удивилась, когда меня увидела: знала, куда и зачем идет.

А я этот день буду помнить до смертной, что называется, койки. Апрель, значит, воскресенье... День такой синий, солнце в окна хлещет. И я — после тренировки взмыленный, опустошенный, измочаленный, — сижу на стуле посреди спортзала, отдыхаю... если, конечно, от самого себя отдохнуть можно, правда?.. И тут, как бывает только в кино, — господи, а я-то всегда смеюсь над подобной туфтой! — открывается дверь и входит Анна. Стоит в дверях, смотрит прямо, властно — будто мы с ней опять на канате. А спортзал весь солнцем кипит, аж слепит!

И вот сижу я на стуле, прошитый этим солнцем, подняться не могу. Она подходит ближе, ближе... и вдруг как потянет меня на ноги! И вдруг как обнимет! И я сразу понимаю — тело мое понимает, — что она не вернуться пришла, а наоборот, отпустить на свободу... И стояли мы с нею в этом солнечном обвале, точно как тогда, в девятом классе, — крепко обнявшись, брат с сестрой... Будто не было промеж нас целой жизни: ни любви, ни цирка, ни скитаний... ни того страшного вечера... Вернее, все оно было, было... а слилось в одну только благословенную родную любовь.

Не выразить мне... Тоска такая, благость такая... Нет, не выразить. Дубовый я человек!

Ну вот... Она включилась в тренировки, довольно скоро вошла в норму, и стали мы работать в одной команде. Это был интересный период. Короткий, но интересный.

Однажды она меня просто вытащила, вытянула с того света... Это было в Питере, в девяносто втором... Снимался фильм «Особый десант», ну и по сценарию там пожар, загорается бытовка, метров десять длиной;

герой должен вбежать, схватить приемник-спидолу и спасти общественное имущество. Такое вот геройство. Постановщик трюков — знаменитый Макарский. Пиротехники считали, что все это горение они могут и сами поставить. Но в те годы еще работали советские правила противопожарной охраны — им не разрешили. Они уперлись... Короче, производственный конфликт! Так вот, пиротехники должны были обмазать вагон изнутри напалмом — только дверь и рамы окна, а они назло начальству обмазали весь вагон. И вот им говорят — «Поджигайте!». Они в ответ: «Поджигайте своего сами!» — и отошли.

А я когда сунулся в горящий вагон, сразу понял, что вошел в доменную печь. Я в шапке-ушанке, но руки-то голые, лицо открытое. Чувствую, не могу дышать, глаз открыть не могу. Вместо двери — не нашел я двери — побежал в стенку, опрокинул ведро бензина — взрыв! Лицо спасло то, что перед дублем — как чувствовал! — я нарыл перед дверью бытовки сугроб снега. Ну и выпал мордой в снег... Короче, «скорая», беготня, мат-перемат... госпиталь в Выборге... Был я как головешка обугленная... Ну, начальника пиротехнического участка, разумеется, выгнали с работы. А мне-то не легче! Вот тогда Анна мгновенно прилетела в Выборг и сидела со мной несколько дней. Не знаю, что делала. Я ж ни черта не видел! Но первая страшная боль унялась уже к концу второго дня...

А через неделю она улетела в Америку с цирком «Трам-Бон» — сколотили наскоро такую шарагу. Может, слышали эту громкую историю? Сборная программа, они остались в Атланте — обворованные, без гроша, как говорится — босые-голые...

Это была авантюра с самого начала. Мошенничество. Ребята подписали частный контракт с какими-то сомнительными типами. Те поняли, что больших денег на советском цирке не сделают, время не то, — и свалили, прихватив все, что успели выручить с заранее проданных билетов. Артистов бросили посреди пугающих американских джунглей... Неплохой, я вам скажу, тест на выживание. Вы только представьте. Советские цирковые: хорошие артисты, но люди абсолютно беззащитные. Привыкли ходить строем, получать свою маленькую гарантированную зарплату, делать то, что им скажут, ехать, куда купят билет. А тут — свобода выбора минус язык.

Они даже не смогли наскрести денег на обратный путь. Жили под мостами, под какой-то эстакадой, в палатках — со своими обезьянками, собачками, голубями...

И тут, знаете, весь город кинулся им помогать. Сарафанное радио: тамошние «русские» — сами еще в те годы голоштанные, сами из куля в рогожу переворачивались — собирали для артистов деньги и еду. Какой-то русский эмигрант открыл в гараже магазин продовольственный — бычки в томате, килька пряного посола, — так он пускал кого-то ночевать там на деревянной лежанке. Да и американцы помогали, просто население. Потом как-то утряслось. Все разбрелись — разбежались... Обезьян сдали в зоопарк, удавы куда-то уползли, артисты работали официантами, поломойками... Большинство не хотело возвращаться. И как всюду, как всегда в жизни — каждый получил от судьбы согласно купленным билетам, то есть характеру и везению. Кто-то огляделся, приспособился. Кому-то с контрактами помогли, и они вон который год и в «Дю Солей», и в «Ринглинг-Цирке» работают. А кто-то все же дождался, пока министерство культуры приобретет им обратные билеты, и отбыл к родным пенатам...

А Сеня к тому времени уже играл то ли в Балтиморе, то ли в Чикаго в каком-то оркестре... Так что Анна знала, куда и зачем едет. И сразу отыскала Элиэзера — они ведь давно переписывались. Помню, как я бесился, когда на глаза попадались его письма с этими сумасшедшими узорами: смотришь и чувствуешь себя кретин кретином!..

И вот выхожу я из госпиталя... Рожа та еще, шрамы незажившие — как пиявки на лбу... И узнаю — не помню от кого — про американскую эпопею наших ребят. И понимаю, что Анна опять пропала и, похоже, теперь уже навсегда.

Она вообще имела обыкновение пропадать. Знаете, поговорка есть: «как в воду канула»... Вот она и канула в конце концов... в воду...

Короче, месяц проходит, второй... А я после травмы — с этими буграми на роже, как уголовник какой, — проживаю последние гроши, и нет у меня сил затеваться опять с какой-то кооперативной бодягой. Валяюсь в такой тоске, в такой заднице, что самому интересно: пришла уже пора в петлю лезть или погодить маленько...

И вдруг — звонок! Как я понял, что это она? Не знаю. Почуял, как собака, потерявшая хозяина. Главное что: она же ненавидела все эти звонки, письма, телеграммы... Всю жизнь сваливалась на голову, когда хотела. А тут — звонок. Я аж рванулся к телефону, чуть не упал. И слышу ее голос, неторопливый такой, спокойный.

«Получишь, — говорит, — скоро официальное приглашение».

«Что за приглашение?! Куда?! Где ты?!»

«Да я, — говорит, — условилась о твоих выступлениях в Ванкувере. Там ежегодные празднества, типа ярмарок, под открытым небом. Будешь гвоздем программы...»

«Что за программа?!» — кричу, а у самого в груди, знаете, раскрывается такая роза ветров, как прежде, когда, бывало, она вдруг объявляла мне, мол, едем туда-то и туда-то, а мне всегда хотелось крикнуть: куда скажешь!

Она мне в ответ:

«Какая разница? Трижды в день будешь по канату идти... Правда, высота тридцать метров и над асфальтом. И канат свободный, не натянутый... И ты пойдешь».

«Пойду...» — это я одними губами.

«И без лонжи».

«Без лонжи...»

«И пройдешь. И все будет хорошо».

А голос, говорю, спокойный такой, хмурый. Ни тебе спросить: как ты, мол, там? Жив-здоров ли, то, се?.. Буркнула «пока» и трубку бросила.

Вот это было в ее стиле: свободный канат, тридцать метров над асфальтом. Без лонжи.

Я чуть не заплакал, слышите? Я от счастья чуть не заплакал...

20

«...Представь, тут в русский магазин “завезли” паюсную икру. Я увидел и залюбовался-закачался. Ты хоть знаешь, свет мой, зеркальце, что такое паюсная икра?

Это деликатес, который обиходно сопровождал мое гурьевское детство. Понимаешь, икра, которую едят в ресторанах и покупают в баночках, — это зернистая икра. Она может быть чуть жиже, чуть гуще.

А паюсная — это прессованная, отжатая под гнетом и сформованная в круги, как головы сыра, довольно твердая. Ее режут ножом. Она хранится в холодильнике аккурат до Нового года. А путина, доложу тебе, в мае...

Гурьев-то стоит в самом устье Урала, так что в конце мая как раз мимо города проплывали, готовые к нересту, севрюга и белуга. Браконьерство процветало страшенное, с членовредительством, убийствами — недели две Жилгородок не спал, потому что в любой ночной час попросту звонили в дверь и без обиняков предлагали: икру, рыбу потрошенную и рыбу икряную.

Все соседки вокруг малосолили икру виртуозно. Есть ее надо было так, как положено исстари: на серый хлеб масло и толстый слой икры, а заедать одновременно вареным яйцом, редиской и зеленым луком.

И вот, обожравшись в мае свеженькой малосольной икрой, ты полностью утрачиваешь к ней интерес. Домашняя зернистая долго не стоит, начинает горчить. Но паюсная икра — дело особое. Вкус у нее концентрированный, она создана для жевания и прилипания к зубам. Идет исключительно под водочку и вареные яйки. Такой разврат возможен был только в городе Гурьеве.

Наши соседи Солодовы заготавливали паюсную икру в промышленных количествах. И это величественная картина — круги черной икры по полметра в диаметре...

На путину к Солодовым съезжалась тети-Лёлина родня: самой колоритной была сестра Шура из Макеевки, депутат Верховного Совета СССР. Женщина габаритная, задушевная, она по двору ходила по-своему, похохляцки: в синем трико и кипенно-белом атласном лифчике, называя его то "насисьник", то "титешник". Гурьевчане обалдевали от этой красоты — у нас женщины себе такого не позволяли. Еще тетя Шура виртуозно материлась — она была бригадиром какой-то металлургической бригады, "толкала кокс", — а когда старшая сестра ее одергивала, отвечала: "Лёлька, то ж не мат, то народные слова! Я ж депутат от народа!"

О народе: сейчас мне пришло в голову, что ты, вероятно, и вовсе не знаешь, во что в те годы он был облачен. Мужчины щеголяли в шелковых белых пиджаках, в плотных тяжелых брюках с широченными штанинами. Женщины носили трикотажные платья с вышитыми на корсаже маленькими розочками, таких чистых, насыщенных, не советских тонов. "Дружба" — написано было на атласных этикетках, пришитых на исподе, и какие-то кольца, типа олимпийских, как эмблема. А в руках у дам вращались китайские зонтики с деревянными вставочками...

Впрочем, тебе, с твоими вечными свитерами и майками, вряд ли интересны эти шелковые и трикотажные воспоминания.

Но — месяц май, месяц май...

Знаешь ли ты, как трудно умываться, когда в ванне бьется агонизирующая севрюга, жемчужно-серебристая, с темно-серой, как у овчарки спиной, с острой мордой и этак по-дамски приподнятым хвостом?

Днем во дворе у Солодовых шла бурная заготовительная деятельность: гремели тазиками, икру мыли в ситах, как, видимо, золотишко моют старатели; ветер сдувал с балыков марлечки, и те летели к соседям; воблу нанизывали на проволоку, увешивая двор этими алюминиевыми гирляндами; сестры суетились, детей гоняли на побегушках, дядя Вася на своем продавленном стуле, с костылем наготове, руководил процессом заготовки икры, невероятно возбужденный таким количеством временно послушного бабья. Мы, дети, к нему приставали, чтобы дал гвоздики забить в посылочный ящик (икру отправляли в посылках контрабандой, под видом варенья), и когда наступал предел дяди-Васиному терпению, он ловко метал в нас костылем. Всегда попадал!

...Так и стоит у меня перед глазами тетя Шура в атласном лифчике, народный депутат, виртуоз словес крепчайшего засола; ветер уносит в облака марлевые дымки, а мы с Генкой, будущим монахом, гордо взираем на всех с высоты шелковицы — по-нашему, тутовника, — потому что близится момент отправки продукции, когда мы становимся главнее взрослых.

Дружили мы с Гузелькой и Розкой, дочерьми Батимы, заведующей почтой, а те уж нас патронировали в деле отправки посылок, ибо по закону посылки должны были сдаваться в открытом виде...

И какие это были дружные, семейные вечера! Дядя Вася и тетя Лёля, с трудом терпевшие друг друга в обычное время — случалось им даже и подраться, — выпив бутылочку, обнимались и запевали:

“На крылечке твоем
Каждый вечер вдвоем
Мы подолгу стоим
И расстаться не можем на миг...”

Голоса у обоих были — дай боже! Пели густо, волнительно, забираясь и в верхние регистры, распадаясь на два тона, сливаясь опять... Остальные подпевали — все были постоянно воодушевлены и страшно талантливы! И такая майская благость была разлита в воздухе, такая всесторонняя любовь витала над посаженным и взращенным на гурьевской глине дяди-Васиным садом...

С тех пор я помню романсы и всякие задушевные народные песни: “Окрасился месяц багрянцем... поедем красотка кататься, давно я тебя поджидал... наутро приплыли два трупа...” Или: “Мне нужно с родиной проститься, семью, детей поцеловать, а потом, мой сторож вечный (то есть, тюрьма), я вернусь к тебе опять...”

Да я с тех пор столько народных песен знаю, сколько казахов в Гурьеве не было!

Потом дни путины заканчивались, наступали будни, и тетя Лёля опять кричала мужу: “Скотина ты безрогая! одна нога, и ту помыть не может!”

В одном из маминых писем, которые она аккуратно слала мне в Питер в годы консерваторской учебы, — и это, пожалуй, самое аккуратное, что она совершила относительно меня в своей жизни, — есть описание дяди Васиной смерти и дальнейших событий в семье Солодовых. Умирал дядя Вася, рехнувшись уже окончательно. Сидел на койке, пытаясь натянуть на отсутствующую ногу простыню, дико глядел в стену и, захлебываясь слезами, бормотал: “Уважаемые члены парткомиссии... Уважаемые члены парткомиссии...” Видать, и в других измерениях присутствовала КПСС...

Перед самой смертью сшедший с ума дядя Вася открыл сыну Генке страшную тайну: что закопал он под деревом в своем саду сорок семь тысяч рублей. И несколько недель после отцовых похорон Генка копал как одержимый — столь же одержимо копал, как его отец, эти деревья сажая. Перерубил все корни, сад загубил вчистую... Ничего, само собой, не нашел. И сразу уехал из Гурьева.

Не сад ли погубленный замаливает он там, в своем монастыре?

Вот и все, не стану больше мучить тебя своими гурьевскими фантомами. Сейчас буду жить августом, нашей встречей в Роудене. Как в прошлый раз? У водопада? Но тебе придется все-таки включить мобильник, дабы я мог нащупать тебя в клубке канадских хайвеев...

Знаешь, с кем я чуть было не встретился в Мидлберри? С твоей Аришей. Она ведет курс по карильону — правда, в ту неделю, что я был там с Мятлицким, она отсутствовала.

А Мятлицкий давал мастер-класс по сравнению функций и использованию барочного и современного смычков. Для иллюстрации мы с ним играли один из четырех “Королевских концертов” Франсуа Куперена для скрипки и клавесина, с каким-нибудь басовым инструментом. Например, со мной, с Фаготом.

На самом деле, это танцевальные сюиты, написанные для развлечения короля Луи Четырнадцатого — того самого, “Короля-солнце”. Этот солнечный мудила стоял перед зеркалом часов по пять в день, репетировал красивые позы; кроме того, он румянил щеки яркими тонами, клеил мушки и завивал усы. Любой гей-клуб сегодня принял бы его с распростертыми объятиями. Так что вся фактура Куперена утопает в разнообразных трелях и мордентах — детка, это когда музыка кудрява настолько, что от нее тошнит. Только у Куперена встречается такое изобилие манерной канители: мушки, завитые усы, лакированные яйца. Учить эту музыку утомительно, но, когда продерешься через джунгли украшений, играть становится интересно, существенно интереснее, чем слушать. В ней нет настоящей мелодической красоты и естественности — все искусственно, все высосано из пальца, да и ритмы преобладают — три четверти либо шесть восьмых; это потому, что у французов все от танца идет, не от пения. И — никаких страданий! Ты еще не околела от моей лекции? Послушай еще, дитя мое, никто другой меня слушать не станет...

Итак, в контраст с волнистым попугайчиком Купереном мы с Профессором сыграли кое-что из трагического Ивана Хандошкина. Не обращай внимания на неэстетичную фамилию. Это первый русский скрипач, сын придворных крепостных музыкантов, попал в первую "музыкальную школу", придуманную Петром, представь себе, Третьим и не прикрытую — как это ни странно — Екатериной Второй, шалавой и убийцей. Школа была при царском оркестре, преподавали в ней, само собой, итальянцы, а дети учились дворовые, "с немерзкими рожами" — буквально. Меня бы не приняли.

И вот из этой школы, где училось одиннадцать детей, вышли два первых русских музыканта: Хандошкин и Березовский. Время на дворе стояло вполне российское — середина восемнадцатого века.

Так вот, Хандошкин. Иван Хандошкин. Писал он, конечно, в итальянском стиле, но на русские темы.

 Половодье тоски было этой музыке обеспечено. Протяжная, душу рвущая, виртуозная тоска — все как обычно. И неважно, какой век на дворе. Мы с Профессором сыграли вариации на тему русской песни "Все теряю, что люблю". Давай оба сплюнем разом — ну ее, эту тему!

А затем Анджей Владиславович прочел целую лекцию о роли фагота в оркестре. И меня, представь, заставил играть перед «этими гавриками, поскольку уж я пригласил вас, Саймон, на целую неделю».

Как преподаватель Мятлицкий неподражаем, артистичен и беспощаден.

"Кто лучше всех понял и воплотил красоту слияния кларнета с фаготом? — рычал этот лев так, что "гаврики" — индус, две китаянки, мулатка и три американских мальчика, чьи пра-пра-дедушки, вероятно, тачали сапоги или шили штаны вместе с моим пра-пра- на грязных улочках какой-нибудь Умани или Бершади всего лет сто назад, — "гаврики" только испуганно таращились. — Кто воплотил красоту, от которой можно умереть? Чайковский! Кому он поручил тему главной партии Пятой симфонии? Кларнет, отыграв страшную интродукцию, вступает в унисон с фаготом! Не слышали? Завидую! Саймон, попрошу вас немного их попугать..."

И я "пугал", охотно пугал "этих гавриков", тем паче, что сам люблю это место в главной партии Пятой, где душа мечется по замкнутому кругу и нет спасения...

О, эти старые университеты Америки, замшелые кампусы в зданиях двухсотлетней давности; о, эти ванные комнаты с головкой душа, намертво приваренной к трубе в тридцатых годах прошлого века! О, эта обреченная невозможность ополоснуть намыленное причинное место!..

...Кстати — напоследок — о причинном месте. Я, кажется, рассказывал тебе, что невинность потерял еще в Гурьеве, со своими подружками, сестрами Гузелькой и Розкой? Очаровательные быстроглазые вертушки, они по-домашнему, по-приятельски дарили своим расположением то меня, то Генку. У нас был на берегу Урала шалашик, который мы с ним на каникулах из восьмого в девятый класс возвели в четыре руки в ударные сроки — чуть ли не за час, — подгоняемые бурным пульсом в ударных инструментах. Девочки нам дружно помогали, подтаскивая ветки с ближайшего карагача... Обеих явно интриговал мой фагот — я тогда уже выступал на школьных концертах. Возможно, в воображении они как-то связывали этот мой загадочный инструмент с другим моим — тоже для них еще загадочным инструментом.

Замес у них был татарско(папаня)-чеченский (мамка). Позже обе стали невероятными красотками, причем разными. Гузелька — маленькая, пикантная, упруго скуластенькая. Розка, повзрослев, наоборот, как-то вытянулась, стала медлительно-томной... Хахалей у обеих было несчитано, каждый держался недели по две, потом отправлялся восвояси, да не просто, а весь в конфузе. Это называлось: "Я его окизячила!" — что такое "кизяк", ты знаешь? Это навоз. Среди хахалей и иногородние были, что строчили нашим красоткам страстные письма.

А папанька, татарская морда (это жена Батима так его называла), наладился письма из почтового ящика таскать и читать. Со временем, конечно, был пойман и припозорен, а девчонки хахалей перевели на "до востребования".

Татарская морда заскучала... но нашла выход из положения! Прихожу к ним однажды — это уже в студенческие годы было, на каникулах (девчонки привечали меня по старой детской памяти), — а морда сидит в очках на кухне и читает литпамятник: “Томас Манн. Письма”.

Кстати, о Томасе Манне: захвати свою гармошку, дитя мое. Давно мы не играли с тобой “Лили Марлен”...»

21

Ее все чаще мучили головные боли, донимал шум в ушах; начиналось все шорохом, тревожным чьим-то шепотом... вырастало до невнятного гула, в котором звучали отрывистые слова. В юности она умела отсекать в себе чужие голоса, отвести звуковую тучу над головой, мысленно *протереть зеркала...* Сейчас, после мутных накатов тоски, не оставалось сил, и тучи мошки — чужих мыслей и намерений — кружили, доставали, жалили; бесполезно было отбиваться.

Она выстраивала зеркальный коридор, по которому устремлялась, стараясь проскочить загруженные зоны...

Легче всего было в дороге — на мотоцикле, в машине, в поездах... в самолетах. Словно скорость могла увести от погони. Все чаще она ловила себя на желании, как говорила Христина, «дрипануть». Вообще. Насовсем.

Случались дни, когда с утра она вдруг складывала рюкзачок и уезжала — неважно куда, — порой совсем недалеко; хотя накануне собиралась целый день сидеть за работой... Но приходила ночь, наваливалась, гнала и гнала... Анна мчалась от кого-то, ее настигали... невидимый сзади хватал, сжимая локти в яростной любовной схватке... и с ним она боролась до зари — *Нет, Ты мною не развлечешься!* — и вдруг отпущенная на волю чьим-то высочайшим милосердием, боясь поверить, летела по краешку неба на своем мотоцикле в одержимой надежде прорвать на сей раз зеркальную пленку небес.

...Так, в марте, заскучав по Сене, она вдруг собралась и поехала в Рюдесхайм, где, точно по заказу, опять угодила в парной туман, что клубился и укутывал городок в горах плотным ватным одеялом. И все-таки там ей полегчало, словно туман окутал и ее бедную голову, оберегая, утепляя, на время даже ослабив шумовой обруч...

До полудня она бродила одна по улочкам, затем пообедала в их с Сеней глубоком беленом подвале. Взяла какое-то простое блюдо, чуть ли не тушеную капусту с сосисками, и съела все подчистую, подталкивая на вилку корочкой хлеба, — что случалось с ней в последние месяцы не часто.

А выпив кофе, опять пошла бродить и, оказавшись перед кассой канатной дороги, вдруг купила билет и села в подкатившую на круге люльку.

Пока люлька всплывала, схватившись корявой железной рукой за железный трос, еще слышны были вальсы, что играл оркестрик в ближайшем ресторане, голоса людей, мерное спотыкание шарманки, перестукивание колес короткого — вагонов пять всего — пригородного состава... Шлагбаум изумленно развел обеими руками и утонул...

Пока железная ладья всплывала над городком, внизу еще виднелась драконья чешуя мокрых сланцевых крыш: музей музыкальных инструментов (четыре пинакля, на каждом — флюгерок-фраерок), четырехугольная, из бурого камня, башня монастыря с краеведческим музеем виноделия... Еще виднелась широкая полоса Рейна, по которой тащилась плоская баржа, — ее нагонял двухпалубный пароходик «St. Nikolaus I». На противоположном лесистом берегу лишь угадывались очертания «Замка ведьмы». Затем и это сглотнул туман, и остались только борозды низких кудрявых виноградников под всплывающей люлькой, ряды бесконечных виноградников, прочерченных в разных направлениях, и так, и сяк по склонам гор...

Наконец и они пропали. Все вокруг потонуло в белесом безмолвии тумана; лишь тихий гул и мелкое потряхивание.

Люлька зависла в облаке, застопорилась между времен, будто время соскочило с бороздки и прокручивалось: башня, замок, поезд, туман... башня... туман... виноградники... замок... туман...

Ее вдруг охватило тяжелое чувство повторения сюжета.

Время пустилось совершать туманный подъем для нее одной. Не хватало еще, подумала она с неясным страхом, чтобы из тумана во встречной люльке выплыл тот, лупоглазый... тот альбинос, похожий на...

И он сразу же и выплыл: альбинос в рыжей тирольке. И — будто не шелохнулся с прошлого раза, а все восходил и сплавлялся, сплавлялся и восходил по железным тросам вдоль линованных виноградниками склонов, тараща розовые глаза в пухлую туманную вату... Лишь дьявольское оперное перышко в его шляпе дрожало в такт гудению проводов.

Прошло минут пять, а она сидела в прострации, с зашторенными плотной пеленой зеркалами, не в силах двинуться...

И когда пересела в обратную сторону, все твердила себе, что лупоглазых толстяков в тирольских шляпах в Германии тысячи, в конце концов, это мог быть местный почтальон, который живет где-то в горной деревушке и каждый день спускается вниз на работу по этой канатной дороге...

Все было безуспешно. Ей казалось, что и разбирательства с собой и миражным тирольцем уже были, были, и этот блик минувшего времени, отразившись в зеркальце ее пудреницы, покатился по горам-виноградникам, а сейчас вернулся, явив отражение толстяка-альбиноса...

Внизу, однако, туман был не столь густым; зажглись фонари, народу прибыло.

Она немного отошла от испуга и решила немедленно уехать в оживленный студенческий Гейдельберг — возможно, там и переночевать в одной знакомой уютной гостинице... Но повернув на центральную улицу, уперлась в ворота замка, в который безуспешно пытался затащить ее Сеня. Ну, если так, подумала она, освоим на сей раз музыкальную коллекцию. Сеня будет в восторге...

...Молодой человек в мятой шарманистой шляпе, с обтрепанными манжетами на рукавах черного сюртука, сейчас не отвлекался на дебаты с переводчицей. Группа была немецкой, и он соловьем заливался, гортанным картавым соловьем, подробно объясняя технологию изготовления старинных виолин, музыкальных шкатулок, поющих ламп, играющих под задницей стульев...

В зале, где стояло механическое пианино — одно из первых, середина девятнадцатого века, — он даже изобразил на бегу начальные такты неувядаемой «Лили Марлен»...

Наконец — это, видимо, было апогеем экскурсии, — перешли в залу, где, объяснил экскурсовод, плитки пола старше самого замка, век одиннадцатый, и где стоял только огромный странный агрегат с двумя вертикальными барабанами в верхней панели, в которых по кругу вращались пять скрипок. А на нижнюю панель из-за кулис выезжали куклы, и каждая исполняла свои штуки: притоптывала, кивала, дергала рукой или ногой, открывала рот, вертела головкой, и все это механическое великолепие мелодично пело, играло, мерно звякало, тренькало и мертво отбивало такты...

И вновь на нее накатила волна *шершавой скуки*, ничем не оборимой.

Она отвернулась от этого чуда механики и уперлась взглядом в высоченное, от пола до потолка, окно залы, что выходило прямо на склон горы с виноградником, косо перечеркнутый тросами канатной дороги.

Там бесшумно проплывали пустые люльки, возникая в верхнем углу окна и сплавляясь по небесному течению в нижний край или возникая в нижнем и восходя к верхнему. По вечернему туманному времени они были все так же пусты и призрачны, как на переправе Харона.

Поэтому она даже не удивилась — только оцепенела, — когда в очередной нисходящей люльке опознала тирольскую рыжую шляпу и увидела на лупоглазом лице медленную торжествующую улыбку.

В руке у толстяка была трубочкой свернута газета, он ею помахивал — будто дирижировал мертвой музыкой механического агрегата здесь, в зале...

* * *

Под острым крылом синей тучи истекал закатной кровью последний всполох.

Темные дымные медузы облаков тянулись в томительно медленном танце.

Опять ее загнали к окну, вплотную к иллюминатору, дьявольскому жерлу, зазывному, алчному устью зеркалья.

Рядом сидела огромная мулатка с адски крепким мочевым пузырем, сработанным, вероятно, из брезента. Во всяком случае, не поднялась за все время полета ни разу, не дала передышки. А поднимать ее, извиняться — да и просто говорить с кем-то, стало для Анны тягостной докукой. Иногда она была уверена, что минуту назад попросила о чем-то, что-то сказала... и всякий раз спохватывалась, что молчит по-прежнему, мысленно проговорив то, что хотела произнести вслух. Я ухожу вовнутрь, думала она. Машута все чаще смотрела на нее из зеркал — не та, с одутловатым тяжелым лицом, а молодая, вся в россыпи обаятельных веснушек, так идущих ее быстрым карим глазам... Сейчас вот даже из иллюминатора смотрит:

— Нюточка, ну что ж ты все время в джинсах, ты же не мальчик, ты девочка!..

Никакого покоя, само собой, в самолете ждать не приходилось.

К тому же, позади сидел очередной моложавый гумберт-гумберт со своей каштановой козочкой, все же, по-видимому, дочерью. Всю дорогу они разгадывали кроссворды, хихикали, играли в карты, и девица лягала Аннино кресло своими пубертатными лягавыми снарядами в белых носочках...

В былые времена Анна любила разглядывать попутчиков, ее умиляла разность лиц и судеб.

Вот человек, косящий до изумленной мечтательности в лице...

Двухметровая мулатка с великолепными статями: скульптурными ягодицами, стволом мощной складчатой шеи, многочисленными пучками трудолюбиво заплетенных бисерных, филигранных косичек, — этот труд поневоле представлялся достойным восхищения...

Высокий северный мужчина с таким выдающимся свирепым подбородком, что становилось очевидным — так природа защитила воинственной внешностью чрезвычайно мягкого человека.

Мальчик лет двадцати, легконогий и кудрявый, — копьеносец.

Индианка, похожая на лань своими влажными молящими глазами и мягкими пепельными губами, чуть вытянутыми вперед, будто она просила мякиш хлеба с солью.

...Когда Анна проснулась и сидела, разминая шею ладонями, в иллюминаторе занимался рассвет. Облака расслоились, створожились и шли могучим ледоходом внизу, под ослепительным крылом самолета.

Спящая рядом мулатка откинула руку, и кольцо с крупным гранатом выплеснуло на стенку целый павлиний хвост радужных бликов, что заколыхались, как солнечная пена в тазу...

* * *

Анна поднималась за Аришей на колокольню местной университетской церкви, по деревянной лестнице между тяжелых стропил и перекрещенных балок. Пахло сырым кирпичом старых стен, застарелой пылью, прелью, ворванью, к которым примешивался неуловимо цирковой запах... Почему цирковой? Ах да — по ночам сюда наверняка наведываются летучие мыши, а их запах напоминает о крысиной моче, которая в цирке разъедала железные тросы.

— Потерпи, — тяжело дыша, проговорила Ариша, — еще немного...

Оглянулась на легкую Анну, готовую взбежать за минуту на самую верхотуру, и они одновременно прыснули: одна над собой, другая над подругой.

За последние годы Ариша располнела, хотя пропорции статной ее фигуры еще сохранялись. К тому же, сейчас она специально для Анны надела концертное платье, огненно-пунцовое, с открытой спиной и плечами, — дабы та оценила во всей совокупности блеск ее концерта.

— Худеть надо... — сокрушенно заметила она, опять приостановившись.

Отсюда, с высоты колокольни распахивалась широченная панорама покатых холмов с редкими фермами. Весь городок сидел, как на ладони — с его деревянными серыми, желтыми и голубыми домами, старыми университетскими зданиями, крикетной и волейбольной площадкой. Внизу, прямо под ними, дюжий молодец ехал верхом на сенокосилке, расставив глянцевые футбольные колени, оставляя за собой колкий ворс пахучей лужайки — светлый, нарядный, ситный... И повсюду, где только оставляли его в покое, рос ностальгический лиловоголовый пырей.

— А знаешь, тебе идет! — сказала Анна. — Ведь физическая мощь, наверное, помогает вытягивать из колоколов... их голоса? И это платье великолепное...

— Нет, все же надо худеть!

В крошечной келье на верхотуре был установлен

карильон. Вверх от инструмента шли тросы к каждому колоколу, и если подняться еще на пять-шесть крутых и узких деревянных ступенек и заглянуть в открытый люк, можно было увидеть осколки эмалево-синего неба между чугунными боками черных колоколов.

Дощатые стенки этой кабины — тоже, своего рода, гнезда — были оклеены афишами. Среди них и Аришиных много.

— Сядь вот тут, на краешке. — Ариша кивнула на приземистую, как в спортзале, деревянную скамью вдоль стены. Видимо, сюда на концерт приглашали только избранных.

Анна уселась. Ариша тоже присела на гладкую, отполированную задами исполнителей скамью карильона, полуобернулась к подруге:

— Я тебе все объясню коротко и понятно. Вот, видишь, — это верхний ряд рычагов. Правда, на эскимо похожи? Над ним идет металлический ряд — это регуляторы длины троса. А внизу — педальный ряд, полторы октавы нижних колоколов.

— А эти похожи на сапожные колодки, — вставила Анна и смутилась, что глупость сморозила.

— Точно! — обрадовалась Ариша. — Я никак не могла вспомнить — что напоминают... Ну, слушай. Все настроено по гамме. Всего сорок девять колоколов. Самый низкий — си-бемоль, колокол в девять тонн весу — представляешь, какое усилие нужно, чтобы он прозвучал?

— Ну, играй уже... — попросила Анна.

— А что тебе сыграть?

— Господи, ну почем же я знаю? Что-нибудь... грандиозное.

Ариша хмыкнула:

— Грандиозное!.. Ну хорошо. Слушай... Это «Менуэт и трио» для карильона. Написал мой учитель, Густав Неес... И даже посвятил мне.

Она отвернулась, подвигалась, деловито и основательно прилаживая ягодицы к прочности скамьи, — обживание плацдарма. На мгновение закинула голову, сжимая и разжимая растопыренные пальцы на коленях. Подняла руки...

Анна вздрогнула, отшатнулась, будто ее внезапно окликнули: одинокий горестный вопль разодрал тишину над университетским городком. Будто небо сотряслось от вызова, и Некто решил разметать облака, расчищая поле для битвы.

Медленными каменными шарами покатились гуды, нагоняя друг друга, с каждым накатом наращивая силу, ускоряя падение. И вот уже гремучий камнепад рокотал пудовыми глыбами. Гулкий боевой клич прорезал небо, клич безответный: это вызывали на битву противника, а тот все медлил...

И наконец отозвался!

Громоподобный каскад высоких колокольных голосов сотряс дощатую будку. Кто-то бил и бил в гигантский медный диск, созывая на битву свидетелей. Гул, топот ног, скрип колес и цокот небесной колесницы неслись поверх церковных сводов, рвались из колокольных арок, катились по-над холмами, озерами, царили над всей окрестностью Вермонта...

...Переваливаясь на деревянной скамье с бедра на бедро, ребрами ладоней, кулаками, локтями артистка нажимала, тянула, прыгала, хваталась за рычаги верхнего ряда колоколов, одновременно переступая по деревяшкам педального ряда, вернее, гарцуя, как наездница, извергая бурный, взахлеб, речитатив гулов, то грозных и мощных, то стихающих над холмами...

Гул внезапно сникал, почти достигая берегов тишины; словно водяные перекаты бежали на лесных ручьях, родниковые, чистые...

И вновь воинственный клич! И снова томящий зов... замирание в горних высях...

Это боролись два ангела, белый и черный, жестокие оба, непримиримые, — до последнего стона, последнего падения. Это сражение для нее было, ради нее, за нее...

Нет, это она и была, это ее жизнь сейчас перемалывала могучая безжалостная сила...

В пелене слез дрожали и двоились дальние холмы. Анна закрыла глаза и *вошла в Зеркалье*...

...Ариша умрет в 2015 году в бельгийском госпитале, куда ляжет на рутинное обследование между двумя гастролями. Она не узнает о своем диагнозе — рак печени, — потому что ночью загорится проводка в корпусе-люкс; там не сработает система пожарного оповещения, и трагически погибнут несколько пациентов, в том числе знаменитая карильонистка, лауреат международных конкурсов, к тому времени — супруга министра по делам культуры Бельгии.

И вой пожарных машин станет омерзительной карикатурой на карильонный водопад-перезвон, что всю жизнь извлекала из колоколов эта женщина своими благословенными руками...

...В обвальной тишине деревенского полдня вспыхнули возгласы крикетистов с площадки, проскрипел удивленный крик сойки над колокольней.

— Чудесно... — с неизбывной мукой выдохнула Анна в эту тишину. — Ликующая амазонка! Ты так воинственна среди этих небесных молний и водопадов. И тебе... тебе так идет этот огненный цвет.

* * *

Она промахнула мост, взлетела на гребень дороги... Отсюда — под алебастровой лепниной облаков в запредельной выси — открылось озеро Шамплейн с белыми флажками яхт на встрепанных барашках волн.

До Роудена уже было недалеко, и Сеня — часа три назад он настиг Анну по мобильному — должен был добраться туда раньше нее.

Часа полтора она мчалась на бешеной — называла ее мысленно «хорошей» — скорости. Благо дороги приличные — мотоцикл шел, как по рельсам.

Миновала еще один мост, въехала в город и через минуту остановилась на асфальтированной парковке, где обычно ожидали туристов два-три автобуса.

Здешний городок с живописным водопадом, на который любовались со смотровой площадки, был, вероятно, одним из пунктов туристического маршрута.

Анна достала из рюкзака сплющенную банку из-под колы, поставила на нее подножку мотоцикла — хотя жаркий день и клонился к вечеру, все же эти спорт-байки имеют обыкновение грузнуть подножкой в расплавленный жарой асфальт, потом бульдозером не вытянешь. С облегчением стащила куртку, перчатки, шлем, запихнула в кофр на заднем сиденье и пошла к водопаду.

Деревянный помост смотровой площадки выдвинут был над узким горлом ущелья, куда падал неширокий, но яростный поток, гремящий бешеной пивной пеной.

Сейчас тут, наверху, толпилась какая-то итальянская группа, с детьми, стариками. И все с воодушевлением налегали на перила, пытаясь заглянуть как можно ниже, проследить бег скачущего по ущелью потока.

Если обогнуть помост и по крутой боковой тропке спуститься буквально метров на шесть-семь, в хвойной поросли открывалась крошечная полянка, открытая на водопад, зато надежно защищенная деревьями и кустарником с дороги. Из этой укромной ниши, как бы выдолбленной природой для себя самой, открывался картинный вид на бушующий поток и на лес, еще залитый солнцем.

Лет пять назад лужайку случайно обнаружил Сеня, забравшийся подальше от туристов — *отлить на природе*. С тех пор они назначали здесь свидания, когда он ехал к Анне из Бостона, а она выезжала навстречу. Или когда выезжал навстречу он, не в силах дождаться ее приезда.

Сеня уже сидел там на расстеленном пледе.

— Ты похож на мусульманина перед молитвой, — сказала она. Повалилась на него, и минут двадцать они просто лежали, молча обнявшись, слушая ровный гул кудрявой от брызг водопадной стены.

— Господи, — проговорил он наконец. — Мыслимое ли дело, чтобы на женщине всегда были эти кошмарные ботинки... — И в сотый раз: — Как я ненавижу твой мотоцикл!

— Зато я быстро домчалась, — вяло отозвалась она и села, обняв колени.

Черный лес напротив весь еще купался в солнце; быстрое солнце металось по мшистым камням, по краснотелым соснам. На этой стороне все уже погрузилось в тень; дикий водопад, извергая холодный выдох брызг, разрезал ущелье надвое по разлому; в последних лучах горели изжелта-черные, халцедоновые ломти скальной породы.

— Кстати, о ботинках, — сказал Сеня. — Мне за последнюю неделю дважды приснился дед. Стоит босой, протягивает мне сапоги убитого итальянского солдата и говорит: «Сенчис, у вас там в октябре ураганы такие, не приведи господь. Возьми вот, ноги погрей...» И я так удивляюсь во сне: «Ты что, дедуль, октябрь в Новой Англии — самое золотое время...»

— Ну... поехали? — спросила она. — Чего тут сидеть?

Он помолчал, не двигаясь. Может, устал в дороге? Вдруг проговорил непривычно серьезно, даже с трудом:

— Знаешь... пора бы нам соединиться, Анна...

Впервые назвал по имени. Она молчала, не оборачиваясь. Ссутулилась.

— Я тут с некоторым приятным изумлением узнал, что наработал даже на небольшую пенсию, — продолжал он. — Квартирку снимем, где скажешь... Я буду играть... Хороших фаготистов мало... Ты слышишь? — повторил он ей в спину тревожно и требовательно. И не было в его голосе привычной легкости, вечной этой иронии. — Слышишь? Я не хочу больше без тебя жить.

Она обернулась, положила ладони ему на лоб и провела по лицу сильно и нежно.

И еще раз, и еще — будто снег сгребала.

22

«...Я никогда не понимал — что там видит она в этих кусках стекла, какими свойствами наделяет их и почему всюду их одушевляет.

Впрочем, нет: однажды я кое-что увидел и, может быть, кое-что понял...

Профессору исполнялось девяносто четыре года. Дата некруглая и, судя по его состоянию, вполне преодолимая, но все же в этом возрасте, как ни крути, любая дата может быть закруглена в любую минуту... Юлия настаивала на грандиозном празднестве, с речами, торжественными адресами от множества разных музыкальных академий и телевизионными наглецами и невеждами, способными затоптать любой праздник.

Однако буквально за месяц до события таинственное исчезновение Страдивари было вполне буднично раскрыто бостонской полицией.

Эднина пассия — этот усатый прохвост из мексиканской глубинки, который года два состоял у Юлии то ли садовником, то ли мальчиком на побегушках и так скоропостижно уволился, — был пойман на границе с бесценной скрипкой в грошовом дерматиновом футляре. Дело завертелось с изумительной скоростью. То, что он был любовником Эдны, выяснилось буквально на первом допросе, а вскоре в соплях и рыданиях она призналась, что беременна. К тому же из нее моментально вытрясли, что она и навела этого темного типа на дедову скрипку. Откуда бы ему знать, сколько может стоить эта деревяшка в том странном высокомерном мире, куда его и на порог не пускали! Голубчики собирались смыться — не помню куда, и это уже не важно.

Несколько недель семейство пребывало погруженным во мрак, потом выплыли — ради "крошки" уже выращенной и крошки будущей...

Все, скрепя сердце, перемирились, но большое празднество было отменено, и взамен для десятка ближайших друзей сняли небольшой зал в итальянском ресторане, в Ньютонвилле, неподалеку от дома.

Вот кто повеселел при этой новости несказанно, — это мое бедное дитя. Говорю — бедное, потому что помню ее необъяснимую мрачность в день, когда впервые мы навестили Мятлицкого. Я был в настоящем смятении от того, каким отрывистым голосом Анна бросила мне: "Домой!" — и мы собрались в минуту, и чуть ли не бежали, как швед под Полтавой.

Помню наше молчаливое возвращение и то, как, уже всходя на крыльцо, она вдруг сумрачно проговорила:

— А труп изобразить — это чепуха... Чепуха, балаган! Я тоже умею.

И я шутливо отозвался:

— Только не при мне, детка, пощади! Не при мне!

Я проклинал себя тогда последними словами — зачем, зачем поволок ее к профессору, да еще на суд нетерпимой Юлии, а главное, какое право имел взваливать на нее непосильную задачу?! Мне, идиоту, казалось, что Анна подавлена своей неудачей.

Сейчас мне ясно: она была подавлена именно своей удачей. Но — довольно, я не об этом, не мое жалкое дело — разбираться в дарах небес, которые она волокла на себе, как вериги.

Итак, Мятлицкому исполнялось девяносто четыре, и Анна, радостно возбужденная от того, что Страдивари нашелся, вдруг заявила, что хочет сделать Профессору подарок. Что за подарок? Конечно же — зеркало.

— Зеркало? — удивился я. — Ты уверена, что ему нужно зеркало?

— Уверена, — сказала она твердо и убежденно. — Этот дом абсолютно не защищен. Мы запрем его на все замки от любого зла.

Я на это промолчал, но когда вечером предложил заехать в ближайший хозяйственный магазин и выбрать зеркало — или где там они могут продаваться? — она даже отшатнулась. Я что, сошел с ума? Не думаю ли я, что человеку в дом можно внести любое зеркало?! Да еще плебейское магазинное стекло, каким торгуют на каждом углу?!

Тогда я заткнулся, хвала небесам за остатки сообразительности в этой сивой черепушке... Нет, она, разумеется, сама закажет — известно где, в зеркальной мастерской Эдварда, в Монреале, — она работает с ним уже много лет и полностью доверяет, — именно то зеркало, которое нужно профессорской гостиной. Над камином. Только Эдвард способен все сделать за короткий срок по ее заданию и отправить с посыльным...

Мне поручили снять размеры, и я это проделал, смущенно и таинственно посмеиваясь под недоуменным взглядом профессора, балансируя на шатком табурете времен Войны Севера и Юга и на все вопросы прикладывая палец к губам.

Накануне торжественного ресторанного сборища зеркало — как и было назначено — доставили прямо в дом к Мятлицкому. Он уже стоял, одетый, как на концерт: в смокинге, ослепительной сорочке и в бабочке. Посыльные внесли огромный прямоугольный ящик, Анна расписалась и сама приступила к распаковыванию-распеленыванию заветного младенца. Наконец, последняя пелена спала... Все умолкли.

Не понимаю, каким образом этому куску стекла удалось вобрать в себя гостиную профессора со всеми надоедливыми столиками, подносами, канделябрами, шкатулками, диванами, креслами и коврами, да еще прихватить боковым оберегающим отражением прихожую и даже — что совсем невероятно — через небольшое зеркальце в холле отразить угол входной двери.

Этот завораживающий фокус проделала моя зеркальная девочка.

Кроме того, оно, это зеркало, обладало некоей дополнительной глубиной — зеленоватой, влажной глубиной, исполненной такой подводной тишины, что я бы не удивился, если бы там, за нашими спинами, проплыла, вильнув хвостом, какая-нибудь призрачная рыбина... Это зеркало дышало, клянусь всеми богами! И, главное, не только *раскрывало* гостиную, но и придавало ей театральную значительность. Торжественную значимость, равную и достойную долгой жизни нашего именинника.

Рама была обычной, темно-вишневой, почти незаметной.

— Боже... — зачарованно проговорил Профессор. — Какой я болван! Почему никогда мне не приходило в голову повесить тут зеркало?

И умница Юлия торжественно ответила:

— Оно всегда тут висело. Просто ты его не видел!

А я стоял и думал: никогда, никогда *у нее* не было *своего* дома, чтобы украсить его такими зеркалами-оберегами. Неужели так и не будет? И — моя любовь! — сердце защемило такой тоской, словно она не стояла рядом со мною, а была уже далеко. Невозвратимо далеко.

* * *

...Ее равнодушие к месту обитания всегда приводило меня в недоумение, а иногда и в настоящую растерянность. Особенно, если перед нашей встречей я старался, рыскал по Интернету в поисках какого-нибудь праздника, необычного, уютного местечка.

Нет, не так: не равнодушие, а совершенное благодушие, равно одобряющее любой угол. Цирковая бродячая покладистость. Если я гордо распахивал перед ней дверь в нашу комнату на очаровательной старой вилле под Флоренцией, с винодельней и конной фермой неподалеку, — и спрашивал:

— Ну, как?! — она с радостной готовностью отвечала, как послушный ребенок:

— Здесь великолепно!

И с той же радостной готовностью произносила ту же фразу на пороге какого-нибудь случайного третьеразрядного мотеля на границе Бельгии и Голландии, где свалила нас дорожная усталость:

— Здесь великолепно!

— Что здесь великолепного, чудище?! — обиженно орал я. — Цыганенок, шушера цирковая!

Возможно, это город Гурьев поднимался во мне в полный рост в такие минуты?..

Хотя однажды мне повезло затащить ее и правда в волшебное место, которое привело ее в неописуемый детский восторг.

Это было в Карловых Варах. “Гранд-отель Пупп” — помпезный восемнадцатый век, пышное барокко, увитое лепниной, золочеными арабесками чугунных перил, ангелочками с арфами по фронтону.

Что-то у них не сложилось с моим заказом — относительно дешевым, хотя и все равно невероятно дорогим номером на двоих, — и извиняясь и улыбаясь, тасуя электронные карточки ключей, мне объяснили, что вынуждены поместить нас в гранд-свиту “Дворжак” — кивок на мой футляр, — по теме. Черт с вами, сказал я мысленно, свита так свита. Дворжак так Дворжак...

Это оказались две высоченные танцевальные залы.

По лепным небесам потолка вились гирлянды листьев и выпуклых алебастровых роз. Чьи-то попки перемежались с грудками, ленты и цветы вились меж чьих-то ножек, и вся эта небесная вакханалия крутилась вокруг низко свисающей хрустальной люстры...

Тонконогая танцевальная итальянская мебель хоть сейчас готова была пуститься в кадриль. Неплохие старые картины в золоченых рамах и рисованные портреты Мендельсона, Шопена и Сметаны меланхолично смотрели со стен.

В углу гостиной залы огромным кубом сливочного масла сияла обливными изразцами старинная печь с двумя навеки запертыми бронзовыми задвижками. Поверх ее крыши, прихотливо загнутой на манер китайских пагод, забавник-кондитер накрутил-навертел целые букеты изразцовых кремовых роз и лилий в плетеных корзинках. Отошел, оценил, прищелкнул языком и выдавил из тюбика последний трепетный листик...

Я распахнул высоченную дверь и вышел на балкон: выпуклая его корзина сплетена была из чугунных разлапистых листьев, а из двух колонн по краям плавно вырастали две кариатиды мужеска и женского полу. На головах у них покоились две кудрявых капители, как корзины с фруктами. Оба, закинув руки за голову, заглядывали себе подмышку: мужик — с несколько брезгливой гримасой на бородатом лице, а греческая девушка в тунике, между крутым подбородком которой и острым соском небольшой груди уже колыхалась нежная паутинка, — застенчиво и даже виновато.

Я облокотился на перила. Внизу по променаду вдоль дымящейся Теплы медленно шествовали сразу пять задраенных в черные платья и черные платки арабских жен, и через плечо я обронил, что сам пророк Мухаммад, очевидно, велит устраивать на здешних водах грандиозный трах.

Мы бродили по двум просторным залам, поверженные всем этим дворцовым великолепием, включая и выключая торшеры и лампы, рассматривая рисунки, заглядывая в платяной шкаф, обнаруживая то специальный сейф, то еще какое-нибудь дополнительное таинственное приспособление — для чего?

Напоследок заглянули в ванную.

Она оказалась под стать апартаментам — огромной, мраморной, чуть мрачноватой, стилизованной под римскую купальню. Вдоль длинной комнаты тянулись зеркала, пригвожденные к стенам бронзовыми светильниками.

— О, — сказал я, — вот тут, после письма Цезаря, надо со вскрытыми венами отходить к вечному сну...

Она остановилась перед мраморной панелью с двумя мозаичными умывальниками, на которой стояли корзинки, полные пахучей банной дребедени, и свечи в бронзовых подсвечниках. Взглянула в зеркало и весело, возбужденно воскликнула:

— Боже! Что там творится! Какой разврат! Ты представить не можешь!..

Я обнял ее сзади, привалил к себе, и тихо спросил:

— Что? Римские утехи?

Она засмеялась:

— Да! — едва-едва, как бы рассеянно отзываясь в такт моим поглаживающим рукам, вороватo и быстро стянувшим с нее свитерок...

И, как всегда, внезапно теряя силы, как в обморок падала:

— Да!

— И вот это? — спросил я, губами ощупывая горячую голую шею, а руки мои уже привычно, как по клапанам фагота, бежали по пуговице и “молнии” ее джинсов.

— Да-а-а-а... — поплывшим, зыбким стоном.

— И это?

— Да! Да!

— А вот это?

...и температурным своим, пересохшим голосом, вновь, и вновь, и все ритмичней и яростней:

— Да! Да! Да! Да! — мгновенная, с полу-звука, настройка двух инструментов в годами слаженном дуэте: краткая перекличка, два-три нащупывающих такта, и — понеслась *аллегро виваче* мелодия сладостная, проникновенно прекрасная, даже если знаешь ее назубок...

...В этом она всегда была необычайно музыкальна... и дирижирование всей пьесой я оставлял на откуп ее чутким бедрам, которые едва заметно могли указать струнным замедлить и перейти на *ада-ажио*, или даже на *ла-арго*... а тут широкими свободными штрихами, где *стаккато*, а где *легато* обыграть эту неожиданную тему у духовых... и дать отыграть виртуозное *соло* фаготу... и пусть он подержит *фермату*... невесомо длящийся миг... особенно перед *кодой*, которая... которая, ты знаешь, накатывается уже стремительно и неудержимо, и... вот... вот... и вот сейчас... на заключительных тактах *тутти* всего оркестра...

В этот миг я перевел взгляд с ее немыслимо прогнутой смычковой спины в зеркало... и вдруг понял, что играем мы не дуэтом. О, нет! То был квартет, и пара в зеркале двигалась чуть иным ритмом, запаздывая на долю мгновения, как бы зеркальным эхом повторяя и запоминая малейшие движения наших рук, животов, бедер, сосков... Так значит, партитура была сложнее, чем я думал... И даже кажется, музыкант в зеркале, наглый сатир, в распахнутой впопыхах на седой груди, недорасстегнутой рубашке подмигнул мне в партнерском рвении попасть в такт...

...но изнурительно долгое рондо уже мчалось к финалу; дыхание, физическое напряжение музыкантов сосредоточены были на последнем, мучительно блаженном восходящем пассаже...

Фанфарные удары медных!

Мощь заключительного аккорда, томительно угасавшего в ядрах тел еще несколько мгновений...

Затем — краткий миг тишины...

И я включил шум аплодисментов в великолепном, итальянской сантехникой оборудованном душе...»

Часть пятая

«Кончатся снаряды, кончится война,
Возле ограды, в сумерках одна
Будешь ты стоять у этих стен,
У этих стен
Стоять и ждать
меня, Лили Марлен».

23

В самолете она задремала, и во сне опять летела под небом, над водной зеркальной гладью с отблеском багряной зари от горбушки солнца.

Когда открыла глаза, в иллюминаторе внизу плыли гористые острова с паутинками дорог, похожие на рельефные карты, какие в детстве они с Аришей мастерили к уроку географии: размазанный по картонке зеленый пластилин был равниной, коричневый собирали кучкой и вылепливали верблюжью спину: горы. Скорлупа разъятого надвое ореха изображала острова. Выкладывали ее скарабейной спинкой кверху и любовались — ну какая же красота! Ариша вся измазывалась — пальцы, нос, подбородок. Сидела разноцветная, как клоун, — лукаво косила глазом, жалобно спрашивала хохочущую Нюту:

— Я красивая?

И та сквозь смех отвечала:

— Ужасно!

В соседнем кресле сидел молодой миссионер — судя по всему, баптист. Всю дорогу он читал или перелистывал какую-то книгу. Анна глянула мельком — книга была пособием по делу увлечения паствы. Главки названы умильно: устремись душой к небу, просветли зрение молитвой... Хорошая, благостная, пустая книжка.

В начале полета они перебросились несколькими фразами, и Анна, опасаясь душевной беседы, немедленно прикрыла глаза. Но сейчас он ее подстерег. А может, заметил беглый интерес.

— Хотите посмотреть? — спросил с учтивой готовностью.

— Нет, благодарю вас. — Слишком торопливо. Неприлично.

Но парень не зря учился на каких-то там курсах по ловле человеков.

— Вы представить себе не можете, какое просветление, какую ясность и пронзительность зрения посылает Господь после истинной молитвы! — проникновенно сказал он.

— Что вы говорите, — вежливо заметила Анна.

— Да-да! Вы будете потрясены: ваша чувствительность обострится настолько, что вы сможете мысли читать!

— Ну, уж это вы... хватили, дорогой мой, — вяло отозвалась она. — Кто в это поверит!

И отвернулась.

Внизу на морской сини стоял кораблик с белым перышком следа в корме.

К Индианаполису подлетали в темноте. Город светился внизу сгустками бусин и огненной стружки, будто сметенной в угол земли гигантской метлой.

Как обычно, Элиэзер встретил ее на своем старом «форде». И сам уже старый, толстый, лысый...

Когда впервые она отыскала его здесь, несколько часов никак не могла привыкнуть к разительным переменам в его внешности: оказалось, что его громадная голова была просто небольшой кадкой для великолепного куста чернющих волос. И когда куст облетел, кадка явила всю свою сиротливую ветхость. Лишь крупный нос и иронично вытаращенные глаза-вишни были прежними...

Он суетился, тяжело переваливаясь, шел рядом. Как всегда, пытался отнять у Анны ее невесомый рюкзачок, а в машине принялся укрывать ей ноги пледом:

— Ты простудишься, Нюта, говорю тебе! Здесь такой говенный климат!

— Все же это гениально, что ты научился водить, — заметила она, как обычно.

— Это все после смерти Абрама. Мне пришлось учиться жить одному. — Он глянул на нее искоса и по-детски хвастливо закончил: — И я научился!

Подкатили к «Парк Редженси» — двухэтажному зданию, какие в прежней цирковой жизни называли «общежитием гостиничного типа»: длинный коридор, из которого отворялись двери в крошечные квартирки — две комнаты, ванная, ниша с плитой и шкафчиком.

Поднявшись на второй этаж, они медленно — сейчас было заметно, как трудно ему идти, — шествовали по коридору. Элиэзер никогда не упускал возможности похвастаться Нютой.

— Дочка приехала, Элиэзер Маркович?

— До-очка, до-очка...

Что такое дочь, старые дуры? — совсем другой человек, возникший из мутного выброса твоего организма... Это не дочь. Это — моя душа в зеркальном отражении...

Двери многих комнат были распахнуты настежь, оттуда неслась русская речь.

— У нее был железный характер! Девяносто пять лет! Она хотела умереть, и она умерла.

— Ну, *камо-он!* Что значит — хотела умереть? Все хотят умереть!

— А очень просто! Вечером она сказала: «Все. Я устала жить. Довольно!» И наутро ее нашли в квартире мертвую. Дверь она оставила открытой, чтобы замок не ломали.

— Ну, *камо-он!* А что она сделала?

— Ничего! Умерла. У нее был железный характер. Она захотела умереть, и она умерла!

— Ты знаешь, — сказал Элиэзер гордо, поворачивая ключ в замке, — я заказал обед в китайском ресторанчике тут, неподалеку. И выглядит он заманчиво.

— Это прекрасно!

Они вошли в комнату, которую он называл «твоя». Здесь стоял диван, круглый обеденный стол, сервант и стулья. Направо дверь вела в спальню, такую же маленькую, аккуратную, допотопно обставленную. Вполне киевская прибранная квартирка.

На стене висела фотография умершего брата, который в плоскостном изображении еще более походил на негатив Элиэзера и, казалось, был удовлетворен столь полным и окончательным воплощением. Анна всегда отводила глаза от этой фотографии.

Вот ты и отвалилась, белая голова...

— Понимаешь, — сказал Элиэзер, повязывая фартук на брюхе, — не хотел тащить тебя в нашу столовку, там обычная американская тошниловка. Ну, мой руки, садись за стол. У меня все готово.

Пока она мыла руки, он кричал из крошечной кухни:

— Да, здесь полупансион, и я иногда питаюсь казенным хавчиком. Но не каждый день ко мне наезжает мой ангел Нюта, подумал я. Правильно?

— Правильно! — сказала она, выходя из закутка-ванной.

Главное — не сбиться с бодрого тона и заставить себя хоть что-то проглотить. Китайская кухня бывает вполне пристойной.

Она старалась появляться здесь при малейшей возможности. Даже к Сене чаще не вырывалась. И каждый раз выслушивала все новости жизни Элиэзера, начиная с семьдесят восьмого года, когда брат пинками пригнал его в благословенную Америку. Если бы кто-то сказал, что у Элиэзера стремительно развивается Альцгеймер, Анна плюнула бы тому в физиономию.

— Жить можно, — продолжал он кричать, не замечая ее. — Раз в неделю они пригоняют автобус с негром-шофером, которого почему-то нельзя назвать негром, — а как еще его называть, этого идиота? — и он возит нас за продуктами!

— Я слышу, — сказала она. — Давай, чего там у тебя пожрать?

— Ты будешь смеяться, — сказал он, — но укроп у меня свой. Видишь на балконе ящичек? Дураки сажают цветы, а я — пользу.

Она прикрыла глаза и подумала: боже... никто, никто, кроме нее не может знать, что этот толстый и полусумасшедший человек с укропчиком на балконе мог бы стать великим ученым... И что его гений, его доверчивую и трогательную суть затоптал ревнивый и жестокий белый оборотень.

— Ты просто молодчина! — отозвалась она.

— Надеюсь, побудешь у меня хотя бы несколько дней?

Каждый раз он надеется, что она пробудет тут несколько дней.

— Нет, мой дорогой... Завтра я должна быть в Чикаго. Уже заказала мотоцикл.

За обедом она отчитывалась о делах — он требовал малейших подробностей: *«И что ты сказала ему в ответ?» — «Молодец, а он что на это?» — «Какая чепуха, там все можно просчитать до миллиметра, и вообще все построить на вогнутых и сферических зеркалах!» — «Правильно! И когда же он возвращается из Америки?»*

Она увлеченно поддакивала ему, отвечала, парировала, задавала вопросы, — часто ей казалось, что она разговаривает сама с собой. А он — с собой. И этот легкий, невесомый, как бы даже и не звучащий разговор за последние годы был чуть ли не единственным, что ее успокаивало.

Его интересовала такая чепуха, что Анна диву давалась: как этот гениальный мозг, способный к сложнейшим умозаключениям, может пытливо дознаваться, почему в «Цирке Дю Солей» не оплачивают отпуска контрактникам. При чем тут контрактники, спросила она, дались тебе эти контрактники — и, как бывало в последнее время, обнаружила, что не произнесла фразы, лишь продумала.

— Ну, как тебе утка? — с аппетитом жуя, отчего его тройной подбородок дрожал и колыхался, спросил Элиэзер. — Приличная, правда?

— Обалденная! — Нет, именно этот ресторан не мог похвалиться лучшими образцами китайской кухни.

— ...Хочешь отдохнуть? — спросил он после ужина. — Приляг на диване, я сейчас притащу плед.

Она сказала вдогонку:

— Не надо, я не устала... — Нет, не сказала, только подумала.

Когда, отыскав плед в шкафу, он вернулся в гостиную, Нюта уже спала в кресле, закинув голову, как набегавшийся ребенок.

Элиэзер тихонько укрыл ее, сел в кресло напротив и стал на нее смотреть.

Иногда ему казалось, что она совсем не изменилась. Во всяком случае, с ней не произошло никаких досадных физических превращений, какие случаются с большинством людей после сорока. Ну, понятно, эта ее цирковая выучка, мотоцикл, каскадерская жизнь... идиотство, если вдуматься. Боже, какое идиотство вся жизнь этой дорогой девочки! И даже сейчас, сейчас... эти знаменитые идиотские шоу — разве для этого создан ее беспощадно ясный, мгновенный, острый ум?

Разве для того точат на божественных станках столь выдающиеся экземпляры человеческой породы?

Он неотрывно смотрел на нее, и мог бы смотреть бесконечно, испытывая только покой и счастье от того, что она здесь. Иногда, как это ни дико, ему казалось, что смотрит он на самого себя, что это он сейчас чуть шевельнул рукой и вздохнул, не выплывая из сна. Странно: близнец, он своим подлинным духовным отражением чувствовал не брата, а эту девочку, случайно встреченную им тридцать лет назад в клубе молокозавода. Его душа отражалась в ней так полно, так успокоенно; никто не знал, что все долгие годы разлуки, разговаривая сам с собою, он то и дело повторяет ее имя. *Видишь, Нюта, я успел и посуду помыть, и брюки простирнуть...*

Она спала минут двадцать и проснулась от громкого голоса в коридоре:

— Фаня, учтите, я должна вам полтора доллара!

— Ай, бросьте сказать!

В комнате горела настольная лампа. В кресле напротив сидел Элиэзер, притихший, грустный, со своим негативом за спиною.

Вдруг ее нагнал спертый запах в темном запутанном коридоре его коммуналки на Подоле. Омерзительная затхлая смесь гуталина, лыжной мази и подгорелой каши из кухни. Крадущиеся шаги за нею, и внезапный страх, от которого стало морозно коже головы.

— Стой! — глухо бросил оборотень, нагнав ее у двери и дернув за плечо. — Остановись!

Они стояли во тьме коридора и оба тяжело дышали, словно мчались наперегонки: ее убегающее — пунктиром — прерывистое дыхание и его злобное сопение.

— Я же запретил тебе приходить! Я велел тебе оставить брата в покое!

Она молчала, не в силах отвести глаз от этого кошмара: мерцающие во тьме глухого коридора белые волосы и две белые брови, плывущие в пустоте.

— Ты слышала?! Не понимаешь по-хорошему, настырная дрянь?! Я тебе не дам свести его с ума окончательно! Я увезу его, поняла?! Увезу далеко и навсегда!

— Не навсегда! — выдохнула она, ужасаясь тому, что сейчас произнесет запретное, чего говорить нельзя, но не сказать невозможно: — Ты умрешь там очень скоро. Он останется один. И я найду его!

Тьма треснула от его пощечины, вспыхнула в зеркалах, ослепила так ярко, что сначала она даже не поняла: ее ударили!

— Г-гадина!!! — выдохнул он, повернулся и быстро удалился по коридору.

— Нет, Фаня, я долгов не люблю!

Элиэзер пригнул пластиковую шею старой, еще киевской настольной лампы, чтобы свет не бил Анне в глаза. Сидел, подперев толстую дряблую щеку, глядел на нее с тревогой.

Бедняга, он так ждал, а она опять заскочила к нему на один день, да еще и заснула.

— У тебя усталый вид, — тихо проговорил он. — Ты совсем не отдыхаешь, совсем. Ты не была в отпуске много лет.

— В отпуске? О чем ты говоришь?

— Тебе надо поехать в санаторий.

Она хмыкнула:

— «Отпуск»... «Санаторий». Ты никуда не уехал из своего Киева, никуда.

Он улыбнулся, как ребенок, и сказал:

— Я недавно вспомнил, как в детстве ты удивлялась, что я не умею читать твои мысли. Ты думала, что зеркальность как-то связана...

— Я действительно очень устала, знаешь, — перебила она его.— У меня часто болит голова. Но не это главное.

Помедлила, подняла на него глаза:

— Главное не это. Зеркала мутнеют, Элиэзер... Окисная пленка, что ли... — Она хмыкнула, хотела что-то добавить, но оборвала себя. Задумчиво повторила: — Старые зеркала, нечем заменить...

Он принес чайник, налил из заварочного, гжельского, добавил кипятку, нарезал и смахнул в ее чашку с ножа тонкий полусрез лимона.

— Элиэзер... — сказала она вдруг. — Для чего — я?

И он в ответ не улыбнулся, как обычно. У него сжалось сердце.

— Наверное, для того, — проговорил он, помедлив, — чтоб показать, какими люди могут быть.

— Какими, собственно? — Она поморщилась. — Ведь я — чудовище. Я в гроб вогнала своих родителей — невинных людей, которые подобрали меня, спасли мне жизнь и беззащитно любили. Я Машуту свела с ума, а отец, человек необозримой доброты и любви, просто угас после ее смерти, не в силах без нее жить. Я же бросила его одного — доживать. Главное, мол, чтобы Христина стирала ему подштанники и каши варила. Ну, деньги я им посылала. Вот уж чего никогда мне не было жалко — бумажек, денежной трухи... Зеркала — вот что меня волновало. Вот моя суть... Ни капли радости не принесла никому. Одно только горе. Меня, знаешь, боятся уже. Ведьмой считают. В лицо это еще не говорят, но многие думают, что мое участие в деле — плохая примета. Вот и Филипп Готье колеблется — иметь со мной дело или не стоит.

Она подняла голову, мягко улыбнулась ему:

— Скажи, Элиэзер: неужели я околачивалась здесь только для того, чтобы отработать несколько цирковых трюков и придумать несколько зеркальных обманок? И это всё? Такой салют из всех орудий — во славу абсолютного пшика?..

— Ну что ты говоришь! — наконец перебил он ее, негодуя. — Ты не права, нет! Не имеешь права судить! И ты ни в чем не вольна! — Он поднялся — толстый, нелепый, с дрожащими руками, которыми размахивал в этой маленькой комнате так неосторожно, что удивительно было, как не собьет он лампы со стола или не смахнет фотографии брата со стены. — А вдруг ты сама, просто ты, какая есть, — надежда на будущую жизнь? Может, ты — такой привет Создателя, его улыбка, солнечный зайчик, который Он, как ребенок, пускает на землю — играет каким-то своим небесным зеркальцем, пытается обратить на себя внимание людей?

Она невесело засмеялась, что ужасно его разозлило.

— И ты все врешь на себя, что ты все врешь! — крикнул он. — Ты прекрасна! Ты честный прямой человек, ты просто никогда не лгала, вот и все. Вот и вся твоя беда!

— Я лгала, — возразила она. — Сегодня я похвалила эту жуткую утку из ресторана.

— Вот видишь... — сказал он устало. — Ты даже в такой чепухе не можешь заткнуться.

Они замолчали. Сидели в полутьме, слушая замирающие звуки в коридоре.

— Знаешь, — сказал он, — только тебе я могу сказать: после смерти Абрама мне стало гораздо легче. Это кощунственно?

— Нет.

— Ты — единственный человек, которому я решился это сказать.

— Потому что я цинична и холодна, как болотная трясина, — усмехнулась она, — и проглочу любое признание?

— Нет! Потому что ты спокойна и глубока — океанская впадина. В тебе утонет все, любое мое признание, — сказал он. — Да, исчезла пара глаз, которая всю жизнь взыскательно наблюдала за мной... Всю жизнь я прожил под прицельным взглядом своего отражения. Тот, кто думает, что близнецам легко, тот ничего не понимает. А сейчас я говорю ему — спи спокойно, Бума, — и беру еще одну конфету.

— Все же не перебарщивай, — заметила она.

Он вдруг всхлипнул и торопливо отер ладонью глаза.

— Кроме Абрама, я был привязан только к одному человеку на свете, — сказал он. — К тебе.

— Я знаю.

— Я даже плакал, когда он меня увозил.

— Ну, успокойся. Это все позади.

— Никогда не мог понять — зачем тебе понадобился тот мальчик, твой муж...

— Оставь. И то позади.

— ...не говоря уже о никчемных отношениях с этим пожилым музыкантом, без дома, без будущего, без...

Она молчала.

— Нет, — спохватился Элиэзер, — конечно, он талантливый человек! Тот диск с концертами Вивальди, что ты привезла в прошлый раз, я просто затер: такое счастье слушать голос его фагота! Вообще это инструмент такой, будто тебе вслед договаривают что-то, прощаясь, и прощаясь, и прощаясь... Бесконечное прощание...

Она все молчала, прикрыв глаза.

— Но все же я хотел сказать, что ты еще молода, полна творческих сил, и такая разница в возрасте отнюдь не... Тебе надо о будущем думать, Нюта!

— Мне уже не надо о нем думать, — оборвала она таким тоном, что Элиэзер умолк.

Утром они позавтракали, как обычно, посидели над расчетами, которые она готовила для Филиппа. И она — как потом будет вспоминать Элиэзер в разговоре со следователем Интерпола — осталась довольна его похвалой. Записала кое-какие мелкие замечания. Вообще была абсолютно спокойна и будничны.

Словно вчерашнего разговора вовсе не было.

После двенадцати какой-то юный афро-американец, обалдуй со спущенными ниже задницы широченными джинсами, пригнал заказанный Анной спортбайк. Элиэзер еще заставил ее «на дорожку» выпить чаю с куском «Киевского» торта, купленного в «русском» магазине.

— Это разве «Киевский»! — сказал он. — Помнишь настоящий «Киевский»? Его выпекали на фабрике Карла Маркса, в таких старинных закопченных печах, им было лет по двести. И когда проходила реорганизация и ремонт фабрики, директор, умный человек, дал заменить все, кроме этих печей. Догадался, что секрет вкуса настоящего «Киевского» именно в них...

Наконец, вышли на улицу. Расцеловались на ступеньках. Она не позволяла ему спускаться, чтобы не путался под колесами в последние минуты, когда она осматривает шины, проверяет, не капает ли масло.

Элиэзер ненавидел миг, когда она надевала свой мотоциклетный шлем и эти огромные пухлые перчатки, мгновенно превращаясь в инопланетянку, удаляясь от него еще до той минуты, когда мотоцикл фыркнет, рявкнет, захлебнется лаем... и ни слова уже не будет слышно. Не слышно ни слова...

Она же думала только о том, что сейчас, как обычно, он спросит...

И он, как обычно, спросил, моляще на нее глядя:

— Нюта, мой ангел... Мы еще увидимся?

Она занесла ногу, села на байк, убрала подножку. Обернулась.

— Нет! — сказала она.

Завела двигатель, тронулась с места, но, совершив медленный круг по двору, вернулась к нему, стоявшему на ступеньках одинокой рыхлой горой.

— Что-то с ногами, Элиэзер! — крикнула сквозь рокот мотоцикла. — Ноги береги!

Он стоял и смотрел, как удаляется ее тонкая, бесконечно дорогая ему фигурка по Голби-бульвар в сторону Восемьдесят шестой улицы. На пересечении с Меридиан Анна заложила мотоцикл в поворот, словно ткнулась в невидимое препятствие, пропорола его и исчезла.

* * *

В лобби административного корпуса «Цирка Дю Солей» стоял у стойки и говорил по телефону Рене Бурдье. Увидев Анну, запнулся на мгновение и поднял руку, приветствуя и одновременно пытаясь ее задержать. Она приостановилась, ожидая, когда он закончит разговор. Не повернула головы в ту сторону, где в глубине вестибюля меж двумя кадками с пальмами на высокой треноге выставили портрет в траурной рамке.

Интересно, Рене здесь один или с Софи?

Этой паре танцоров было уже за шестьдесят. Когда-то в молодости они выступали в знаменитых дансингах Европы. Оба подтянутые, лощеные, гибкие... При взгляде на смуглую, всегда покрытую медным загаром Софи Анна почему-то вспоминала виолончель — ту, что стояла в темном закутке коммуналки, привалясь к стене лакированным бедром.

Обоих танцоров, давно расставшихся, какой-то умник из кастинга разыскал по старым афишам. Их пригласили участвовать в эротическом шоу, где, по замыслу режиссера и хореографа, должны были быть прославлены все возрасты любви. И эта престарелая пара включилась в работу с таким остатним жаром, что даже, кажется, возобновила свой давний роман.

Рене был дружелюбен, в свободный вечерок предпочитал выпить в компании, и тогда становился немного утомительным. Вроде бы в юности дружил с Эдит Пиаф, в те годы уже угасавшей, и всегда старался намекнуть, что был весьма, весьма с нею близок. Ну что ж, почему бы и нет? У него до сих пор великолепное тело. Лицо все в мелких морщинках, но такая молодая стать. И у него, и у Софи внутри чувствовался тугой завод, как у заведенной до упора шкатулки, из которой бесконечной лентой изливается какой-нибудь *ах мой милый Августин* или та же *Лили Марлен*.

Анна любила смотреть их номер, который они работали обнаженными: плавное сильное переплетение рук, бедер и спин — всегда в эти минуты думала о себе и о Сене.

Наконец Рене опустил трубку и повернулся к Анне.

— Ты уже знаешь? — спросил он, махнув рукой в сторону треноги с портретом, внимательно вглядываясь в ее лицо. Вероятно, решил все немедленно выяснить на правах приятеля. Сейчас все станут вглядываться в ее лицо и искать в нем для себя мрачных предзнаменований. А многие благоразумно предпочтут на всякий случай держаться подальше.

— О чем ты? — спросила она как можно спокойней.

— А ты в газетах не читала?

— Я не читаю газет, Рене.

— Как можно в наше время не читать газет!

— Если ты хочешь мне их пересказать, начинай, а то я тороплюсь.

Он еще тревожней вгляделся в ее непроницаемое лицо. Вот и девочки на «ресепшн» жадно прислушиваются к разговору.

И эти тоже...

— Ты что, серьезно?! — воскликнул Рене. — Элен погибла, эта новая русская гимнастка. Запуталась в лонже. Задохнулась в петле!

— О! — Анна подняла брови, одновременно вспомнив, как это делала покойная. — Это ужасно. Бедняга... А что ты уставился на меня, Рене, как на пророка Илию?

Он на мгновение смутился, даже глаза отвел, но упрямо проговорил:

— Все уже знают, Энн, что ты предсказала эту смерть.

— Вот те на! Так говорит Заратустра?

— Женевьева уверяет, что ты знала. Правда, она совсем обезумела, и вообще говорит о тебе ужасные вещи... Но она всеми святыми клянется, будто ты знала, что Элен погибнет. И если это так... не кажется ли тебе, Энн, что правильно было бы предупредить девушку?

— Не кажется ли тебе, Рене, — сказала она, — что я сейчас пошлю тебя к черту?

Спустилась в лобби секретарша Филиппа.

— Госпожа Нестеренко? Господин Готье вас примет.

И эта смотрит во все глаза. Мыслишки жалкие, обрывистые, писклявые... Хотела бы спросить, позвонит ли ей после грандиозной ссоры ее Уильям, но боится до ужаса. Да: девчонка меня попросту боится.

Вот и все, думала она, поднимаясь за секретаршей. Странно: зачем тебе последняя сцена, которую сейчас проиграет этот лис? Что это — идиотская обязательность? Бессмысленное стремление довершить начатое? Или душевная лень, с какой досматривают бездарный сериал, потому что неохота протянуть руку и выключить видик?

Секретарша подняла трубку на своем столе: господин Готье, госпожа Нестеренко уже здесь... о'кей... о'кей — и к Анне, явно заискивая, опасливо:

— Прошу вас, входите.

В дверях она столкнулась с Филиппом, который поднялся ее встретить. Чуть не пала ему на грудь во внезапно отворенной двери.

— Энн, рад тебя видеть! Садись, дорогая... Принести что-нибудь выпить? Бутерброды? Кофе? Ну, как знаешь... Что нового, как съездила в Европу?

И так далее, и тому подобное...

Минут пять они говорили о положении маленьких передвижек-шапито в Европе. Филипп сидел с заинтересованным лицом, носком туфли, как обычно, проигрывая какой-то мотивчик. Нет, он не был доморощенным хитрецом. Он был корифеем интриги, а иначе не достиг бы своего положения. Самое интересное, что Анна ему нравится. И ее идея нравится ему больше, чем другие. Но Филипп никогда не руководствуется первым душевным позывом — да у него их и не бывает. Он не может позволить себе подобной роскоши. Филипп выстраивает масштабную карту сражения, учитывает малейшие особенности местности, рассчитывает правильную розу ветров, — и всегда выигрывает!

Если бы ты знал, подумала она, как легко мне за три минуты превратить тебя в абсолютного единомышленника, в пылкого соратника, такого, что еще подгонять меня станет с нетерпением: скорей, скорей, когда же за работу!

Год. Целый год она потратила на сохранение отношений. На то, чтобы они по-прежнему уважали друг друга. И ведь ясно, что его предупредительность — на самом деле трусливая увертюра к отказу. Почему же он крутится, как карась на сковороде? Сказал бы все, как есть. Дело житейское... О-о-о... Да ведь и этот ее опасается!

— Я встречался на днях с Дэвидом и Марком, Энн, обсуждали наши планы... С удовольствием пригласили бы и тебя, но ты была в Европе. Не буду скрывать, твое предложение весьма интересно. Весьма серьезно и интересно! Хотя и дорого. Но дело не в дороговизне. Сейчас надо понять, насколько оно укладывается в общую концепцию спектакля. Ребята не уверены, стоит ли превращать шоу в огромный иллюзион.

— Это не иллюзион, — возразила она. — Не в чистом виде иллюзион, мы уже это обсуждали. Смешение жанров — разве это не один из ваших принципов?

Она вдруг страшно устала. Как бывало в последние месяцы, оборвала разговор, уверенная, что галантно завершила беседу и распрощалась, и даже вышла... но обнаруживала себя в том же кресле, бессловесную и обессиленную... Грань между словами внутри и словами произнесенными стиралась... До пленки истончились *зеркала*.

Она сидела, рассматривая большие цветные постеры спектаклей на стенах, ни словом не отвечая обеспокоенному ее молчанием Филиппу.

— Пойми, это еще далеко не отказ, — услышала она. — Просто мы должны просчитать затраты, все взвесить... Дай же нам время!

Анна поднялась и пошла к дверям.

— Энн! — позвал он. Она обернулась.

Он щурился в нервной улыбке, расправлял бородку двумя пальцами, как расправляет юбку прилежная ученица. Да, ведь разговор надо закончить дружественно, оптимистично... Нет, это другое. Он колеблется... драные мысли, драные, как старые носки... Удивительно: такой умудренный стратег многоуровневых интриг — и так невнятен в мыслях.

— Здесь ходят разные сплетни... насчет того, что эта наша гимнастка, несчастная русская... ты знаешь?

— Я слышала, — бросила она, взглядом прочно усадив его в кресло. Еще не хватало, чтобы он руки ей жал напоследок.

Филипп беспокойно двинулся, поерзал... и остался сидеть.

— Извини... я все же хотел бы понять... — растерянно протянул он. — Честно говоря... все у нас ошеломлены. И я даже не представляю, как теперь отнесутся к тебе артисты, если мы все же решим в пользу твоего оформления... Ты не хочешь как-то объясниться?

— Хочу, — сказала она. И *объяснилась*: длинной, аккуратно переведенной на французский фразой, оценить и одобрить которую могли только ее пьяные цирковые собратья да шоферюги с молокозавода на незабвенной улице Жилянской.

И ей полегчало.

После чего она вышла навсегда, вежливо притворив за собою дверь.

* * *

Поднявшись к квартире Женевьевы, она помедлила и вдруг села на последнюю ступень, пережидая колотьбу в сердце.

Это судорожное трепыхание в ребрах стало возникать недавно, было безболезненным и даже щекотным: будто птенец пытается взлететь, трепеща неоперенными крыльями. Длилось минут пять, не больше, оставляло после себя томительную слабость и погашенные зеркала.

Рывком распахнулась дверь. На пороге стояла Женевьева. Вид довольно истерзанный — драные джинсовые шорты с бахромой и красная майка, чем-то залитая на груди.

— Я видела тебя из окна! — отрывисто бросила она. — Зачем явилась?

Анна поднялась со ступеньки. Видно было, что Женевьева пьяна уже несколько дней — и не только пьяна. Из отворенной двери несло смолистым запахом.

— Зачем ты пришла?! — заорала она. Хриплое эхо прокатилось в подъезде, пересчитав этажи.

Анна мягко втолкнула ее в квартиру и вошла следом.

— Нам нужно объясниться, Женевьев.

Ее голос услышал Говард. Из клетки, накрытой синим платком, раздался дребезжащий вопль:

— Анна! У-ужас! У-ужас!

Видимо, Женевьева накрыла его, чтобы не мешал, и бог знает сколько несчастная птица сидит взаперти и во тьме, питаясь только запахом отравы. Такой необычный запах. Гашиш? Непохоже... гашиш, марихуана расслабляют. А Женевьева сейчас похожа на фурию.

Анна сдернула платок, открыла клетку, сыпанула в плошку семечек из кулька. Бедный всклокоченный горбун сразу выбежал и уселся ей на плечо, второпях что-то приговаривая, жалуясь и покусывая любимице мочку.

— Оставь его! — крикнула Женевьева. — Не сметь! Оставь птицу, ведьма! Ведьма!

— Успокойся. — Анна пересадила попугая на крышу клетки, по которой он принялся бегать, неуклюже переваливаясь.

Она опустилась в кресло. Ах вот оно что: на полу, на столе валяются пустые облатки от таблеток: спиды? кокаин? Да она просто с ума сошла: мешать траву со всякой дрянью!

— Ну что ты стоишь? — спросила Анна. — Женевьев, сядь, ради бога, не ори и не бросайся. Я должна тебе что-то сказать. Ты способна меня слушать?

— Я знаю, кто ты! — выпалила малышка. Она тяжело дышала, пот стыл на лбу застарелой сальной испариной. — И я тебя не боюсь!

— Ну вот и отлично. Сядь.

Та продолжала стоять в дверях, начеку, равно готовая броситься наутек и напасть. На лбу вздулись вены, глаза в сети прожилок. Несчастная Женевьева...

Несчастная Женевьева, которая проживет, к сожалению, долгую, долгую одинокую жизнь, частенько вспоминая вот эти минуты...

— Я знаю, кто ты! — повторила она. — Нам бабушка в детстве рассказывала про таких, как ты. Они сначала змеей вползают в душу, потом наносят удар! Черная злобная ведьма, ты насылаешь смерть! От тебя исходит зло! Только зло! А я не знала, жалкая идиотка... Столько лет...

Говард беспокойно перебирал лапами прутья, распахивал крылья, разевал клюв, бормотал свое «берегите-попугая-ужас-анна-ужас», клокотал, нервничал, не понимая, что происходит между двумя этими женщинами, которых он так любил.

— Заткнись! — крикнула ему Женевьева, не отводя взгляда от Анны, словно боялась упустить малейшее ее движение.

— Послушай, — проговорила Анна. — Мы ведь уже обсуждали это однажды, много лет назад. Я тебе рассказывала про случай в училище... Пойми, я просто зеркало. Просто зеркало. Иногда мне что-то показывают, но мне не позволено ничего исправить, я только отражаю... Мы вообще ничего не можем изменить, Женевьев. Просто все читают эту книгу по складам, по слову, по строчке, запинаясь на каждой букве. А я знаю все содержание. Но не могу заставить автора переписать страницу.

— Нет... нет... — забормотала Женевьева... — Ты заговариваешь меня, ведьма! Я все поняла когда уже было поздно, когда погибла моя любимая! Я хо-чу по-дох-нуть!

От ее крика у Анны в груди опять затрепыхал крылышками птенец. Она непроизвольно сморщилась, и это привело Женевьеву в особенную ярость.

— Это ты, ты послала ее на смерть! Равнодушная, злобная, завистливая змея, холодная, как камень! Бесчувственная тварь! Колдунья!

Да, подумала Анна, судя по всему, она заперта здесь уже несколько дней и напичкана всякой дрянью. Уж очень агрессивна.

— Дай руки, — сказала Анна, потянувшись к Женевьеве. — Тебе станет легче. Поди сюда! Я приведу тебя в чувство.

Та захохотала, отпрянула еще дальше.

— Думаешь, я совсем беззащитная дурочка?! Ты вертела мною столько лет! Столько лет была для меня светом в окошке... Как я ждала твоих приездов! Как лежала тут одна, подушку грызла под грохот твоего отъезжавшего мотоцикла, твои жесты перебирала, каждое твое слово! Все надеялась... столько лет! И вот, когда я освободилась от тебя, сбросила тебя, как ветошь, ты не простила, нет! Не простила. Ты и теперь уверена, что всесильна, правда?! Но я тебя не боюсь, не боюсь! Если ты такая всевидящая, ведьма Моргана, скажи, что я сейчас собираюсь сделать?! Ну, скажи?! Увидь в своих зер-ка-лах! Не можешь?! Не мо-о-ожешь...

— Ну почему же, — с усталой жалостью проговорила Анна. *Шершавая скука* опять навалилась и ворочала, ворочала ее, подминала. — Ты собираешься меня убить.

Женевьева мотнула головой, будто ее ударили по щеке, привалилась к стене. В тишине слышно было только бормотание Говарда и прерывистое дурманное дыхание Женевьевы. Мелкими шажками она семенила вдоль стены, заходя Анне за спину...

Та сидела, не оборачиваясь; затылком, плечами, шеей чувствуя каждое движение Женевьевы... Надо оборвать это наркотическое безумие, подняться, оставить навсегда и этот дом...

Но пульс ее уже замедлялся, температура стремительно падала, тело погружалось в вязкую ледяную глину. Первыми, как обычно, холодели и отвердевали ноги.

Женевьева прыгнула ей на спину. Навалилась, сомкнув руки на шее.

Анна не дернулась, не шевельнулась... Так и осталась неподвижной, только шея под руками рычащей, стонущей Женевьевы все больше остывала... коченела...

Говард заметался по прутьям в страшном смятении. В звуковой перебор его старческого клекота и скрипучих воплей добавился женский плач, стоны, заливистая телефонная трель... И когда Анна в кресле застыла и окаменела, когда воцарилась глухая известковая тишина, в которой несчастным щенком скулила Женевьева, Говард взлетел и клювом ударил хозяйку в затылок.

Та словно и не почувствовала; сомкнув на горле у Анны ватные руки, пыталась давить сильнее, сильнее, но, как в страшном тягучем сне, эта окаменелая шея не поддавалась. Говард налетал и бил Женевьеву в голову, в лицо... По лбу у нее поползло что-то горячее, заливая глаза, капая красным на рыжую макушку Анны... И расцепить свои клешни Женевьева уже не могла. Лишь когда обезумевший Говард стал долбить ее руки — они разжались.

Она сползла на пол, за спинку кресла, свернулась, окровавленными руками защищая лицо. И долго лежала неподвижно, тихо скуля... Ей чудилось, что она — ось карусели, и кто-то забавляется, разгоняя вокруг нее комнату все быстрее, быстрее. Даже с закрытыми глазами она словно бы видела кресло, в котором сидит... Но кто в нем сидит?

В конце концов, движение карусели замедлилось, и вся комната с креслом, в котором *кто-то сидел*, остановилась. Женевьева открыла глаза, пытаясь проморгаться от крови.

Одиноким утесом посреди вселенной стояло кресло. Очень важно было вспомнить — *кто в нем сидит*.

Сильная тошнота разлилась по всему телу Женевьевы. Даже ноги и руки тряслись от тошноты. И откуда эта кромешная тишина? Где Говард? И день ли сейчас, ночь, сумерки? Сколько она так лежит в натекшей откуда-то луже?..

Она с трудом поднялась на карачки... замерла... Схватилась руками за высокую спинку кресла и с третьей попытки встала. И тогда взгляд ее уперся в неподвижный затылок Анны. Балансируя обеими руками, Женевьева на цыпочках обошла кресло.

Перед нею, чуть привалясь к спинке, сидела абсолютно мертвая прямая Анна.

При виде этого лица с открытыми застывшими глазами, Женевьеву ударило разрядом ужаса. Она попятилась, закричала.

— Анна! Анна! — слабо, надрывно кричала она, икая. По дрожащим ногам заструилась моча. — А-а-а-ан-н-а-а-а!!!

Кошмарный сон стремительно отвердевал, становился неотменимой реальностью. Только сейчас она поняла, что случилось. Ее многодневные ужас и боль, и бредовая ненависть, и вздорные фантазии обернулись по-настоящему застылыми глазами мертвой Анны. К воплям Женевьевы присоединился вконец обезумевший Говард, перебирая весь доступный ему диапазон голосов и звуков.

Она попятилась, споткнулась об Аннин рюкзак, упала, опять вскочила...

Ее вырвало на ковер. И пятясь, не в силах оторвать взгляд от этого заледенелого лица, она достигла прихожей, ударилась спиной о дверь и вывалилась из квартиры...

И тогда Говард успокоился.

В полной тишине он слетел на плечо к мертвой, клюв раскрыл, склонил голову, внимательно рассматривая мочку уха, словно примериваясь — как бы ущипнуть ее поизысканней...

— Анна... — проворковал он. — Анна-мальчик! Дай поцелую!

* * *

Волосы еще были влажными. Их она, превозмогая слабость, вымыла прямо под краном в туалете той греческой кофейни, куда заехала, не вполне отдавая себе отчет — зачем.

Просто с улицы через окно заметила уютный угол из двух скамей, накрытых ткаными ковриками, и клетку под потолком. В ней сидела какая-то желтая птичка и упорно твердила лишь одно, зато звонкое и задорное коленце. Главное же, тут было тихо и пусто. Ни души.

Официантка принесла на подносе рюмку с коньяком, чашку кофе, расставила все перед Анной и вдруг сказала, испуганно глядя на ее макушку:

— У вас на голове рана? Вы что, не чувствуете? Здесь кровь!

— О, благодарю вас! — Анна прикрыла голову ладонью, отняла руку, посмотрела. — Да, я... ушиблась.

— Принести что-нибудь дезинфицирующее?

— Нет, спасибо... Если можно, полотенце...

И, вымыв голову, долго отдыхала в уголке, под фотографией кудрявой босоногой девочки, сидящей на ступенях греческого храма. Девочка была очень похожа на маленькую Аришу. Кажется, даже косила.

У входа в кофейню торчало на столбе круглое зеркало, усталое уличное зеркало, проглотившее на своем веку такое количество автомобилей и пешеходов, что у иного случилось бы жестокое несварение.

Честно говоря, Анна не помнила, как попала на эту узкую покатую улочку в Утремоне. Говард, умница, дружище славный — без его участливого пощипывания и длинных телефонных трелей так скоро ей бы не *вернуться*... И хорошо, что за вождение любого транспорта у нее отвечает не мозг, а явно что-то другое, — сейчас она плохо понимала, как у нее хватило сил сползти с пятого этажа и сесть на мотоцикл.

В трехэтажном кирпичном доме напротив (две сбегающие полукругом витые лесенки словно уперли руки в бока) располагалась мастерская-рамочная. Ее владелец, изрядный затейник, придумал забавный ход: квадраты и квадратики, трапеции и прямоугольники обрамленных зеркал он развесил во множестве и в совершенном беспорядке в витрине и на стенах мастерской в глубине.

В каждом из таких осколков отражался фрагмент улицы: угол здания с фонарем, турникет с остановкой, витрина магазина дамского белья с двумя разъятыми манекенами и одной самостоятельной перевернутой ногой, крепко стоящей на культе и тянущей вверх синеносочную ступню (помнишь, мол, похороны геройского протеза на пустыре, в детстве? А я тут вот живу интересной светской жизнью).

В самом крупном остроугольном фрагменте отражались вывеска над дверью китайского ресторана и окно той кофейни, где сидела Анна. Вернее, в зеркало попали только вензель металлической спинки пустого кресла напротив и руки с чашкой кофе. Беспорядочные осколки этого мира — порушенного, развинченного на части, сваленного в гигантскую кучу.

Ее охватило нестерпимое желание выкарабкаться, вырваться, вылететь из этой никчемной кучи.

Она подозвала официантку, рассчиталась, поднялась и вышла.

Надо было где-то перекантоваться. Самолет на Франкфурт вылетал только утром, и хотя мысль о самолете в последнее время стала невыносимой — как собственно, мысль о чем бы то ни было, — Анна все же надеялась, что во Франкфурте отлежится дня три в своей — *не своей* — мансарде. А там — одно к одному — уже и октябрь недалеко, недалеко октябрь с таким невиданно ранним снегопадом, за которым все равно ничего не видать.

Тут она вспомнила, что минут через десять начинается ежевечерний салют с острова Сан-Элен. Фестиваль небесных огней, необходимый фон для ее будущего шоу в казино «Де Монреаль».

Вот и посмотрим еще разок на эту забаву, сказала она себе, усмехнувшись.

Во влажной синей тьме доехала до старого порта: глухие бетонные цилиндры элеваторов, подъемные краны, похожие на гигантскую саранчу.

И едва добралась до многоэтажной стоянки, где собиралась оставить мотоцикл, над головой грохотнуло, ухнуло, пыхнуло небо золотыми брызгами, и вдруг все разом закрутилось на огромном полигоне черных небес.

Анна остановилась.

С детства она любила взмывающие огни. По праздникам они с отцом всегда ездили смотреть салют на Владимирскую горку, рядом с памятником Святому Владимиру — оттуда весь город открывался. Берег левый, берег правый вспыхивали гигантской медальной панорамой в зареве салютных огней. Но и любая одинокая ракета, и одинокая падучая звезда приводили ее в восторг, заставляя прослеживать весь зачарованный путь до угасания, до невидимых кругов на небесной черной воде...

Однако салюты ее детства не могли сравниться со здешней грандиозной вакханалией фестиваля.

В бешеном темпе из-за деревьев и домов вырастали и опадали букеты вертящихся огненных смерчей; взрывались пунцовые, ярко-зеленые, желтые шары; их покрывал фиолетовый дождь мелких бусин, что сползали по черному зеркалу вниз, а на них уже накатывались голубые волны, вылетали одинокие белые и синие цветы, поверх которых плавно и стремительно в жуткой тишине вырастала исполинская зеленая пальма и, качаясь, валилась на город и рассыпалась в заливе...

Утробно ворча последними шкварками, стелился на горизонте низкий лес белых огоньков. На мгновение воцарялась кипящая ожиданием тишь — и вдруг шибало сотней снопов золотого огня, и снова, и снова небо ахало, корчилось взрывами искусных персидских узоров, что разрастались, распирали купол неба, расшивая все новыми лилово-лазоревыми цветами вселенское полотно. А где-то на острове Сан-Элен, целая команда классных пиротехников готовила все для нового круга безумной огненной пляски.

Оттуда, где стояла Анна, открывалась дуга залива Святого Лаврентия и повисшая над ним, сверкающая огоньками рыбачья сеть моста Картье. Призрачный корабль казино «Де Монреаль» на острове Нотр-Дам плыл, сотканный из множества светляков. Гигантская прозрачная сфера американского павильона ЭКСПО-67 застыла неподалеку от чертова колеса...

И в мощных всполохах салюта пульсировало выпуклое черное зеркало залива, смыкаясь с черным зеркалом ночного неба.

Анна стояла, закинув голову, вдыхая протяжный — со стороны воды — запах водорослей, зажмуриваясь при особо мощных ударах салюта, негромко ахая: «Ай, браво!.. — и снова, изумляясь лиловому серебру взлетающих птиц, поддаваясь щемящему накату восторга в груди: — Ай, браво! Ай, браво!»

Вдруг почудилось: железная хватка ее неумолимого стража ослабла; показалось, что ее оставили... позволили... отпустили на волю! Обмерев от надежды, она качнулась, будто пробуя границы свободы для затекшего от оков освобожденного сердца, не смея верить — может ли быть... и с колотящимся сердцем: может ли быть, что... кончено, вышел срок, все отменено? — и жестокий приговор, и снежная буря, и тягостный морок бездомности... что вот еще мгновение — и в брызгах огней ей выпадет вольная, прямо в руки, под гремящий расписными соловьями сад золотой... под замшевый голос влюбленного Сениного фагота!

— Ты только подумай, и сюда добрались! Я прямо обалдел. Где я нахожусь, думаю, в Монреале или в Сочи на набережной?.. Главное, я же точно видел, под каким наперстком этот проклятый шарик, ну точно видел!

— Дурында, на этой уверенности у них все и построено. Вот таких лохов, как ты, сам бог велел разводить... Но какая ловкость рук у этого рыжего, а? Видал?

 Прямо хоть отбивай его у полиции и приглашай в нашу фирму заведовать сбытом!

Кто-то захохотал и сказал:

— Сбытом воздуха!

Тут Анне послышалось, что ее позвали. По-русски позвали.

Поодаль, возле машины, в желтом мертвенном свете гаражной лампы стоял толстяк-альбинос в жеваной тирольской шляпе. Он явно был навеселе, топтался вокруг автомобиля, безуспешно пытаясь открыть багажник, и комическими жестами просил Анну пособить... навалиться, дружно-весело!

Анна попятилась... задохнулась; все поняла! *Не надейся, не отвалится!..* Вот тебе вольная. И никакой другой быть не может.

Ну, что ж, сказала она себе.

Села на мотоцикл, вывела его со стоянки и, разогнав до предельной скорости (Христина заорала благим матом: «Нюта, нэ ходь туды!!! Нэ ходь туды-и-и-и!!!»), на середине моста Картье вздернула на дыбы и, вылетев поверх ограды, понеслась по зеркальному коридору между черным, сверкающим огнями заливом Святого Лаврентия и черным заливом золотого салютного неба...

24

— ...А который час? Ого! Неплохо же мы сидим с вами, Роберт... Я и не заметил, как стемнело. Пожалуй, закругляться пора... Вон, уже молодежь подваливает. От их музыки у меня голова раскалывается. Заговорил я вас сегодня, а? Вижу, что заговорил. У вас какое-то лицо... замороченное.

Постойте, а куда ж я сумку-то свою дел? В смысле, пакет такой небольшой, с эмблемой кондитерской этой, ну, что на Сан-Дени... А, вот! Я ж его, как вошел, на вешалку повесил. Так бы и забыл. Хотел кое-что передать вам, чего вы раньше не видели. Не могли видеть.

В тот раз мне казалось, что следствию это ничего не даст. Да и внутри у меня все противилось — чтобы кто-нибудь трогал это, читал... А сейчас думаю — пусть. Вы же меня не арестуете за сокрытие материалов, необходимых следствию, правда? Ладно. Вот. И вот.

Что вы смотрите? Письма это, можете убедиться. Сенины письма к ней — видите, какая увесистая пачка? Годами писал — у него, видать, были способности и тяга вот к этому, к писанию — в отличие от меня.

Погодите, объясню сейчас, как это ко мне попало. Да, я знаю, вы обыскивали ее мансарду. Но я там был раньше. Помните, после ее исчезновения вы разыскали меня в Берлине — я там снимался.

Так вот, тем же вечером я выехал на поезде во Франкфурт. У меня был ключ от ее мансарды, иногда я останавливался там, когда она бывала в Монреале или еще где. Мне казалось, только я, именно я смогу обнаружить... напасть на след... понять — куда она могла деться... Я как безумный был! Ну, приехал... провозился всю ночь... Ничего не нашел. А потом отпер наш старый кофер... Это такой огромный цирковой чемодан, как сундук... Он с историей, почище «Титаника». Знаете, сколько городов с нами объездил? Анна его обожала. Она ведь, когда из больницы вышла и к троцкисту Блувштейну приползла, она в кофере ночевала. Исай Борисыч уже сдавал нашу бывшую каморку одной старой деве-библиотекарше, Анну класть было совсем некуда, разве что с собой валетом. Тогда ребята перевезли ей кофер, и — она ж маленькая была, как пацан, — так и спала в нем.

И вот открыл я его, значит... а там — фотографии, костюмы... вся наша жизнь! Все, кроме нее самой. Кроме Анны... Стою я над нашей жизнью и... ладно... Ладно! Вспомнил, как она раскрывала его стояком, становилась между двух половин и руки разбрасывала: будто ангел с пурпурными крыльями слетел на землю. И вдруг мне почудилось... ну, блажь такая в башку ударила, — что если сам я лягу, свернусь... все враз о ней и узнаю — где она, куда улетела?.. И лег я, и свернулся и, знаете... завыл, как бездомный пес. Даже самому сейчас странно вспоминать. Как это называется — «состояние аффекта», а? Короче, лежал я в нашем кофере, и выл о всей прошлой... да и всей будущей жизни.

Ну, и наткнулся там на толстенную пачку писем от Сени, аккуратно перевязанную резинкой. И знаете что? Они были нераспечатаны. Битый час сидел над этой пачкой в полном ступоре: что бы это значило? Почему она их не распечатывала? И до чего додумался? Только не примите меня за идиота. Так вот, думаю, ей и не надо было их распечатывать, понимаете? Нет? Да она просто *знала*, что в письме, едва конверт в руки брала...

В общем, не захотел я, чтоб кто-то с холодным носом в них совался, чтоб открывал их — вместо нее. Ну, и просто забрал эту пачку с собой. И Сене ничего не сказал — он тогда носился, как бешеный, по всей Канаде, летал из Индианаполиса в Бостон, из Бостона в Монреаль и далее везде, где хоть какая-то надежда его манила. Ему тоже казалось, что только он... только он... Ну, а потом и его не стало.

И вот этот зеленый блокнот... Постойте, не открывайте, я доскажу. Этот зеленый блокнот оказался у его друга, скрипача знаменитого, старика Мятлицкого. Сеня тогда как раз собирался переезжать на другую квартиру и оставил у скрипача свой саквояж, когда выехал на тот проклятый концерт... А я ведь потом тоже предпринял свой, так сказать, частный розыск. И у Мятлицкого был, дочь его видел — знаете, эту известную американскую тележурналистку, она в центре каждого политического скандала оказывается. Хорошо мы со стариком посидели, душевно. Он даже всплакнул. А дочь сказала: «Папа, я впервые вижу твои слезы! Ты не плакал, когда маму хоронили».

Короче, они отдали мне на память этот Сенин блокнот. Я сунулся было туда... и отшатнулся, как ошпарили меня: все о ней! Закрыл блокнот, так он и лежит. И пусть лежит. Я потом все у вас назад-то отберу, а пока читайте. Вдруг какая ниточка протянется. Хотя сам уже не надеюсь...

 — *Месье! Ле конт, силь ву пле!*[1]

Нет-нет, зачем же, мне эта встреча была, может, нужнее, чем вам. Позвольте мне рассчитаться... Ах вот как! Ну что ж... Очень милые служебные расходы, очень милые... Тогда, господин Керлер, разрешите отвалить, как говорили у нас в цирке? Рад был...

Да нет! Ничего я не был рад! Взбаламутили вы меня! Или я вас взбаламутил... Пойду я. Пожалуй, уже пойду. Всех благ!

...Извините. Не удивляйтесь, что вернулся... Нет, я ничего не забыл. Я решился! Вот вам еще одно письмо.

Это его *последнее* письмо к ней, уже пропавшей. Оно во внутреннем кармане пиджака у него оказалось. Так он и возил его с собой, возил повсюду... Мятлицкий мне отдал. И вот это его письмо — я его, единственное, прочел. Потому, что эти слова уже и не к живой обращены, а как бы... к ангелу. Я наизусть его знаю. Могу сказать, как начинается:

«Детка, тут какой-то следователь Интерпола нашел меня на репетиции и сказал, что ты исчезла. Что это значит?..»

1 Месье! Счет, пожалуйста! *(искаж. фр.)*

25

«Дорогой Аркадий Викторович!

Мне ужасно стыдно: прошло уже месяца два после вашего отъезда, а я все собираюсь написать. Время так летит: кажется, вот только вчера вы сидели у нас и твердили мне: “Роберт! Ты лопоухий кретин! Твоя профессия — жила золотая! Интерпол! Сюжет на сюжете! Садись и пиши детектив, мы замастырим бестселлер и выпустим в две недели!” Я тогда, помню, всю ночь ворочался и думал: в самом деле — иметь в родственниках директора крупнейшего российского издательства, и ворон при этом ловить!

Признаюсь вам, я иногда полистываю вашу продукцию, все эти дамские экзерсисы на криминальные темы. Не Достоевский. Да вы и сами знаете. Всё какие-то схемы, ситуации ходульные, однообразные. Скучно! Я с первой страницы знаю, куда преступник направится и где его накроют. Поверьте, жизнь — она и в этом гораздо богаче. А человек — сложнее. Иногда такое подвернется! Уже и дело вроде закрыл, работой завален по самые уши, а все думаешь, думаешь об этих людях.

Так вот, ходил я с этой мыслью в голове: а правда, ведь у меня все карты в руках, в смысле — подлинных случаев из собственной работы. А стиль в этом жанре — дело десятое. В конце концов, есть у вас там редактора, какие-нибудь литературные зубры, если что не так — подправят. Вообще-то у меня русский язык, я считаю, совсем неплохой. Меня родители в Канаду привезли пятнадцатилетним, и я всегда любил читать, и язык сохранил. Он, конечно, в иноязычном окружении бледнеет, беднеет... но в сегодняшнем интернетном мире — не катастрофа. Не Белая гвардия, не Черный барон.

И как только я серьезно стал задумываться — в смысле, о книге, — у меня в памяти всплыло одно дело четырехлетней давности. Дело необычное.

Бесследно исчезла женщина, в своих кругах довольно известная, и полиция прислала запрос в Интерпол. Мы подключились. А началось все очень странно: в одно из отделений полиции в Монреале вбежала окровавленная особа: девица не девица, а какой-то... Буратино неясного возраста. Вбежала и рухнула на пол. Пока привели ее в чувство — видели бы вы это чучело в моче и блевотине, — пока раны обработали (странные раны, будто кто из нее мясо щипцами рвал), пока сделали все проверки и выявили уровень алкоголя и наркотика в крови у этой невменяемой особы... Короче, пока суд да дело, выяснилось вот что. Раны ей нанес любимый попугай, милая такая птичка. Но хозяйка его оказалась еще милее: заявила, что сейчас в своей квартире задушила подругу и та сидит там в кресле задушенная и “закоченевшая, как камень!”. Ну, рыдает, рвет на себе волосы и по мере протрезвления становится совсем неконтактной. Когда, спрашивают, задушила? Только что! Откуда ж она окоченевшая? Ни черта не сходится.

Копы хватают забинтованную преступницу, едут к ней на квартиру. Так и есть: никакого трупа нет в помине, хотя бардак в квартире страшенный. Попугай летает, как ястреб, и лишь завидел эту невменяемую, опять налетел — полицейские с трудом ее отбили, с трудом запихнули его в клетку. Я бы его, честно говоря, пристрелил. Клюв, как у орла.

Короче, трупа нет как нет; кровь исключительно хозяйская. Даму надо лечить от алкоголизма. Всем привет, и до следующих праздников.

Однако тем же вечером компания туристов из Германии (они приехали на ежегодный фестиваль салюта — у нас тут с середины июня и до начала августа лупят ежедневно такие петарды с острова Сан-Элен, закачаешься!) — причем, русскоязычные туристы во главе со своим местным гидом, который и сообщил в полицию, — показали, что некая мотоциклистка у них на глазах вылетела с моста Картье и... улетела. Как, то есть, улетела? А вот так, улетела. По небу. На мотоцикле?! Так точно, на мотоцикле. И по всем сравнительным показаниям эта мотоциклетная валькирия весьма напоминает наш сбежавший ранее труп. Нравится Вам такая завязка, дорогой Аркадий Викторович, дядя Аркаша — если Вы позволите — все же родной дядя родной жены...

Со всеми этими данными я приступил к расследованию. Не стану долго морочить Вам голову, да и поздно уже, а мне завтра отвозить младшую в лагерь скаутов. Водолазы ничего не нашли. Просто ничегошеньки, хоть тресни.

Между прочим, несколько лет назад тут у нас создали специальную комиссию по предотвращению попыток самоубийств, совершаемых на мосту Картье, который, кроме проезжей части, имеет велосипедную дорожку и пешеходный тротуар. Комиссия выдала рекомендации: возвести с обеих сторон моста “антисуицидные барьеры”... Так вот, там на одном участке моста шли строительно-ремонтные работы. И неподалеку от ограждения высилась насыпь, которую наша будущая героиня использовала как трамплин.

А теперь скажите мне честно, дядя Аркаша: вы верите в парапсихологию? Ну то есть во всю эту ерундистику: чтение чужих мыслей, предвидение будущего... Я вообще-то не верю. Я бы сказал, что парапсихология так относится к психологии обычной, как электрический стул — к обычному стулу. И там, где начинается парапсихология, потребность в обычной психологии и ее понимании автоматически отпадает сама собой. Вот я и крутился на допросах в кругу этих чудес, время от времени допрашивая сам себя: я-то нормальный? Или нет? Не может же быть, чтобы все эти люди, которые бог знает что мне о пропавшей рассказывали, были чокнутыми? С другой стороны, положа руку на сердце: а четыре евангелиста — они не чокнутые? Но мы же читаем, как Он шел по воде, аки посуху, и за давностью тысячелетий отлично все это кушаем... Вот и будем считать, что рождается такой современный миф... Да, но где же мальчик?! То есть девочка?! То есть, по годам вполне зрелая особа, но, знаете... не берусь я описывать свои ощущения, вот тут явно понадобились бы ваши издательские зубры. Из всех этих рассказов возникал такой странный, щемящий, одинокий образ... Одним словом, я не раз пожалел, что не знал ее. Дорого бы я дал, чтобы с нею встретиться.

Само собой, мы произвели тщательный обыск ее жилища во Франкфурте — она снимала небольшую мансарду в одном из респектабельных домов на тихой улочке, в хорошем районе. Клянусь вам: ничего более аскетичного мне видеть не приходилось. У нее совсем не было своих вещей, какие, знаете, женщины возят с собой по свету. Один лишь старый цирковой чемоданище, почти пустой, с остатками реквизита, да какие-то журналы по оптике. Были еще брошюры, от их названий крыша ехала: “Справочник по фрактальной физике”, или еще того лучше — “Руководство по тензорному анализу и визуализации искривленного пространства-времени”. Недурно для циркачки, а?

Но к делу: никто ничего не нашел, хоть убейте. Она исчезла. Если хотите — вознеслась. Это в зависимости от того, на что мы замахнемся: на детектив, на триллер или на мистический роман. Сигнализируйте о требуемом.

И вот, как только я вспомнил об этой загадочной женщине, я — для освежения памяти, ну и вообще, — пригласил на встречу одного из свидетелей, что проходили по этому давно закрытому делу.

Пришлось пойти на небольшую хитрость: я сказал, что дело взято на доследование. Иначе он бы не пришел. Ее бывший муж. Видели бы вы этого быка: бритый наголо, на лице шрамы от ожогов, мускулы — как шары чугунные. Вид, честно говоря, уголовный. Но человеком он оказался очень мягким, даже чувствительным. Раза три, пока беседовали, отворачивался, чтобы слезы от меня скрыть. По первому разу проходил как цирковой партнер, коллега, старый друг, а тут я неожиданно — озарение! — напрямую спросил его — как, мол? Какой там партнер! Уж больно убивается — до сих пор.

И просидел он со мной в кафе битых три часа, рассказывая всю свою с ней жизнь, а потом вручил целую пачку писем к ней — не своих, а ее любовника, музыканта — тот на фаготе играл. К тому же есть исписанный этим фаготистом блокнот всяких рассуждений, довольно парадоксальных.

Вот я и думаю — не запузырить ли нам, дядя Аркаша, роман на эту тему? Использовать все письма и записи — тем более что и музыкант отбыл в лучший из миров, претензии предъявлять некому. Бывшего мужа мы в расчет брать не станем.

Ну и главное — концовку надо придумать подходящую. Правильно? Какую-нибудь убойную концовку. Так что подключайте своих зубров, а я тоже пока мозгами пошевелю.

Да! Забыл добавить: в этом деле был еще один свидетель, нелепый старый толстяк, который знал ее с детства, за несколько лет вколотил в гениальную девчонку университетский курс математики и физики и затем полжизни с нею переписывался таким оборотным почерком, который даже криминалисты в прошлые века считали шифром. (На обложке будущего романа — это я уже мечтаю! — хорошо бы изобразить парочку фраз таким вот "почерком Леонардо".)

А?! Это ведь отдельная линия романа!

Но главное, когда я беседовал с ним в его аккуратной комнатке, в типовом хостеле для одинокого старичья, он на полном серьезе уверял меня, что "Нюта" — так он ее называл — перенеслась в другую, "зеркальную" вселенную. Я понял, что имею дело с сумасшедшим, и невинно поинтересовался — каким это образом? Через какую калиточку? Не через калиточку, невозмутимо ответствовал он, а зеркальным коридором, образованным зеркальной материей. И далее прочел целую лекцию, из которой я, само собой, понял немного. В двух словах — на тот случай, если мы решим добавить в повествование дурную фантастическую струю.

Давняя идея некоего Эверетта: существование множества параллельных вселенных. И, главное, такой серьезный теоретик Дойч доказал, что математика, на этой идее основанная, неожиданно приводит к известным формулам квантовой физики. Таким образом, в космологии возник мотив существования параллельных вселенных, куда ведут некие "пространственно-временные тоннели", то есть "коридоры", образованные внутри черных дыр особым видом энергии, которая эти дыры распирает. Ну, и — как частный мотив — родилось предположение о переходе не просто в "параллельную", а в "зеркальную вселенную". Потому что каждая элементарная частица имеет своего "зеркального двойника". Это я сумбурно и невнятно — то, что помню из разговора со старым чудаком.

Когда я, скрывая улыбку, уточнил, как отыскивают вход в подобный "зеркальный коридор", он столь же серьезно пояснил, что много лет они с "Нютой" обсуждали создание "меж-мерной машины, которая осуществляла бы переход между различными измерениями". Каково?! Словом, что-то в этом роде. Вы не уснули еще, дядя Аркаша?

Если же разрабатывать тему серьезно (в чем я не уверен), придется обратиться к специалистам, дабы лапши не навалять.

Однако придумать хоть какой-нибудь внятный финал придется.

В романе героиня не может исчезнуть без следа. Такое только в жизни случается. Только в жизни у этого парня, который весь ею переломан, она все летит по небу на мотоцикле! До сих пор все летит и летит... летит и летит...

P.S. Забыл сказать, что на мосту нашли ее рюкзак. Тощий такой рюкзачок, почти пустой. И это странно: обронила она его, что ли, на такой скорости? Или просто выбросила за дальнейшей ненадобностью? Но не все ли равно, с каким багажом ты навсегда уходишь в воду? Рыбья таможня пропустит все.

Поверите ли, думаю об этом, как привороженный. Может ли быть, чтоб перед этим своим полетом она просто сбросила с плеча балласт?

Черт! Самому даже странно — как меня это зацепило...»

26

«Детка, тут какой-то следователь Интерпола нашел меня на репетиции и сказал, что ты исчезла. Что это значит?

Я и его спросил — что сие значит?

Не хочу вдаваться в этот бред, потому что знаю, что такого не может быть никогда. Ты обещала мне, что будешь со мной в минуту... Словом — никогда!

Детка, послушай... Послушай, дитя мое... Пишу тебе, как обычно, во Франкфурт и прошу немедленно откликнуться. Мобильник ты опять держишь запертым на все замки. Ничего нового.

Я не то чтобы растерялся, но как-то раздражен идиотским звонком этого следователя. Впрочем, все это нас не касается.

Дело в том, что чем дальше, тем больше я думаю о Тебе. Я думаю о Тебе все время. Это не любовное письмо, детка. Это не любовное письмо...

Мысль, которая не дает мне покоя, не имеет ничего общего с вожделением.

Я пытаюсь понять, откуда у Тебя взялись силы уже в юности отказаться от всех выгод своего изумительного дара, отвернуться от того, чем десятки людей на Твоем месте распорядились бы с изрядной торговой хваткой? Кинулись бы показывать на публике ярмарочные чудеса в передвижном балагане: в конце концов, почему бы не заработать на чтении чужих мыслей, или на советах — как обойти и обжулить провидение, или просто на поисках пропавшего кошелька?

Ты похожа на дервиша из восточной притчи, которому во сне явился ангел и указал место под мостом, где зарыт сундук, полный драгоценностей. Дервиш откопал сундук, посидел над горой ослепительного сияния, пропустил через растопыренные пальцы груды золотых монет, захлопнул крышку и навеки закопал проклятое богатство.

Ты — самый сильный и самый цельный человек из всех, кого я встретил в жизни: Ты отринула навязанный Тебе дар небес с великолепной брезгливостью.

Я все время думаю о Тебе.

В детстве дед пересказывал мне истории библейских персонажей, как рассказывают истории браков, смертей, обманов и прелюбодеяний близких и дальних родственников. Тогда все эти допотопные герои толстой трепаной книги казались мне странными, примитивными и даже глупыми людьми. Сейчас я все чаще возвращаюсь к этим притчам, которые чем дальше, тем глубже проникают в меня каким-то космическим — над людскими эмоциями — смыслом.

Помню, особенно раздражала меня история Иакова, боровшегося до рассвета то ли с ангелом, то ли с Богом, то ли с самим собой. “И остался Иаков один. И боролся Некто с ним до восхода зари”. Каждое слово раздражало неточностью смысла и неопределенностью действий. А дед чуть ли не пел эти фразы, наслаждался, перекатывал во рту, как сладчайший глоток небесного нектара: “И увидел, что не может одолеть Иакова, тогда коснулся бедра его... и вывихнул бедро его. И сказал: отпусти меня, ибо взошла заря”.

Мне было непонятно, что восхищает деда в упорной борьбе с неназываемым противником? И это невнятное, неточное упоминание о пожизненной хромоте, приобретенной Иаковом в ночной схватке — ничего себе “коснулся”! И бессмыслен был исход этого идиотского поединка: “И засияло ему солнце... а он хромал на бедро свое”... А главное, раздражало совсем уж непонятное: “Ибо ангела видел я лицом к лицу, а жизнь моя спасена”.

Я непрестанно думаю о Тебе, о Твоей жизни, в которой Ты была одна, всегда одна — ибо выбрала быть одной, бороться одной до восхода зари — и никто не мог в этой яростной схватке с Невидимым встать рядом с Тобою!

Сейчас я уже уверен, что вся моя жизнь шла по кромке Твоей; я был подголоском, обычно далеким окликающим голосом фагота, что обыгрывал Твою тему. И музыка моя — это Твои уроки извлечения самого верного, самого прозрачного звука.

Это Ты научила меня не жалеть никого ради кристального звука небес, ради истины, какой Ты видела ее в своих, неведомых мне, зеркалах... Сейчас я мучительно пытаюсь разгадать, что за голос звучал в Тебе вышний, что Ты в этих окликах слышала? Кто звал Тебя, одновременно не давая проникнуть в таинственные для меня зеркальные пределы?

Твое отвращение к фальши — по-видимому, врожденное — не раз удерживало меня от многих поступков и слов, вполне людских, вполне обыденных. Но — за тысячи километров от Тебя — в последний момент меня уберегало от двусмысленной шутки, от сплетни, от вранья — что? Не знаю. Просто факт Твоего существования.

Ты была едина в двух лицах: Ты билась сама в железных клещах Невидимого и беспощадной хваткой держала того, кто был к Тебе ближе всех. Это Ты ломала бедро, и Тебе ломали бедро. И, может быть, все мы обречены на яростные нерасторжимые рукопашные с самыми родными, самыми кровными людьми?..

Помню, как в Берлинском музее я никак не мог отойти от картины Рембрандта, на которой огромный мощнокрылый ангел крепко, любовно обхватил Иакова и смотрит на него с такой нежностью! Се возлюбленный сын мой — взгляни же на меня, взгляни! А Иаков отвернулся, почему-то не желая смотреть в это светозарное лицо, исполненное такой проникновенной любви. Почему? Боялся дрогнуть? Пропасть, раствориться в потоках блаженства? Перестать быть самим собой? Так неужели его единственная душа была ему дороже бесконечной любви самого Бога?

Я не мог отойти, не мог покинуть этой картины. Лавина мыслей — о себе, о деде, о маме, о Тебе, о моем безымянно убитом отце — навалилась на меня и крутила, крутила, как тот бешеный поток, в котором мы обреченно барахтались на полу моего номера, когда впервые Ты пришла ко мне сама. Помнишь, ты объявила, что отныне мы принадлежим друг другу, и бросилась в меня, как в поток, — возможно для того, чтобы иметь хоть какое-то преимущество в этой схватке... Так вот, я говорю Тебе: Ты победила. И я уже не могу отвести взгляда от Твоего лица, где бы Ты ни была.

Сейчас я уже не знаю, отправлю ли это письмо. Мне кажется, оно адресовано мне самому. Не важно, прочтешь Ты его или нет. Я только мысленно умоляю Тебя появиться — где хочешь, как хочешь, только появиться — в Твоем свитерке и джинсах, на этом ненавистном мотоцикле.

Но даже если Ты не откликнешься, даже если я навсегда Тебя потерял, даже если остаток жизни я обречен хромать до восхода зари — мне уже не страшно: “Ибо ангела видел я лицом к лицу, а жизнь моя спасена”».

27

Два месяца он метался по Канаде в безуспешных поисках Анны: объехал все известные ему гостиницы, все знакомые придорожные мотели, заезжал в населенные пункты, поселки и городки вдоль дорог, обходил магазины, бары, кафе...

Дважды в каких-то медвежьих углах ему довольно точно описали женщину на мотоцикле, а в одной забегаловке, в городке на границе с Америкой, уверяли, что только сегодня утром именно такая женщина спросила кофе с вафлями, сидела вот здесь, у окна, курила и что-то чертила в блокноте. Потом достала из кармана такую маленькую губную гармошку и тихо наигрывала... Официантки смеялись: не то чтобы уж очень виртуозно.

После чего целые сутки без сна он мчался в указанном направлении, истошно сигналя в спины всем мотоциклистам, и ему казалось, что это она удаляется от него в туманный зев бесконечного зеркального коридора...

В Индианаполис тоже примчался.

Элиэзер, величественный и высокомерный, как старый патриций, сидел в продавленном кресле, говорил ему «молодой человек», хотя был Сениным ровесником.

Нес какую-то ахинею о Платоне, вернее, о его мифе о «половинках», — дескать, все мы на небе составляем половину какого-то целого, но перед нашим рождением это целое разделяют, и обе половинки души достаются разным телам, всю жизнь тоскуя по своей потерянной части; и эта тоска и есть любовь, но любовь телесная. Точно так же существуют «зеркальные» души, которые понимают друг друга, как самих себя, ибо они и есть «отражения» друг друга «во внутреннем зеркале души». А зеркало завораживает нас не потому, что в нем мы видим себя, а потому, что, глядя в него, сами того не зная, мы видим нашего неведомого двойника, наше мистическое alter ego. С которым, в отличие от платоновских «половинок», соединиться не можем — именно потому, что зеркальны... И это рождает тоску, которая, не плотская любовь, а некое иное чувство — «мистическая тоска по двойнику»...

...и всякую подобную чушь, слушать которую было невыносимо. Раза три Сеня порывался встать и уйти и в конце концов поднялся.

— «Незнающий, кто он, и зачем рожден, — проговорил Элиэзер медленно и бесстрастно, глядя куда-то мимо него, в стенку, — и в каком мире, и с кем он делит этот мир, и что есть добро и зло... ходит совершенно слепой и глухой»...

Сеня остановился.

— Что-что?! — сощурившись, спросил он. — Что вы сказали?

— Это сказал не я, — отозвался Элиэзер. — Это Рабби Йоси. Эпиктет «Беседы»... Не суетитесь понапрасну. Нюта не вернется.

— Почему?! — заорал Сеня, которого раздражал этот высокомерный бурдюк с салом.

Тот ответил спокойно:

— Потому что она так сказала.

— Что значит — сказала! Что это значит?! И откуда — не вернется?!

— Не кричите, — ответил старый толстый человек. — Смиритесь. Смиритесь, как я. Нюта никогда не обманывала.

В середине октября возобновлялся его контракт с Бостонским симфоническим, и дальше тянуть уже было невозможно.

Он вернулся.

Его старый «форд» тащился и тащился вдоль вытянутого серой кишкой озера Шамплейн, которое никак не кончалось. Мелькали причалы, дощатые домики, перевернутые лодки и снова причалы... И все эти мили слева билась тревожная бурая вода с такой же бурой, словно мыльной, пеной...

Он вернулся к фаготу, к которому не прикасался месяца два, и тот, недовольно ворча, покашливая и просыпаясь, сначала высказал все, что думал о заброшенности хозяев и заброшенности любви, но постепенно разогрелся, воспрянул и запел-заговорил все о том же, о своем — о протяжных прощаниях.

Пошли репетиции, интересная новая программа, концерты...

Перед выступлениями оркестранты настраивали инструменты за кулисами. В смокингах, в бабочках — бродили туда-сюда, пиликали, подкручивали колки, давали друг другу ля; и он вспоминал, как она говорила: «Будто прикурить дают».

Сеня и сам был в смокинге — худощавый, элегантный, со своим великолепным фаготом — щурил серые глаза в рассеянной улыбке...

Кроме оркестра, он возобновил отношения с духовым квинтетом Джона Кларка в городе Олбани, куда ежегодно его приглашали для двух ответственных концертов: каждой осенью там проходил какой-то мини-фестиваль камерных коллективов. Неудобство заключалось в том, что ехать надо было дня за два, требовались хотя бы две репетиции перед концертом. Все эти отлучки следовало утрясать в оркестре, и Сеня уже несколько лет утрясал. Жаль было бросать истовых и страстных провинциалов.

Вот и на сей раз он отпросился на три дня у Джейкоба Ринга, артистического директора. Тот обладал каким-то виртуозным умением отменить все невзгоды, погасить ссоры, уважить претензии и создать в оркестре настроение в общей тональности «обнимитесь, миллионы!». Впрочем, Сеня уже сам договорился о подмене с приятелем, фаготистом. Тот был только доволен: и заработок, и престиж. Так что все уладилось.

Джейкоб спросил:

— А ты что, на машине едешь?

Сеня ответил:

— Нет, на роликах.

— Я к тому, что завтра обещают какую-то неслыханно раннюю снежную бурю, серьезно.

Оба, как по команде, глянули в окно, где на фоне синего неба пунцовый канадский клен любовно приникал к тонконогому золотому барашку-ясеню, и Сеня сказал по-русски:

— Буря мглою небо кроет.

— Что?

— Ничего, — сказал он. — Синоптикам бы задницы начистить этой их снежной бурей.

Рано утром заправился горючим под завязку и выехал.

За городом деревья тоже занялись пунцовой, желтой, медной, багряной и палевой листвой. Холмы пузырились, вскипали, курчавились кустарником — пестротканый ковер, золотое руно Новой Англии...

По склонам вдоль дороги мелькали косые ломти черного сланца: карьер, распахнутый, как выпотрошенный кошелек. Он вспоминал, как однажды в Альпах на такой вот дороге она прошивала один тоннель за другим, вскрикивая: «Ай, браво!» — всякий раз, когда после тьмы их оглушало солнце. И гнал машину с необычной для него, почти Анниной скоростью — чтобы не думать. Не думать. Не думать!

...Минут через сорок погода стала киснуть. Яркую синеву беспредельной выси там и тут прогрызал небесный жучок, волоча за собою коросту темных облаков, и както панически быстро темнело. Сеня сбавил скорость, протер очки и внимательней глянул в небо. Странно, подумал он. Слишком стремительно тучи натягивает: *Allegro maestoso*...

Еще полчаса ветер наглел и стервенел, стаскивая к центру неба всю тяжесть пастозных фиолетовых, с гнойно-желтым брюхом, грозовых туч; скоро над головой уже лежала низкая крыша из асфальтовых пластов.

Так в первой части Четвертой Чайковского сначала взвихривается трагический вальс, и кружит, и гаснет — затем густыми бемолями параллельного мажора выпевает кларнет. И тогда пространным речитативом ему отвечает фагот: забудь... забудь... забудь...

Вдруг громыхнуло. Еще и еще... Мгновенно померк божий свет, как бывает только в горах под вечер. И через пять-шесть томительных, словно пощады молящих минут, грянул ливень.

Этого еще не хватало мне на Второй дороге, подумал Сеня. Она и так норовистая. А главное, осталось-то каких-то несчастных сорок пять миль!

Когда он свернул на Вторую и стал с нею петлять, то и дело сползая на обочину, чтобы переждать грандиозный обвал небесных вод, совсем стемнело. Не верилось, что сейчас десять часов утра, что лишь сегодня он размышлял, что надеть — взять легкую куртку или ну ее, достаточно одного свитера. И куртки не взял.

Дождь хлестал и хлестал, будто спятивший пожарник закостенелыми руками сжимал бесперебойный брандспойт.

В ближайшие минут двадцать Сеня все же пытался продвигаться малой скоростью по скользкой дороге, но дождь вскоре перешел в мокрый и хлесткий, а потом в крупный, грозно-праздничный снег: «Синоптики, сукины дети, не подкачали!»

Порывы штормового ветра швыряли на стекла машины снежных призраков-духов в таких припадках ярости, что Сеня все чаще благоразумно съезжал на обочину в надежде переждать. Ну сколько может продолжаться это безобразие? В октябре? Чепуха какая...

Вскоре по сторонам раздался треск: еще полные листвы деревья, не выдержав тяжести снега, падали на дорогу. Сеню чудом не прихлопнула великолепная... береза вроде бы, черт ее разберет в этой мгле. Она упала прямо перед машиной, долго еще содрогалась на земле всем трепещущим телом, и уже ее жадно пожирал белый метельный зверь. Дорога была наглухо перекрыта. Снег валил в самых причудливых направлениях, полоскал над землей белую мятежную массу. Похоже было на атакующую стаю белых гусей...

Очень стремительно, очень красиво наваливало вокруг парафиновые сугробы.

Хорошо, что бак заполнил, подумал он, включая отопление.

Через час ветер слегка угомонился, но снег продолжал валить, засыпая машину.

Раза два в своем легком свитерке Сеня выскакивал наружу — разгребать выхлопную трубу. Ледяная рвань хлестала по щекам, залепляла рот и глаза, он плевался, щурился, задыхался от ветра и вновь возвращался в машину.

Вокруг расстилалась роскошная матовая зима, чрезвычайно опасная для его вишневого фагота, для драгоценного фагота работы мастера Питера де Кёнига, *да будут благословенны руки его*.

А ведь я уже часа полтора сижу в этой расчудесной неожиданной буре, подумал он. Не потрескался бы мой парень... Сейчас, сейчас, сказал ему Сеня. Сейчас мы тебя согреем, дружище! Сейчас мы сыграем-согреем... Щелкнул замочками на футляре, открыл его, распеленал и достал инструмент.

Бархатным обволакивающим голосом — чуть в нос — проговорил его фагот начало «Рассказа Календера-царевича»: мечта и забвение...

И еще часа полтора Сеня перебирал подряд все свои партии из концертов Вивальди, из симфоний Шостаковича, Первой симфонии Малера... И то место в первой части Пятой Чайковского, где душа мечется по кругу и нет спасения...

Очевидно, из-за такой невероятно ранней бури снегоочистительные машины не были готовы к выезду. Мобильник, который Сеня забыл зарядить с утра, да еще и оставил зарядку дома, мирно усоп. Деваться было некуда. Только ждать, когда очнутся болваны в каком-нибудь дорожном управлении, или кто там ведает этим хозяйством.

Время от времени он выключал отопление, чтобы не задохнуться. Снег все валил мерным плавным ходом, покрывая машину. Сеня играл и играл весь свой репертуар, один в целом мире посреди внеурочной оглушительной зимы, посреди хрупкой фарфоровой тишины, в которой горько-медлительным, вкрадчивым, сладостным голосом искал кого-то, молил кого-то вернуться его фагот...

Сеня уже устал играть, прерывисто дышал и не помнил, сколько так сидит в ослепительной зиме, в ленивом снегопаде, окутанный долгими сокровенными выдохами своего фагота...

В очередной раз он выбрался наружу — разгрести снег вокруг выхлопной трубы. Вернулся в машину, вытирая заледеневшие руки полой свитера.

Взял фагот и мельком кинул взгляд в зеркало заднего обзора.

В левом углу, на фоне забеленного снегом окна, уютно подвернув под себя ноги, сидела Анна.

Сердце его остановилось и закачалось все быстрее, быстрее, погружаясь в пучину неистового метельного вихря.

— Ты... давно здесь? — спросил он, не оборачиваясь.

И она сказала просто:

— А я все время тут. Играй, играй... Это что было? Чайковский?

— Это Стравинский, чудище! — ласково проговорил он, задыхаясь. — Колыбельная из «Жар-Птицы».

— Ну, играй нам колыбельную.

— А гармошка с тобой? — спросил он.

— А как же.

— Тогда, дитя мое, сбацаем «Лили Марлен».

— Есть ли что круглей моих колен?

— Колен твоих, ихь либе дихь...

Она вытянула из кармана джинсов свой поцарапанный трофей, приложила к губам, напрягла их, дунула для примерки: зеленые глаза вытаращены, носогубные складки сарафаном...

«Есть ли что банальней смерти на войне
И сентиментальней встречи при луне,
Есть ли что круглей твоих колен...»

Гармошка ее сипела, кашляла, задыхалась.

Сеня блаженно засмеялся и поднес к губам фагот.

...Часа через три из ближайшего городка добрался наконец бульдозер дорожной службы.

Приметив на обочине автомобиль, рабочий спрыгнул на землю и бросился руками сгребать со стекол тяжелую мокрую кашу.

Внутри, откинув голову на спинку сиденья, с каким-то огромным саксофоном в руках непринужденно сидел человек, словно только что отнял губы от инструмента и прислушивается к замирающим звукам. И, видать, то были сладостные звуки, ибо сеть морщинок у глаз еще удерживала странную мечтательную улыбку.

Все поняв с первого взгляда, рабочий вызвал по рации полицейских. И до прибытия амбуланса и полиции сидел на ступенях своего бульдозера, выкуривая сигареты одну за другой, не в силах отвернуться от бокового зеркальца автомобиля, в котором отражались впалый висок музыканта, седая щетина скулы и серый улыбчивый глаз.

Он неотрывно смотрел ввысь, этот мертвый музыкант — как смотрят вслед любимому существу.

А там, вверху...

...там глубокими синими зеркалами распахнулись два небесных озера, чарующе медленно меняя линии берегов...

Иерусалим, 2007–2008

Горячо благодарю всех моих друзей и тех, кто стал друзьями за время работы над книгой.

Прежде всего — блистательную артистку цирка Лину Никольскую, которая вела меня по канату над бездной этого романа, не давая оступиться,

каскадера Дмитрия Шулькина,

киевлян Сергея Баумштейна, Сашу Ходорковскую, Светлану Блаус и Елену Мищенко,

«зеркальных женщин» Ларису Герштейн и Лену Котляренко,

Марину Дудиловскую,

Рафаила Нудельмана,

фаготиста Александра Файна,

Александра Крупицкого,

мою сестру скрипачку Веру Рубину,

карильонистку Елену Садину,

Евгения Терлецкого,

Жанну Прицкер,

Машу и Юлю Шухман,

Якова Шехтера,

Соню Чернякову,

попугаев — жако Шурочку и амазона Маню из семьи Лины и Николая Никольских,

а также мою семью — за бесконечное терпение.

Дина Рубина

Содержание

Литературно-художественное издание

Дина Рубина

ПОЧЕРК ЛЕОНАРДО

Ответственный редактор *Н. Холодова*
Редактор *А. Грызунова*
Художественный редактор *М. Суворова*
Компьютерная верстка *К. Москалев*

ООО «Издательство «Эксмо»
127299, Москва, ул. Клары Цеткин, д. 18/5. Тел. 411-68-86, 956-39-21.
Home page: **www.eksmo.ru** E-mail: **info@eksmo.ru**

Подписано в печать 07.03.2008. Формат 84×108 1/32.
Печать офсетная. Бумага тип. Усл. печ. л. 24,36.
Тираж 75 100 экз. (70 000 экз. СР + 5100 экз. Бол Лит)
Заказ № 3281.

Отпечатано в ОАО «Можайский полиграфический комбинат».
143200, г. Можайск, ул. Мира, 93.

Оптовая торговля книгами «Эксмо»:
ООО «ТД «Эксмо». 142700, Московская обл., Ленинский р-н, г. Видное,
Белокаменное ш., д. 1, многоканальный тел. 411-50-74.
E-mail: **reception@eksmo-sale.ru**

По вопросам приобретения книг «Эксмо»
зарубежными оптовыми покупателями *обращаться в ООО «Дип покет»*
E-mail: **foreignseller@eksmo-sale.ru**

International Sales:
International wholesale customers should contact «Deep Pocket» Pvt. Ltd. for their orders.
foreignseller@eksmo-sale.ru

По вопросам заказа книг корпоративным клиентам,
в том числе в специальном оформлении,
обращаться в ООО «Форум»: тел. 411-73-58 доб. 2598.
E-mail: **vipzakaz@eksmo.ru**

Оптовая торговля бумажно-беловыми
и канцелярскими товарами для школы и офиса «Канц-Эксмо»:
Компания «Канц-Эксмо»: 142702, Московская обл., Ленинский р-н, г. Видное-2,
Белокаменное ш., д. 1, а/я 5. Тел./факс +7 (495) 745-28-87 (многоканальный).
e-mail: **kanc@eksmo-sale.ru**, сайт: **www.kanc-eksmo.ru**

Полный ассортимент книг издательства «Эксмо» для оптовых покупателей:
В Санкт-Петербурге: ООО СЗКО, пр-т Обуховской Обороны, д. 84Е.
Тел. (812) 365-46-03/04.
В Нижнем Новгороде: ООО ТД «Эксмо НН», ул. Маршала Воронова, д. 3.
Тел. (8312) 72-36-70.
В Казани: ООО «НКП Казань», ул. Фрезерная, д. 5. Тел. (843) 570-40-45/46.
В Ростове-на-Дону: ООО «РДЦ-Ростов», пр. Стачки, 243А.
Тел. (863) 268-83-59/60.
В Самаре: ООО «РДЦ-Самара», пр-т Кирова, д. 75/1, литера «Е».
Тел. (846) 269-66-70.
В Екатеринбурге: ООО «РДЦ-Екатеринбург», ул. Прибалтийская, д. 24а.
Тел. (343) 378-49-45.
В Киеве: ООО ДЦ «Эксмо-Украина», ул. Луговая, д. 9.
Тел./факс: (044) 501-91-19.
Во Львове: ТП ООО ДЦ «Эксмо-Украина», ул. Бузкова, д. 2.
Тел./факс (032) 245-00-19.
В Симферополе: ООО «Эксмо-Крым» ул. Киевская, д. 153.
Тел./факс (0652) 22-90-03, 54-32-99.

Мелкооптовая торговля книгами «Эксмо» и канцтоварами «Канц-Эксмо»:
117192, Москва, Мичуринский пр-т, д. 12/1. Тел./факс: (495) 411-50-76.
127254, Москва, ул. Добролюбова, д. 2. Тел.: (495) 780-58-34.

Полный ассортимент продукции издательства «Эксмо»:
В Москве в сети магазинов «Новый книжный»:
Центральный магазин — Москва, Сухаревская пл., 12. Тел. 937-85-81.
Волгоградский пр-т, д. 78, тел. 177-22-11; ул. Братиславская, д. 12, тел. 346-99-95.
Информация о магазинах «Новый книжный» по тел. 780-58-81.
В Санкт-Петербурге в сети магазинов «Буквоед»:
«Магазин на Невском», д. 13. Тел. (812) 310-22-44.

По вопросам размещения рекламы в книгах издательства «Эксмо»
обращаться в рекламный отдел. Тел. 411-68-74.